rowohlts monographien

HERAUSGEGEBEN
VON
KURT KUSENBERG

——

NOVALIS

IN
SELBSTZEUGNISSEN
UND
BILDDOKUMENTEN

—

DARGESTELLT
VON
GERHARD SCHULZ

ROWOHLT

Dieser Band wurde eigens für «rowohlts monographien» geschrieben
Den Anhang besorgte der Autor
Herausgeber: Kurt Kusenberg · Redaktion: Beate Möhring
Umschlagentwurf: Werner Rebhuhn
Vorderseite: Novalis (Friedrich von Hardenberg)
Zeitgenössisches Bild. Museum Weißenfels
Rückseite: Titelvignette zu Novalis. Schriften. Erster Theil.
Wien, Armbruster, 1820

1.–15. Tausend   Juli 1969
16.–18. Tausend   Februar 1973

© Rowohlt Taschenbuch Verlag GmbH, Reinbek bei Hamburg, 1969
Alle Rechte an dieser Ausgabe vorbehalten
Gesetzt aus der Linotype-Aldus-Buchschrift und der Palatino (D. Stempel AG)
Gesamtherstellung Clausen & Bosse, Leck/Schleswig
Printed in Germany
ISBN 3 499 50154 6

INHALT

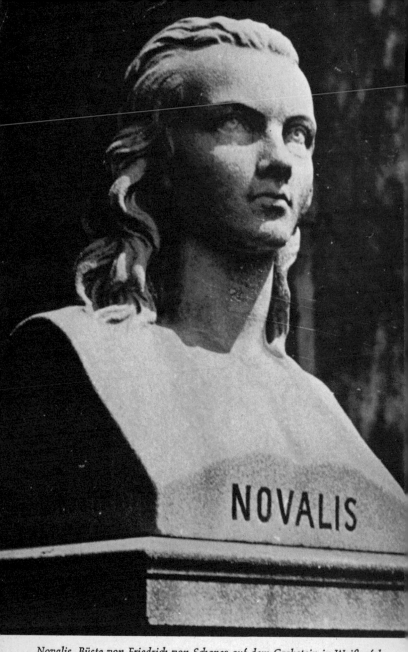

Novalis. Büste von Friedrich von Schaper auf dem Grabstein in Weißenfels

Selten haben Vorurteile die allgemeinen Vorstellungen von einem Dichter so stark getrübt wie im Falle von Novalis. Selten hat man über einen Dichter so viel und zugleich so wenig gewußt. Das beginnt mit seinem Namen und gilt für das Bild seiner Persönlichkeit ebenso wie für sein Werk.

Novalis hieß eigentlich Georg Philipp Friedrich von Hardenberg. «Novalis», der Neuland Bestellende, nannte er sich zuerst 1798 bei der Veröffentlichung seines *Blütenstaub*. Die Zeichnung von Beiträgen mit Initialen oder einem Pseudonym war Zeitsitte; der Bürger konnte sich hinter dem Schriftsteller verbergen. Aber wenn bei anderen später die Tarnkappe des Künstlers in Vergessenheit geriet, als sie durch ihre Leistungen auch bürgerlichen Respekt erworben hatten, so blieb bei Hardenberg, dem Frühverstorbenen, der romantische Deckname von Dauer und hat denn auch weitgehend das Bild beeinflußt, das sich die Nachwelt vom Bürger zu machen suchte. Es wäre allerdings verlorene Mühe, wollte man heute das klangvollere Wort zurückzudrängen suchen oder auch nur auf reinlicher Scheidung bei der Benennung des Bürgers und des Künstlers bestehen. Eine solche klare Trennung hat es im Leben des Dichters selbst nicht gegeben. Wichtiger ist, seine unteilbare Persönlichkeit besser zu verstehen.

Schon das äußere Bild dieser Persönlichkeit hat bei der Nachwelt Verwirrung gestiftet. Es gibt nur eine einzige Darstellung, die ihn uns so vor Augen führt, wie ihn seine Nächsten, seine Gefährten und Freunde gesehen haben. Das Gemälde eines unbekannten Künstlers (S. 101) zeigt eine schmächtige Gestalt. Das ovale, nach unten spitzer werdende Gesicht wird geprägt durch eine breite und hohe Stirn, dunkle Augen, eine große Nase und einen fein ausgezogenen Mund. Klugheit und Güte, Ernst, aber auch die Spur eines Lächelns liegen in den Zügen. Ludwig Tieck hat den Freund später so beschrieben: «Novalis war groß, schlank und von edlen Verhältnissen. Er trug sein lichtbraunes Haar in herabfallenden Locken, welches damals weniger auffiel, als es jetzt geschehen würde, sein braunes Auge war hell und glänzend und die Farbe seines Gesichtes, besonders der geistreichen Stirn, fast durchsichtig. Hand und Fuß war etwas zu groß und ohne feinen Ausdruck. Seine Miene war stets heiter und wohlwollend.»[1]*

Merkwürdigerweise ist dieses einzige authentische Bild des erwachsenen Friedrich von Hardenberg kaum an die Öffentlichkeit gedrungen und nur selten reproduziert worden. Die meisten Editoren, Biographen und Literarhistoriker griffen zu einem Stich, den Eduard Eichens im Jahre 1845 von eben diesem Gemälde angefertigt hatte. Aber Eichens war kein Zeitgenosse des Dichters, und so sehr er Originaltreue angestrebt haben mag, so wenig konnte er doch verhindern, daß eigene Vorstellungen in dieses Bild übergingen. Aus dem Gesicht des jungen Mannes wurde das mädchenhafte eines träume-

---

* Die hochgestellten Ziffern verweisen auf die Anmerkungen S. 165 f.

rischen Jünglings. Der Mund ist kleiner, voller und weicher, und er hat den leichten Zug der Heiterkeit verloren. Die Stirn ist hochgezogen, schmaler, die Haare fallen nicht mehr glatt vom Scheitel herab, sondern erheben sich wellig und betonen eine Fülle, die das Original keineswegs aufweist. Das Geistreiche, Bedeutende des Gesichts ist einer kindlichfrommen Ebenmäßigkeit gewichen, die nichts mehr von der Weite und Tiefe, Klarheit und Schärfe der Gedanken ahnen läßt, die diesem Kopf entsprungen sind. Spätere Bilder und auch die Büste auf dem Grabe in Weißenfels sind von Eichens' Stich ausgegangen und haben zu einer Umdeutung des Novalis-Bildes beigetragen, die allenfalls eine gewisse Parallele in der Aufnahme und Interpretation seines Werkes findet. Denn auch was das Werk betrifft, so ist kaum ein anderer bedeutender Autor so sehr dem Mißverständnis ausgesetzt gewesen wie Novalis.

Seine wesentlichsten Dichtungen waren zwar seit der ersten Ausgabe von Schlegel und Tieck 1802 bekannt, der *Ofterdingen* also und *Die Lehrlinge zu Sais*, die *Hymnen an die Nacht* und die *Geistlichen Lieder*, aber von dem großen theoretischen Werk, das heute zwei gewichtige Bände füllt und das zum Teil erst gerade veröffentlicht worden ist, existierte 100 Jahre lang nur eine schmale Sammlung bunt gemischter und von den Herausgebern recht willkürlich zusammengestellter Sätze, die einen funkelnden, aber träumerisch-unsteten und unreifen Geist suggerierten, dem der Wille zum Vollenden ebenso fehlte wie Ernst und zielbewußtes Denken.

Zielstrebigkeit und Willensstärke aber besaß Novalis in hohem Grade, und sie haben ihn allein zu dem befähigt, was er als Schriftsteller geleistet hat. Nur wird man die Bedeutung und den inneren Zusammenhang seines Werkes erst recht begreifen können, wenn man es in Bezug zu der Entwicklung seiner Persönlichkeit, seines Denkens und zu seiner Zeit setzt.

ELTERNHAUS

«Den 2ten May 1772 zu Wiederstedt machte uns Eltern Gott die Freude und schenkte uns einen Sohn, welcher in der heil. Taufe den Namen bekam Georg F r i e d r i c h Philipp v. H.»[2] Mit diesen Worten verzeichnete die Freifrau Auguste Bernhardine von Hardenberg, geborene von Bölzig, in einem kleinen Lebensabriß die Geburt ihres ersten Sohnes.

Es mag wohl wahr sein, daß eine besondere Gestirnung dazu gehört, wenn ein Dichter zur Welt kommen soll[3], schrieb der Sohn später in seinem Roman *Heinrich von Ofterdingen*. Daß am Tage seiner Geburt tatsächlich eine Sonnenfinsternis stattgefunden hat, daß Saturn und Mars sich gar nicht gleichgültig verhielten, bleibe den Astrologen zum Symbolspiel überlassen. Aber durch das Datum seiner Geburt wurde Friedrich von Hardenberg zum Generationsgefähr-

Stich von Eduard Eichens (1845) nach dem Bildnis eines unbekannten Malers
(vgl. S. 101)

ten einer Reihe von Männern, deren Werk und Leistung über eine beträchtliche Zeit hinweg den Lauf des kommenden Jahrhunderts bestimmen sollten. Napoleon war drei Jahre älter als er, Metternich ein Jahr jünger. Von Hegel, Hölderlin, Beethoven und dem preußischen König Friedrich Wilhelm III. trennten ihn zwei Jahre. Friedrich Schlegel war sein Jahrgang, und Ludwig Tieck ein Jahr später geboren. Schon solche Zeitgenossenschaft deutet darauf hin, daß die Epoche reif war für entscheidende Veränderungen im gesellschaftlichen wie geistigen Leben. Umwälzungen im Bereiche der Naturwissenschaften zeigten sich an. 1772 entdeckte Lavoisier, daß bei der Verbrennung eine Gewichtszunahme stattfand, die auf einer Verbindung mit Sauerstoff beruhte. Ein Jahr zuvor hatten Scheele und Priestley den Sauerstoff gefunden. Voraussetzungen für eine kopernikanische Wendung der Chemie waren damit gegeben. Im Jahre 1772 begann James Cook seine zweite große Entdeckungsreise um die Welt, die ihn auf die Trauminsel Otaheiti oder Tahiti führte. Seine Begleiter waren Johann Reinhold Forster und dessen Sohn Johann Georg. Ihre Berichte brachten ein paar Jahre später den Geschmack von Freiheit und großer Welt den Bürgern der deutschen Kleinstaaten ins Haus. Die Staaten Mitteleuropas erholten sich nur langsam von den Folgen des Siebenjährigen Krieges: Kursachsen litt unter einer der schlimmsten Hungersnöte, und im Mai 1772 wurde in Dresden das erste Papiergeld, die «Kassenbilletts» ausgegeben. Eine immer baufälliger werdende feudale Ständeordnung ließ auf diese Weise zögernd Elemente einer neuen Wirtschaftsform in sich eindringen. Unter solcher *Gestirnung* wurde ein Dichter geboren, dessen Leben von der Leidenschaft zur Politik, von der Sehnsucht nach der Veränderung der Welt ebenso bestimmt wurde wie von dem Drang, als Wissenschaftler die Gesetze der Natur zu erkennen und sie in praktischer Arbeit anzuwenden.

Über sein Herkommen ist wenig zu sagen. Die Hardenbergs waren ein altes niedersächsisches Adelsgeschlecht, das aber bis zu dieser Zeit in der Geschichte kaum hervorgetreten war. Der Ahnherr, Dietrich von Hardenberg, lebte um die Wende vom 12. ins 13. Jahrhundert, in der Blütezeit mittelalterlicher Dichtung. Sein jüngster Sohn Günther erhielt das Gut Rode zu eigen, und der Chronist weiß zu berichten: «Die daselbstwohnenden aus der Güntherschen Linie schrieben sich d e n o v a l i, von Roden.»[4] Ein paar Meilen nördlich von Göttingen, bei Nörten, in der Nähe des neuen Schlosses, stehen noch heute die Ruinen des alten Stammsitzes der Hardenbergs. Im 17. Jahrhundert teilte sich das Geschlecht in drei Linien. Georg Anton von Hardenberg (1666–1721), der zweite von drei Söhnen, erhielt den Freiherrntitel und das Gut Oberwiederstedt, ein säkularisiertes Kloster im Mansfeldischen. Die anderen beiden Brüder, Herren einer gräflichen und einer später ebenfalls in den Grafenstand erhobenen Linie, blieben in Niedersachsen. Der alten gräflichen entstammt der preußische Staatskanzler und Reformer Karl August von Hardenberg (1750–1822). Georg Anton von Hardenberg aber wurde der Urgroßvater von Novalis.

Ruine Hardenberg bei Nörten. Stahlstich, um 1830

Der dritte Herr auf Oberwiederstedt, Heinrich Ulrich Erasmus von Hardenberg, wurde 1738 als der jüngste von vier Söhnen geboren. Schulpforta, die Universität Göttingen und die Mansfelder Kupfer- und Silberbergwerke bezeichnen Stufen seiner Ausbildung, die ihn für das Verwaltungswesen und das Bergfach vorbereitete. Aus der allzu nüchternen Tätigkeit in der Hofkanzlei zu Hannover floh er gegen Ende des Siebenjährigen Krieges in den Militärdienst auf seiten Preußens. Nach dem Kriege übernahm er das väterliche Gut. Der Vater war 1752 gestorben, und die älteren Brüder hatten kein Interesse gezeigt. 1764 heiratete Heinrich Ulrich Erasmus von Hardenberg, aber seine Frau starb schon 1769 bei einer Blatternepidemie. Die Todeserfahrung wurde ihm Anlaß zu tiefer religiöser Besinnung und zu pietistischer Erweckung. Er hat davon später selbst bekannt: «Nach einem wüsten, wilden Leben erwachte ich im Frühjahr 1769 durch eine heftige Erschütterung bei dem Tode meiner Frau und empfand eine heftige Unruhe über den Zustand meiner Seele. Die fromme Erziehung meiner seligen Mutter hatte mir principia eingeflößt, welche mir schon in meinen zarten Jahren starke Eindrükke in meiner Seele gemacht, und diese hatte mir der langmütige Gott auch in dem Wust von Lastern erhalten, welchen ich mich so lange überlassen.»[5]
Wieviel an solchem Sündenbekenntnis pietistischer Zerknirschungs-

Der Vater: Heinrich Ulrich Erasmus Freiherr von Hardenberg (1738–1814). Gemälde von Anton Graff

wollust zuzurechnen ist, läßt sich schwer sagen. Von der Mutter, einer geborenen von Heynitz, und ihrer Familie her war ihm Spenersches und Zinzendorfisches Gedankengut wohlvertraut, und der Herrnhuter Brüdergemeine trat er nun in seiner Sündennot nahe. Er schloß ein schriftliches Bündnis mit Gott, seinem Herrn, und bestimmte: «Ich will mich bessern und durch einen strengen Wandel das wieder gut machen, was ich in meiner Jugend versäumt habe.»[6] Er nahm es ernst mit seinem Bündnis. In der tiefen Überzeugung von der Sündhaftigkeit des Menschen, der nur mit asketischer Strenge zu begegnen war, heiratete er ein zweites Mal.

Diesmal war es eine verarmte Adlige, die im Hause seiner Mutter eine wohl nicht von Kränkungen freie Zuflucht gefunden hatte. In ihrem Lebensabriß schreibt Auguste Bernhardine von Bölzig: «Den

1ten Juli 1770 im 20ten Jahre meines Alters trat ich in die glücklichste zufriedenste Verbindung mit meinem besten lieben Mann Heinrich Ulrich Erasmus von Hardenberg, er war 32 Jahr alt; auf seinem Gute zu Wiederstedt ward sie vollzogen.»[7] In dieser glücklichsten und zufriedensten Verbindung gebar sie ihrem Mann elf Kinder. Beim letzten war sie über 45 Jahre alt. Von diesen elf Kindern starb eines im Alter von 13 Jahren, acht starben zwischen 20 und 30 und eines mit 37 Jahren. Nur ein Kind, der Sohn Anton, hat die Mutter überlebt; er wurde 44 Jahre alt.

Der Vater blieb der Herr der großen Familie, die er im Geiste seines religiösen Sündenbewußtseins regierte. Einst hatte Ludwig Tieck bei einem Besuch den alten Herrn im Nebenzimmer in nicht eben glimpflicher Weise schelten und zürnen gehört. «Was ist vorgefallen? fragte er besorgt einen eintretenden Bedienten. Nichts, erwiderte dieser trocken. Der Herr hält Religionsstunde. Der alte Hardenberg pflegte Andachtsübungen zu leiten und auch die jüngern Kinder in Dingen des Glaubens zu prüfen, wobei es mitunter stürmisch herging.»[8] Private Bibelstunden dieser Art waren ein wesentlicher Bestandteil pietistischer Religionsübung. Novalis hat von seinem Vater später gesagt, daß ihn beständige Opposition gegen neue Vorschläge, asketische Strenge und Mißtrauen gegen die Subalternen charakterisierten. Im Grunde war er wohl ein schwacher Mann. Das Bild Anton Graffs zeigt weiche und ein wenig unbestimmte Züge. Was als Ernst und Strenge in seiner Handlungs- und Denkweise erscheint, ist eher die Hartnäckigkeit eines innerlich unsicheren Menschen, der sein Leben in eine vorgestellte Form und Festigkeit zwingen wollte. Sündenbewußtsein und Bußlust deuten in gleiche Richtung. An Stelle echter Strenge entstand Härte, die Liebe nicht recht aufkommen ließ.

So übertrug sich alle Liebeskraft der Kinder, insbesondere der Söhne, auf die Mutter. Ihrem Wesen nach war sie eine kluge, fein empfindende und verständnisvolle Frau, aber der soziale Makel der Verarmung ihrer Eltern ebenso wie manche Demütigungen in einer ungleichen Ehe ließen sie verschüchtert, unterwürfig, gequält erscheinen. Gerade dadurch aber wurde sie Gegenstand der innigsten Zuneigung ihres ältesten Sohnes, für den Liebe in seinem späteren Leben immer stark dem Mitleiden verbunden blieb. Im Alter von neunzehn Jahren bekannte Novalis seiner Mutter: *Ich weiß, daß Du es so gern siehst, wenn ich an Dich schreibe, ob ich Dich gleich versichre, daß auch gewiß sonst die Erinnerung an Dich mir die glücklichsten meiner Stunden macht, wenn meine Phantasie schwelgt und Dein Bild lebendig mir vorschwebt; wenn alle die schönen Szenen der Vorzeit und Zukunft, die ich mit Dir erlebte und erleben werde, vor mir stehn und jeder Zug in ihnen beseelt ist: Wenn gar der blaue Schleier der Zukunft sich hebt und ich Dich als Schöpferin aller jener kühnen Entwürfe sehe, die eine allzu kühne Zuversicht in meine Kräfte wagte. Denn wem dankten alle Männer beinah, die etwas Großes für die Menschheit wagten, ihre Kräfte; keinem als ihren Müttern. Du trugst beinah alles zur Entwicklung meiner Kräfte bei, und alles, was ich einst Gutes wage und tue, ist Dein Werk und der schönste Dank, den ich Dir bringen kann.*[9]

Das ist nicht nur Konvention oder die Redseligkeit eines jungen Mannes, der sich seiner Sprachkraft bewußt wird, wenn natürlich auch von beidem etwas mit dabei ist. Das Wort von der Schöpferin aller jener kühnen Entwürfe bewahrheitete sich in einem nicht gewöhnlichen Sinne in dem Werk des Sohnes, denn die Liebe zur Muttergestalt bis hin zum Inzestuösen durchzieht als ein Leitmotiv Novalis' gesamtes Werk.

Novalis war zudem in den ersten Jahren schwächlich und zurückgeblieben gegenüber den anderen Geschwistern und damit das besondere Schoß- und Sorgenkind der Mutter. Ihm widmete sie Verschen, in seinem Namen schrieb sie um Liebe werbende Gedichte an den Vater. 1780 erfolgte dann eine Wandlung im Leben des Kindes. «In seinem 9ten Jahre bekam er die Ruhr, und als Folge dieser Krankheit eine Atonie des Magens, die nur durch die schmerzhaftesten Reizmittel und eine langwierige Kur konnten gehoben werden. Jetzt schien sein Geist auf einmal zu erwachen.»[10] Das Interesse des Vaters an seinem ältesten Sohn wuchs mit dessen rascher geistiger Entwicklung. Er nahm ihn nun gelegentlich auf seinen Reisen mit, und 1783 gab er ihn schließlich eine Zeitlang in die Hände seines um zehn Jahre älteren Bruders, Gottlob Friedrich Wilhelm von Hardenberg, der als Landkomtur des Deutschritter-Ordens auf Schloß Lucklum zwischen Helmstedt und Wolfenbüttel residierte. Bei ihm trat der Heranwachsende in eine andere Welt ein.

Gewiß war Lucklum nicht ein Zentrum geistigen oder politischen Lebens; die Ordensstifte waren eher Versorgungseinrichtungen älterer adliger Herren. Aber es wehte doch ein anderer Atem durch das weiträumige, reich ausgestattete Herrenhaus als durch die engen, dumpfen Gemächer des ehemaligen Nonnenklosters Oberwiederstedt. Etwas von weltmännischer Lässigkeit herrschte. Der Landkomtur hatte seinen völlig abgeschlossenen Stuhl in der dem Hause verbundenen Kirche und konnte, wenn ihm danach war, dem Gottesdienst auch im Schlafrock beiwohnen. Der strengen pietistischen Askese trat hier das Rokoko in seinem verblassenden Glanz gegenüber. Als Rokokokavalier mit Perücke und Zopf, in schimmernder Rüstung, geziert vom Großkreuz des Ordens hat sich der Hausherr denn auch malen lassen.

Wie lange der Aufenthalt von Novalis in Lucklum gedauert hat, ist nicht bekannt. Aber aus einem Brief des Komturs an seinen jüngeren Bruder ist doch herauszulesen, daß die andere Umgebung nicht ohne tiefen Einfluß auf den Zwölfjährigen geblieben war: «Es ist mir lieb, daß sich Fritz wieder findet und in's Gleis kömmt, aus welchem ich ihn gewiß nicht wieder herausnehmen will. Mein Haus ist für seinen Kopf zu hoch gespannt, er wird zu sehr verwöhnt, und ich sehe zu viele fremde Leute und kann nicht verhindern, daß an meinem Tische viel gesprochen wird, was ihm nicht dienlich und heilsam ist.»[11]

Die Mutter: Auguste Bernhardine, geb. von Bölzig (1749–1818)
mit dem Enkel Erasmus von Rechenberg. Zeitgenössisches Bildnis

Dennoch blieb der Onkel eine bestimmende Gestalt im Leben Friedrich von Hardenbergs, besonders da sein Vater bei aller Gegensätzlichkeit den älteren Bruder eher wie einen väterlichen Ratgeber und Lehrmeister betrachtete. Novalis hat das Verhältnis der beiden Männer zu ihm so geschildert: *Meines Onkels Charakter ist unerschütterliche Rechtschaffenheit und die strengste Anhänglichkeit an seine Grundsätze. Sein Verstand hat die Kultur eines alten Weltmanns, aber auch dessen Eingeschränktheit. Von jeher verzog ihn das Glück. Dürftigkeit fühlte er nie... Er gab mir von Jugend auf Gelegenheit, meine Eitelkeit zu befriedigen, und versprach sich von meiner Lebhaftigkeit einen glänzenden Erfolg. Er schmeichelte mir mit den angenehmsten Hoffnungen, eine Rolle in der Welt zu spielen, und ge-*

Linden-Allee im Park von Oberwiederstedt

Der Elfjährige. Schattenriß auf grünem Papier. Aus dem Besitz von K. A. Varnhagen von Ense, der die Silhouette von Bettina von Arnim erhalten hatte. Die Unterschrift ist von Varnhagens Hand.

wiß hätt er mich auf einer solchen Laufbahn auf das wärmste unterstützt. So ergeben mein Vater auch übrigens meinem Onkel war, so ähnlich auch in manchen Gesinnungen, so wich er doch in diesem Stück sehr von ihm ab und brachte uns durch Beispiel und Reden eine Verachtung des äußren Glanzes bei. Er ermahnte uns zum Fleiß und zur Genügsamkeit und äußerte seine Freude, wenn wir unserm Herzen folgten, ohne Rücksicht auf die Meinung der Welt zu nehmen. Er pries uns das Glück einer stillen, häuslichen Lage und bat uns oft, nie aus Rücksichten des Interesse und der Ambition zu handeln und zu wählen. Mein Onkel hing an den Vorzügen des Standes und der Geburt, und mein Vater lächelte über beides.[12]

Die stille, häusliche Lage wird in Oberwiederstedt allerdings oft mit Dürftigkeit verbunden gewesen sein. Das Gut war heruntergewirtschaftet gewesen, als Erasmus von Hardenberg es übernommen hatte. Wohl gab es für ihn Nebeneinnahmen dadurch, daß er auch Berghauptmann für die Grafschaft Mansfeld war. Aber das mag nicht

17

Rittersaal des Deutschritter-Ordens, um 1740. Schloß Lucklum

Lucklum bei Braunschweig

Gottlob Friedrich Wilhelm von Hardenberg (1728–1800). Landkomtur des Deutschritter-Ordens

ausgereicht haben für seine ständig wachsende Familie, und so bewarb er sich 1784 um die vakante Stelle eines Direktors der kursächsischen Salinen Artern, Kösen und Dürrenberg mit einer – zusätzlichen – Besoldung von 650 Talern jährlich und der Auflage, «seinen beständigen Aufenthalt in der Nähe von Dürrenberg zu nehmen»[13]. 1785 siedelte die Familie nach Weißenfels über. Der Ort wurde zum Zentrum des Lebenskreises Friedrich von Hardenbergs, von dem er ausging und zu dem er immer wieder zurückkehrte. Gewiß war Weißenfels zu dieser Zeit eine Kleinstadt von kaum mehr als 3800 Einwohnern, aber nur etwa 30 Kilometer trennten es von Leipzig, der Metropole des Handels und der Gelehrsamkeit. Im Südwesten lag die Universitätsstadt Jena, an einem Vormittag gut zu erreichen, und im Westen, nur wenig weiter entfernt, Weimar mit rund 6000 Einwohnern, zu denen der Minister Goethe, der Generalsuperintendent Herder und Hofrat Wieland zählten. Damit ist im Grunde auch schon der engere Lebensbereich von Novalis bezeichnet. An der Peripherie liegen im Süden der böhmische Badeort Teplitz, im Osten Dresden und die Oberlausitz, im Norden Wittenberg und im Nordwesten das Schloß Hardenberg. Darüber ist er nie hinausgekommen. In Mitteldeutschland zwischen Harz, Thüringer Wald, Erzgebirge und der Elbe spielte sich sein Leben fortan ab. Er war ein Bürger Kursachsens und wurde zum Diener dieses Staates erzogen. In der weichen Mundart Sachsens und Thüringens haben er, seine Angehörigen und viele seiner Freunde gesprochen, und die reiche Kultur dieser Mitte wurde auch zum Nährboden für sein eigenes Werk.

DICHTERISCHE VERSUCHE

Auch in Weißenfels führte die ständig größer werdende Familie von Hardenberg ein eingezogenes Dasein. Durch ein Spiel des Zufalls besaß ihr Haus dort ebenso wie Schloß Oberwiederstedt geistliche Tra-

Schloß Oberwiederstedt. Hofseite. Um 1870

dition: es trug den Namen «Am Kloster», weil es auf dem Besitz von
Klarissinnen erbaut worden war. Die Stadt, deren Fürstengeschlecht
1746 erloschen war, hatte kein sehr reges gesellschaftliches Leben.
Sie leben in Pleiß-Athen, schrieb Novalis einem Freunde nach Leipzig,
*aber wir an den Ufern der Saale leben wie in Böotien fern von den
Musen und ihren Tempeln.*[14] Was eine deutsche Stadt jedoch immer
wieder zu bieten hatte, war Bildung. Hofmeister und Lateinschule
bemühten sich um die Förderung des jungen Zöglings. So berichtete
der Bruder Carl: «Er war sehr fleißig in seinen Stunden, und La-
teinisch und Griechisch kannte er schon mit einer gewissen Fertigkeit
im 12ten Jahre; auch finden sich mehrere Gedichte aus dieser Zeit; –
in seinen Erholungsstunden war seine Lieblingslektüre Gedichte und
Märchen, deren letztere er auch seinen Geschwistern gern erzählte.
So ist es vielleicht bemerkenswert, daß die drei Brüder nach seiner
Angabe folgendes Spiel sehr liebten: jeder war ein Genius des Himmels, des Wassers oder der Erde, und alle Sonntag Abend erzählte
Novalis seinen Brüdern neue Begebenheiten aus ihren Reichen, die
er auf das anmutigste und mannigfaltigste zu ergänzen wußte, und
dieses Spiel wurde 3 bis 4 Jahr ununterbrochen fortgesetzt. – Die
Geschichte las er mit großem Eifer, und seine Hofmeister hatten nie
nötig, ihn zum Fleiß anzutreiben, vielmehr wäre es seiner Gesundheit wohl vorteilhafter gewesen, wenn sie seinen Fleiß zu Zeiten
zurückgehalten hätten.»[15] Das letztere wurde aus der Kenntnis des
späteren Lebens und des frühen Todes gesagt, aber die leichte An-

lage zur Krankheit ist offenbar Friedrich von Hardenberg schon von seiner Jugend an zu eigen gewesen, ebenso wie der Hang, konstitutionelle Schwäche durch Fleiß und Selbstzucht zu bekämpfen.

Seine Schulausbildung schloß 1790 mit einem mehrmonatigen Besuch des Gymnasiums zu Eisleben ab, das damals unter der Leitung von Christian David Jani stand, der besonders als Verfasser einer lateinischen Poetik und als Herausgeber der Werke des Horaz ein hohes wissenschaftliches Ansehen genoß. Offenbar vermochte er, seinen Schülern etwas von dem eigenen Enthusiasmus mitzuteilen, denn die Vorliebe gerade für Horaz hat Novalis nie verlassen, wovon verschiedene, zum Teil gelungene Übersetzungsversuche zeugen. Nahezu die Hälfte aller Unterrichtsstunden war dem Studium griechischer und lateinischer Autoren gewidmet. Jani starb im Oktober 1790, und Novalis kehrte für kurze Zeit, ehe er sein Jurastudium begann, nach Weißenfels zurück.

Der Vater hatte für ihn eine Laufbahn im sächsischen Staatsdienst bestimmt, aber die Neigungen zu den *schönen Wissenschaften* [16] entwickelten sich zur stärkeren Kraft. Der Onkel hatte ihm allerdings

Wohnhaus der Familie Hardenberg in Weißenfels

oft *das Ridikule eines Schöngeistes gezeigt, und wenn ich auch im Gefühl dieser Lächerlichkeit mich wohl in acht nahm, meine Vorliebe blicken zu lassen, so konnte ich doch im stillen nicht unterlassen, diese reizenden Beschäftigungen zu verfolgen* [17]. Ein Bücherverzeichnis, das der Achtzehnjährige gerade zu dieser Zeit angefertigt hat, verrät deutlich, worauf sich seine Interessen damals besonders richteten. Gewiß waren in der stattlichen Bibliothek Rechtsgelehrte, Historiker und Philosophen vertreten, aber den Vorrang hatten doch deutlich die Dichter. Neben den lateinischen und griechischen Autoren, die Schullektüre waren, steht eine Fülle von Namen aus der sich um diese Zeit kräftig entfaltenden deutschen Literatur. Lessing, Goethe und Schiller repräsentieren das Drama. Wieland ist der führende Erzähler, und im großen Reigen der Lyriker folgen auf Klopstock Namen wie Uz und Gleim, Ramler und Gotter, Hölty, Bürger und Friedrich Leopold von Stolberg. Die Lehrmeister eines jungen Dichters sind in diesem Verzeichnis versammelt. Die vom Bruder bezeugte Lust am Erzählen und Versemachen hatte Novalis in den Jahren seiner Schulausbildung zwischen 1788 und 1790 immer stärker ergriffen und zu einer literarischen Produktion geführt, die mit mehr als 300 Gedichten sein späteres lyrisches Werk an Umfang bei weitem übertrifft. Außerdem finden sich aus dieser Periode zahlreiche, teils unvollendete, Verserzählungen, auch Fabeln, Dramenbruchstücke, Anfänge von Romanen und Übersetzungen.

Das meiste in diesem facettenreichen Jugendwerk ist Literatur aus zweiter Hand, Dichtung, die durch andere Dichtung veranlaßt wurde, auch wenn Novalis nicht nur bei Imitationen stehenblieb, sondern hin und wieder eigene Töne fand und vielversprechendes Talent verriet. Aber wohl kaum ein anderer Dichter hat sich zuerst in so vielen Bereichen und Ausdrucksformen erprobt wie Novalis, so daß man darin eher eine innere Nötigung erblicken kann als nur dichterische Fingerübung. Denn der manchmal geradezu hemmungslose Aussagedrang, verbunden mit einem unruhigen Vortasten in die vielfältigsten Gebiete menschlichen Denkens, Glaubens und Wissens, ist auch dem reifen Dichter und Philosophen zu eigen gewesen. Und Dichtung war auch später für ihn am allerwenigsten Gestaltung unmittelbaren Erlebens und Empfindens, sondern ging immer erst vom Reiz des Gedankens, des intellektuell Erfahrenen aus.

Die literarische Landschaft, in der sich sein Jugendwerk entfaltete, hat Novalis selbst in einem Gedicht an den Weißenfelser Verleger Friedrich Severin beschrieben:

> *In unserm lieben deutschen Vaterlande*
> *Ist nun die Mode einmal so,*
> *Daß jeder Jüngling reimt, bald traurig und bald froh,*
> *Bald schlummert an der Aganippe Rande,*
> *Bald an des Ozeanes Strande*
> *Von Wellen eingelullt auch schrecklich tosend reimt,*
> *Sich in die graue Vorzeit träumt,*

Novalis als Jüngling. Zeitgenössisches Bildnis

Und rauhe Bardenlieder singet
Und voll Begeistrung schäumt,
Und bald Cytheren Opfer bringet,
Oft einen Faun für einen Amor nimmt
Und seine Leier nur für trunkne Satyrs stimmt.[18]

Damit sind die wichtigsten Vorbilder und Einflußsphären für den jungen Dichter schon bezeichnet: die spielerisch leichte, von einer glücklicheren arkadischen Schäferwelt träumende Dichtung des ausgehenden Rokoko und die stürmische, vaterländische Begeisterung entfachende Bardenlyrik, die in Klopstock ihren Vater sah und die vor allem von den Dichtern des Hainbunds gepflegt wurde.

Schäfer und Schäferinnen bevölkern auch Gedichte von Novalis, auch er singt das anakreontische Lob des Weines und des Küssens, auch bei ihm finden sich die Liebenden in freier Natur unter Erlen und Linden. Mit dem Leichtfertigen verbindet sich das Bürgerliche; die Ideale der Zufriedenheit und Besonnenheit werden gepriesen und ein Lob auf Familie und Freundschaft gesungen. Die gesunde Schlichtheit des Landlebens wird der Verderbtheit der Städte gegenübergestellt. Ein Bild des Vaters als des um seine Pflichten besorgten Biedermannes und der in stiller Häuslichkeit *voll Treu und Herzensinnigkeit* [19] lebenden Mutter wird ebenso entworfen wie der Charakter seiner zukünftigen Frau:

> *Die, welche einst mich fesseln soll*
> *Auf meine Lebenszeit,*
> *Die müßte sein Verstandes voll,*
> *Voll Witz der mich erfreut.*

Der Marktplatz von Eisleben. Um 1820

Und Herzensgüte habe sie,
Mildtätig sei sie, treu,
Doch froh und heiter auch so wie
Der Morgentraum im Mai.

Stets so geschmückt, wie die Natur
Und Grazie es lehrt,
Und nicht ein Püppchen, welche nur
Der Mode Grillen ehrt.

Auch schön sei sie, denn dieses macht
Stets einen Vorzug aus,
Die Kinder nehme sie in acht
Und sorge für das Haus.

Auch reich schadt nichts, denn allemal
Ists besser, braucht man nicht
Zu sorgen, hat ein mäßig Mahl
Mit nährendem Gericht.[20]

Daneben stehen auch Gedichte *Am Grabe meines Vaters* und *An meine sterbende Schwester*, obwohl der Vater wie die älteste Schwester den Dichter überlebten. Cooks und Forsters Reisen finden ihren Niederschlag in dem Wunsch, dem in Konventionen erstarrten Europa zu entfliehen und im Bunde mit Gleichsinnten auf einer fernen Insel eine bessere Welt erstehen zu lassen:

Nein! Freunde kommt, laßt uns entfliehen
Den Fesseln, die Europa beut,
Zu Unverdorbnen nach Taiti ziehen
Zu ihrer Redlichkeit.

Und laßt uns da das Volk belehren
Wie Orpheus einstens tat;
Das Saitenspiel soll ihrer Wildheit wehren,
Errichten einen Staat,

Wo nur Natur den Szepter führet,
Durch weise Künste unterstützt,
Und jeder in dem Stand, der ihm gebühret,
Dem Vaterlande nützt.[21]

Im Stile Karl Wilhelm Ramlers werden Oden auf den idealen Fürsten gesungen, so besonders auf den preußischen König Friedrich II., auf seinen Nachfolger Friedrich Wilhelm II. und auf Kaiser Joseph II. Lob wird ihnen gespendet als Stifter des Friedens und Förderer der Toleranz, als gütige Landesväter und Mäzene der Dichter. Manche späteren Gedanken Hardenbergs von dem Auftrag des Herrschers

Gottfried August Bürger. Stich von Cl. Kohl nach Fiorillo, Wien 1797

und vom Verhältnis des Sängers zum König sind hier im Keime schon angelegt. Die Feuerzeichen des Bastillesturms allerdings werden nirgends in diesen Gedichten sichtbar. Zu nah war das Ereignis noch und in seinen Auswirkungen nicht deutbar. Außerdem machte schon damals eine Vorstellung von der Geschichte als einem organischen Ganzen von Vergangenheit, Gegenwart und Zukunft Novalis weniger als manche Altersgenossen geneigt, dem einzelnen Ereignis zu große Bedeutung beizumessen. Die Erinnerung an eine verklärte Vorzeit, vor allem aus den Dichtungen des Hainbunds empfangen, verbunden mit der Klage über die Mängel der Gegenwart und der Ahnung von einer reicheren, harmonischeren Zukunft, spiegelt sich vielfältig in Novalis' Dichtungen dieser Zeit und entwickelte sich zu einem Grundmotiv seiner späteren Geschichtsbetrachtung.

Zu literarischen Anregungen kamen schließlich persönliche. Im Mai 1789 besuchte Gottfried August Bürger seine Schwester in Langendorf, kaum mehr als eine Meile von Weißenfels entfernt. Eben war auch die zweite Ausgabe seiner Gedichte mit einer Reihe neuer Sonette erschienen, und so trat der junge Dichter werbend an den älteren heran. Als *ein Ihnen völlig Unbekannter und dazu noch ein unbärtiger Jüngling* [22] nahm er sich die Freiheit, ihm zu schreiben. Bürger antwortete, und Novalis jubelte: *Ein Brief ward mir von jener Hand geschrieben, die einst «Lenoren» schrieb und mit Homeren rang.* [23]

Es kam zur Begegnung, und Sonette wurden nun zu Bürgers Lob gesungen. Nimmer wolle er mehr fliehen,

> *Wenn Apollo meinen Busen schwellt,*
> *Will den Berg mich zu erklimmen mühen,*
> *Den herunter Bürgers Quelle fällt.* [24]

In diesem Werben um die Freundschaft eines älteren Mannes, eines Lehrers und Vorbilds drückt sich ein besonderer Grundzug von Hardenbergs Wesen aus. Gewiß liegt in solchem Drang nach Verehrung und Anschluß für einen jungen Mann nichts Ungewöhnliches, um so weniger, als gerade das 18. Jahrhundert einen Kult der Freundschaft entwickelt hatte, der diesen Trieb gleichwertig neben die Liebesbindung der Geschlechter stellte, ja ihn dieser oft überordnete, denn Freundschaft war im Grunde der freie Zusammenschluß freier Individuen jenseits der Schranken der Gesellschaft und somit eine Form bürgerlicher Selbstbehauptung. Aber in Hardenbergs jugendlicher Neigung zu Lehrmeistern, die später besonders im *Heinrich von Ofterdingen* dichterische Gestalt erhielt, drückt sich doch wohl auch der Versuch aus, durch das Aufblicken zu einem festen Vorbild der inneren Unruhe und Unstetigkeit beizukommen. Was in der Verehrung für Bürger nur erst in Spuren erkennbar war, trat in aller Deutlichkeit ans Licht, als der junge Student Friedrich von Hardenberg in Jena Friedrich Schiller begegnete, der um eben diese Zeit in einer kritischen Besprechung von Bürgers Gedichten den «unmännlichen, kindischen Ton» getadelt hatte, «den ein Heer von Stümpern in unsere lyrische Dichtkunst einführte», und der dem Dichter zur Aufgabe stellte, «seine Individualität so sehr als möglich zu veredeln, zur reinsten herrlichsten Menschheit hinaufzuläutern»[25].

Am 23. Oktober 1790 wurde Friedrich von Hardenberg an der Universität Jena als Student der Jurisprudenz immatrikuliert. Jena, eine Stadt von rund 4500 Einwohnern, beherbergte damals mehr als

Jena, von Süden aus gesehen. Kolorierter Stich von Jakob Roux

Und hast du dann das Strahlenziel errungen;

dann sei'rt die Menschheit dir ein Fest:

dann stieg' dein Ruhm auf Famens alsden Zungen

dein Ruhm von Pol' zu Pol', vom Ost zum West;

und lehrn Völker, aus dem Staub sich heben;

und lehrn Fürsten vor dem Recht erbeben.

„Nur Recht und Güte gründen Thronen"

die Stimme tönt vom großen Meer *)

furchtbar mit Donnerruf daher.

Ihr Fürsten höret sie, und wahret eurer Cronen!

Dan. Jenisch,
Prediger in Berlin.

2.
Klagen eines Jünglings.

Nimmer schwanden undankbar die Freuden

traumgleich mir in öde Fernen hin;

Jede färbte, lieblicher im Scheiden,

mit Erinnrung meinen trunknen Sinn;

Mit Erinnrung, die, statt zu ermüden,

neue, heilge Wonne mir entschloß,

und mir süßen jugendlichen Frieden

um die rebengrünen Schläfe goß.

Seit

*) Die berühmtesten Nazionen Europa's, die sich freygekämpft,
Engländer, Holländer, und Franzosen, wohnen bekanntermaß-
sen an dem atlantischen Meer.

Seit ich mehr aus schöner Wangen Röthe

mehr aus sanften, blauen Augen las,

oft, wenn schon die scharfe Nachtluft wehte

im beseeltern Traume mich vergaß;

meinem Herzen nachbarlicher, wärmer,

da den Schlag der Nachtigall empfand,

und entfernt von meinem Klärchen ärmer

mich als jeder dürft'ge Pilger fand:

Lacht, ew'ge Gottheit in dem Blicke,

mich mein sonnenschönes Leben an,

Amor täuscht mich nicht mit List und Tücke,

Ganymeda nicht mit kurzem Wahn;

Jedes Lüftchen nähert sich mir milder,

das dort Blüthen wild herunter haucht;

üppig drängen immer frische Bilder

sich zu mir, in Rosenöl getaucht.

Zypris Tauben warten schon mit Kränzen

und mit Traubenbechern meiner dort,

und in leichtverschlungnen Freudentänzen

reisset Amors Bruderschwarm mich fort.

Von der Grazien und Musen Lippen

schmachtet mir entgegen mancher Kuß;

Götterwonne kann ich selig nippen,

schwelgen da im freundlichsten Genuß.

Denn

«Klagen eines Jünglings». Die erste Publikation, April 1791

800 Studenten, und seine Universität war neben Halle die größte im mitteldeutschen Raum. Der Zuzug bedeutender Gelehrter machte sie gerade im letzten Jahrzehnt des 18. Jahrhunderts auch geistig führend. Karl Leonhard Reinhold lehrt dort die neue Philosophie Immanuel Kants und erweckte in dem jungen Studenten das Interesse an der Philosophie überhaupt. Eineinhalb Jahre vor dem Studienbeginn Hardenbergs hatte Friedrich Schiller in Jena seine Antrittsvorlesung über den Unterschied des Brotgelehrten und des philosophischen Kopfes gehalten. Jetzt, im Wintersemester 1790/91, las er über europäische Staatengeschichte und über die Geschichte der Kreuzzüge, und Hardenberg saß zu seinen Füßen, in Bewunderung zu dem damals erst einunddreißigjährigen außerordentlichen Professor der Geschichte und Philosophie aufblickend. *Sein Blick warf mich nieder in den Staub und richtete mich wieder auf* [26], bekannte er später. Für seinen Verehrer war Schiller nicht nur der Historiker, sondern auch der leidenschaftliche Dramatiker, der gerade in seinem «Don Carlos» (1787) ein Hoheslied auf die Freundschaft gesungen hatte, und er

war für ihn der Lyriker, der in Gedichten wie «Die Künstler» oder dem umstrittenen «Die Götter Griechenlands» wesentliche Fragen nach dem Verhältnis der Kunst zur Gesellschaft, nach himmlischer und irdischer Autorität aufgeworfen und beantwortet hatte. Noch bevor er ihn kennenlernte, begann Novalis schon eine *Apologie von Friedrich Schiller*, worin er die «Götter Griechenlands» gegen *Frömmler und andre enthusiastische Köpfe* [27] verteidigen wollte. Im Januar 1791 erkrankte Schiller schwer. Schillers Schwägerin, Karoline von Wolzogen, berichtete aus diesen Tagen: «Viele von seinen Zuhörern, im freundlichen Jugendeifer, boten sich zur Pflege und zu Nachtwachen bei dem Kranken an. Hardenberg, der später unter dem Namen Novalis bekannt wurde, zeigte die innigste Teilnahme und kam damals zuerst Schillern vertraulich nahe.» [28]

Es gibt Zeugnisse dafür, wie tief und nachhaltig der Eindruck Schillers auf den neunzehnjährigen Studenten war. In dem von Wieland herausgegebenen «Neuen Teutschen Merkur» erschien im April 1791 ein Gedicht *Klagen eines Jünglings*, unterzeichnet mit «v. H...g». Es war Novalis' erste Veröffentlichung, und Wieland lobt in einer Fußnote die «heut zu Tage an Jünglingen so seltene Bescheidenheit», Grazien und Musen hatten den jungen Dichter umschwebt, ihn zu freundlichem, aber unmännlichem Genuß verführt.

> *Dennoch lodern öfters Purpurgluten*
> *Mir um meine Wang' und meine Stirn,*
> *Wenn sich unter Stürmen, unter Fluten,*
> *Wie des Abends leuchtendes Gestirn,*
> *Mir, umstrahlt von echter Freiheit Kranze,*
> *Eines edlen Dulders Seele zeigt,*
> *Den der Himmel nicht in seinem Glanze,*
> *Nicht die Höll' in ihren Nächten beugt.*

So tritt vor ihn das Bild des leidenden Lehrers, und die Bitte wird daran geknüpft:

> *Parze, hast du jemals deine Spindel*
> *Nach dem Flehn des Erdensohns gedreht,*
> *Dem kein bald entwichner Zauberschwindel*
> *Um die flammendheißen Schläfe weht:*
> *O! so nimm, was Tausende begehrten,*
> *Was mir üppig deine Milde lieh,*
> *Gib mir Sorgen, Elend und Beschwerden*
> *Und dafür dem Geiste Energie.* [29]

Wiederum ist es der Drang nach Festigkeit und Bestimmtheit, der hier, vom Anblick des *edlen Dulders* erregt, beredten Ausdruck findet. Daß es Novalis immer wieder daran fehlte, war nicht nur ihm bewußt, sondern auch dem Vater, dem Selbstbeherrschung und Askese so sehr zur Lebenshaltung geworden waren. So kam es zu

Friedrich Schiller. Zeitgenössisches Bildnis, um 1791

der Bitte, die der ehemalige Hofmeister im Hause Hardenberg, Karl Christian Erhard Schmidt, im Namen des Vaters am 1. Juli 1791 an Schiller richtete: «Sie möchten das unbedingte Zutrauen, das dieser junge Mensch einem so würdigen Manne gewidmet hat, durch eine gelegentliche und gleichsam ungefähre Unterredung, die ihm sein Rechtsstudium und die ernste Vorbereitung zum künftigen Geschäftsleben wichtig und interessant machte, zu seinem eigenen Besten und zur Beförderung des Wohls seiner Familie, die in seiner Person eine Stütze erwartet, nach Ihrer besten Überzeugung benützen.»[30]

Die Unterredung muß bald darauf in Rudolstadt stattgefunden haben. Novalis beschreibt die Wirkung dieses Gesprächs auf sich in einem Brief an Schiller vom 22. September 1791: *Ein Wort von Ihnen wirkte mehr auf mich als die wiederholtesten Ermahnungen und Belehrungen anderer. Es entzündete tausend andre Funken in mir und ward mir nützlicher und hülfreicher zu meiner Bildung und Den-*

kungsart als die gründlichsten Deduktionen und Beweisgründe.[31] Und vierzehn Tage später versucht er noch einmal, den Eindruck, den Schillers Persönlichkeit auf ihn machte, in einem sechs engbeschriebene Seiten umfassenden Brief an Professor Reinhold zusammenzufassen. Wendungen finden sich dort wie *Stolzer schlägt mein Herz, denn dieser Mann ist ein Deutscher; ich kannte ihn und er war mein Freund* [32], und in Schiller sieht er den *Erzieher des künftigen Jahrhunderts* [33].

Auch an Schiller selbst schrieb er schließlich noch einmal am 7. Oktober, was er einen *wortreichen Erguß des herrschenden Enthusiasmus meiner Seele* [34] nennt. Der Brief beginnt mit einer denkwürdigen wertherischen Betrachtung: *Die schöne Gegend und eine gutmütige Harmlosigkeit, in die ich aufgelöst bin, zaubern mich in die blühenden Reiche der Phantasie hinüber, die ein ebenso magischer, dünner Nebel umschwimmt als die ferne Landschaft unter meinen Füßen: Ich freue mich mit dem letzten Lächeln des scheidenden Lebens der Natur und dem milden Sonnenblick des erkaltenden Himmels. Die fruchtbare Reife beginnt in Verwesung überzugehn, und mir ist der Anblick der langsam hinsterbenden Natur beinah reicher und größer als ihr Aufblühn und Lebendigwerden im Frühling. Ich fühle mich mehr zu edeln und erhabenen Empfindungen jetzt gestimmt als im Frühjahr, wo die Seele im untätigen, wollüstigen Empfangen und Genießen schwimmt und, anstatt sich in sich selbst zurückzuziehn, von jedem anziehenden Gegenstande angezogen und zerstreut wird. Schon das Losreißen von so viel schönen, lieben Gegenständen macht die Empfindungen zusammengesetzter und interessanter. Daher fühl ich mich auch nie so reingestimmt und empfänglich für alle Eindrücke der höhern, heiligern Muse als im Herbst.*[35] Wieder ist es das Hin und Her zwischen Verströmen, unruhigem sich Zerstreuen und dem Versuch, dem Leben Festigkeit und Form zu geben, was den Grundton dieses Bekenntnisses bildet. Zugleich tritt aber als drittes Moment das kritisch distanzierte Betrachten eben dieses Widerstreits, die Erkenntnis von der Interessantheit solcher Empfindungen hinzu. Gewiß hatte Schiller in seiner Bürger-Rezension, die Novalis vor der Abfassung dieses Briefes noch einmal gelesen hatte, gefordert, daß ein Gedicht «der reine vollendete Abdruck einer interessanten Gemütslage eines interessanten vollendeten Geistes» sein sollte. Aber was Novalis hier zum Ausdruck bringen will, ist in seinem Wesen von Schillers Forderung verschieden, geht es ihm doch bei dem Interessanten in erster Linie nicht um eine Erhebung, ein «Hinaufläutern» ins Typische, Allgemeingültige, sondern um ein tieferes Eindringen in sich selbst, in die komplexe Struktur seines Geistes. Ein anderer Künstlertyp, der sich bald als der romantische begreifen sollte, kommt hier allmählich zum Bewußtsein seiner selbst. Dabei aber blieben Hardenberg allerdings die Lehren Schillers von höchster Bedeutung. Der Dichter müsse damit anfangen, «sich selbst fremd zu werden, den Gegenstand seiner Begeisterung von seiner Individualität loszuwickeln, seine Leidenschaft aus einer mildernden Ferne anzuschauen», heißt es in Schillers Rezension, und: «Ein Dichter nehme sich ja in acht, mitten im Schmerz den Schmerz zu besingen.»[36] Im Roman *Heinrich von Ofterdingen* gibt Jahre später Klingsohr dem jungen Helden fast wörtlich den gleichen Rat.

Die Begegnung zwischen Schiller und Novalis lag also nicht mehr nur in der Sphäre des «Einflußnehmens» eines älteren Dichters auf einen jüngeren, wie es bei Bürger der Fall war, sondern in der Auslösung eines Prozesses der Selbsterkenntnis. Schiller wurde ihm das Vorbild eines Menschen, der einem widrigen Schicksal eine innere Harmonie der Kräfte abzuringen vermochte, der Sittlichkeit mit Schönheit, Inneres und Äußeres zu *sittlicher Grazie* [37] zu verbinden suchte und damit die Möglichkeit zur Bewältigung einer Lebensproblematik zeigte, die sich mehr und mehr vor dem begeisterungsfähigen, von Eindrücken und Empfindungen bedrängten jungen Manne auftat. Es war nicht mehr die dichterische Nachfolge, die Novalis in seinem Verhältnis zu Schiller anstrebte, sondern Selbstverständnis und die Festigung seiner Persönlichkeit auf ein Lebensziel hin. Das Jugendwerk von Novalis fand mit dem Jahre 1791 sein Ende, von ein paar Gelegenheitsgedichten abgesehen, und der Dichter in ihm trat erst später, unter gänzlich veränderten Umständen wieder hervor.

LEHRJAHRE

Der Aufenthalt in Jena dauerte nur ein knappes Jahr; dann siedelte der junge Student an die Universität Leipzig über. *Ich werde in drei Wochen nach Leipzig abgehen und nach einer gänzlich veränderten Lebensordnung zu leben dort anfangen. Jurisprudenz, Mathematik und Philosophie sollen die drei Wissenschaften sein, denen ich diesen Winter mich mit Leib und Seele ergeben will und im strengsten Sinne ergebe. Ich muß mehr Festigkeit, mehr Bestimmtheit, mehr Plan, mehr Zweck mir zu erringen suchen, und dies kann ich am leichtesten durch ein strenges Studium dieser Wissenschaften erlangen. Seelenfasten in Absicht der schönen Wissenschaften und gewissenhafte Enthaltsamkeit von allem Zweckwidrigen habe ich mir zum strengsten Gesetz gemacht.* Allerdings wolle er sich nicht von seiner *Brotwissenschaft abälardisieren lassen; Musen und Grazien können immer die vertrauten und nützlichen Gespielen meiner Nebenstunden bleiben* [38]. Aber immerhin mußte er sich losreißen von *den Torheiten und Verirrungen, die mich in Jena zu verfolgen schienen und zu Gewohnheiten wurden,* Torheiten, die er *die lächerlichen, sonderbaren, abenteuerlichen und unnatürlichen Masken* nennt, *mit welchen mich eine herrenlose Phantasie und die Grille des Augenblicks bekleidete* [39]. Derartige rasche, unbarmherzig selbstkritische Bekenntnisse waren immer wieder seine Art, und der Kampf gegen innere Unruhe und eine schweifende Phantasie wurde zu einem Leitmotiv seines ganzen Lebens.

Promenade in Leipzig. Kupferstich, Ende 18. Jh.

Leipzig, das «Klein-Paris» oder *Pleiß-Athen*, war mit seinen rund 30000 Einwohnern die erste Großstadt, die Novalis betrat. Seine Messen hatten es zum großen Umschlagplatz zwischen Ost und West gemacht; Musik und Kunst gediehen unter der Förderung seines Patriziats. Die Universität war zwar mit ungefähr 650 Studenten kleiner als Jena oder Halle, aber sie galt als wesentlich vornehmer und vom Typ des galanten Studenten geprägt. Die Zahl bürgerlicher Studenten war geringer als an anderen Universitäten, und noch über das Ende des 18. Jahrhunderts hinaus hatten adlige Studenten Privilegien wie zum Beispiel Ehrenplätze in den Vorlesungen. Dabei begannen sich um eben diese Zeit die revolutionären Veränderungen in Frankreich auch auf die Bürger der Staaten Zentraleuropas unmittelbar auszuwirken. Am 20. April 1792 beschloß die Gesetzgebende Versammlung in Paris, Österreich den Krieg zu erklären. Preußen war Österreich verbündet, und Sachsen-Weimar schickte in den ersten Koalitionskrieg ein Kontingent, in dem auch Carl von Hardenberg, der um vier Jahre jüngere Bruder von Novalis, seine Dienste tat. Aber die Sympathien der jüngeren Generation lagen doch mehr bei denjenigen, die jenseits des Rheins versuchten, eine neue, von alten Konventionen freie Gesellschaft zu errichten. Rückblickend bekennt Novalis, daß ihn *die Mode der damaligen Demokratie abtrünnig von dem alten aristokratischen Glauben* [40] gemacht habe, auch wenn von ihm keine so enthusiastischen Kundgebungen wie von Klopstock, den Grafen Stolberg oder Hölderlin überliefert sind und er auch nicht wie der junge Schelling die Marseillaise übersetzt hat.

Dennoch war es für ihn eine Zeit stärkster innerer Gärung, die

Friedrich Schlegel. Zeichnung von Caroline Rehberg

besonders gefördert wurde durch die Begegnung mit einem Menschen, dem er hinfort aufs engste verbunden blieb und mit dem zusammen er dem Begriff Romantik Gehalt und Tiefe gab. Es war Friedrich Schlegel, der ein halbes Jahr vor Novalis Student in Leipzig geworden war.

Im Januar 1792 schreibt Schlegel seinem Bruder August Wilhelm: «...Von einem muß ich doch erzählen: Das Schicksal hat einen jungen Mann in meine Hand gegeben, aus dem alles werden kann. – Er gefiel mir sehr wohl und ich kam ihm entgegen; da er mir denn bald das Heiligtum seines Herzens weit öffnete. Darin habe ich nun meinen Sitz aufgeschlagen und forsche. – Ein noch sehr junger Mensch – von schlanker guter Bildung, sehr feinem Gesicht mit schwarzen Augen, von herrlichem Ausdruck wenn er mit Feuer von etwas Schönem redet – unbeschreiblich viel Feuer – er redet dreimal mehr und dreimal schneller wie wir andre – die schnellste Fassungskraft und Empfänglichkeit. Das Studium der Philosophie hat ihm üppige Leichtigkeit gegeben, schöne philosophische Gedanken zu bilden – er geht nicht auf das Wahre, sondern auf das Schöne – seine Lieblingsschriftsteller sind Plato und Hemsterhuis – mit wildem Feuer trug er mir einen der ersten Abende seine Meinung vor – es sei gar nichts Böses in der Welt – und alles nahe sich wieder dem goldenen Zeitalter. Nie sah ich so die Heiterkeit der Jugend. Seine Empfindung hat eine gewisse Keuschheit, die ihren Grund in der Seele hat, nicht in Unerfahrenheit. Denn er ist schon sehr viel in Gesellschaft gewesen (er wird gleich mit jedermann bekannt) ein Jahr in Jena, wo er die schönen Geister und Philosophen wohl gekannt, besonders Schiller. Doch ist er auch in Jena ganz Student gewesen, und hat sich wie ich höre oft geschlagen. – Er ist sehr fröhlich, sehr weich und nimmt für itzt noch jede Form an, die ihm aufgedrückt wird.»[41] In der Fülle von Gedichten, die Hardenberg ihm zeigte – darunter Huldigungssonette an August Wilhelm Schlegel, der eine Zeitlang auf den Spuren Bürgers gewandelt war –, wittert er «den guten, vielleicht den großen lyrischen Dichter»[42]. Die Mitteilung über den neuen Freund schließt mit der Bemerkung: «Das Verhältnis mit einem j ü n g e r n als ich gewährt mir eine neue Wollust, der ich mich überlassen.»[43] Tatsächlich war Friedrich Schlegel gerade sieben Wochen und vier Tage älter als Hardenberg. Schlegel, der das wohl zu diesem Zeitpunkt kaum wußte, gibt also hier einen Eindruck wieder, der für die Wirkung von Novalis' Persönlichkeit besonders aufschlußreich ist.

Hardenbergs kurzes Leben ruft zuweilen die Vorstellung hervor, es habe sich bei ihm um einen jener Menschen gehandelt, die, mit früher Einsicht und Hellsicht begabt, sich deshalb um so schneller verausgaben. Aber frühreif war Novalis bei aller Lebhaftigkeit seines Geistes gewiß nicht, eher langsam erwachend und nur tastend seinen Weg erkennend. Das wird in Schlegels Eindruck über das Alter des neuen Freundes ebenso deutlich wie in den Charakteristiken von ihm, die er, ein im echten Sinne Frühreifer, mit Schärfe und Klarheit in weiteren Briefen an den Bruder gibt. «Ihn zu beherrschen ist zwar nicht schwer; aber seine grenzenlose Flüchtigkeit zu fesseln, würde vielleicht selbst einem Weibe einmal schwer werden ...» heißt es da, und: «Es kann alles aus ihm werden – aber auch nichts.»[44] Es sei jetzt Schlegels Hauptbeschäftigung, ihn «alle Künste der Geselligkeit zu lehren», denn: «Hardenberg ist rasch bis zur Wildheit, immer voll tätiger unruhiger Freude.»[45] Als sich Spannungen zwischen den Freunden entwickeln: «Auch sah ich immer deutlicher, daß er der Freundschaft nicht fähig, und in seiner Seele nichts als Eigennutz und Phantasterei sei. Ich sagte ihm einmal: Sie sind mir bald liebenswürdig, bald verächtlich.» Und schließlich, eine tiefe Widersprüchlichkeit im Wesen Hardenbergs feinfühlig erkennend: «Du hast gewiß nach den Versen und meiner Schilderung ihn Dir zu kindisch denken müssen. Vergebens hoffte ich die Schwäche seines Herzens so zu erklären. Sie wird ewig bleiben und ewig mit schönen Talenten spielen, wie ein Kind mit Karten. Ich sagte ihm noch zuletzt: Sie sehen die Welt doppelt; einmal wie ein guter Mensch von fünfzehn, und dann wie ein nichtswürdiger von dreißig Jahren ...»[46]

Irrungen, Wirrungen bahnten sich an. «Jetzt glaube ich wünschte er, daß ihm eine schöne Frau durch bewundernde Liebe zugesichert würde»[47], berichtete Schlegel seinem Bruder. In heftiger Leidenschaftlichkeit verliebte sich denn auch Novalis gegen Ende des Jahres 1792 in eine Leipzigerin namens Julie, während Schlegel sich an deren – mit einem Kaufmann verheiratete – Schwester Laura hielt. Offenbar war es Hardenberg ernst mit dem Verhältnis. Das Verständnis des Vaters dafür blieb allerdings aus, denn nicht nur waren durch die junge Leidenschaft die guten Vorsätze hinsichtlich des Studiums wieder in den Hintergrund getreten, es zeichnete sich auch eine dem alten Freiherrn bei aller Abneigung gegen Standesdünkel doch höchst unerwünschte Mesalliance ab – Julie war bürgerlich. Der Zorn des Vaters muß lange angehalten haben. Nachdem Novalis schon Leipzig verlassen hatte, im Mai 1793, konnte ihm der Freund Schlegel mitteilen: «Der kindische alte Mann hat hier in Auerbachs Hofe einem Zirkel alter Herren erzählt, Du hättest eine Bürgerliche, die Schwester einer hiesigen Kaufmannsfrau heiraten wollen. Er hat mit der größten Leidenschaft und beständigem Fluchen von Dir geredet.»[48] Vorher – im Januar – war es zu einer heftigen Auseinandersetzung zwischen Vater und Sohn gekommen, und ein Entschluß war in dem Studenten herangereift, den er am 9. Februar dann dem Vater verkündete: *Vorwürfe, bester Vater, und gerechter Tadel sind überflüssig, denn ich habe mir hundertmal alles lebendig vorgestellt, was Du und die strenge Stimme meines eignen Bewußtseins mir sagen können. Du weißt schon, was ich wünsche, wornach ich ein heißes Verlangen trage. Soldat zu werden ist jetzt die äußerste Grenze des Horizonts meiner Wünsche. Die Erfüllung dieser Hoffnung wird die fieberhafte Unruhe stillen, die jetzt meine ganze Seele bewegt. Du, bester Vater, bist die größeste und fast einzige Schwierigkeit, die ich zu überwinden habe.*[49]

Die Gründe für sein *heißes Verlangen* setzte er dem Vater bis ins einzelne auseinander, wobei er mit Entschiedenheit, Selbstbewußtsein und zugleich Verständnis dem Vater gegenüberzutreten versuchte. *So freundschaftlich und warm Du zuweilen bist, so eine hinreißende Güte Du so oft äußerst, so hast Du doch auch sehr viel Augenblicke, wo man sich Dir nur mit schüchterner Furchtsamkeit nähern kann und wo Dein feuriger Charakter Dich zu einer Teilnahme treibt, die zwar Ehrfurcht, aber nicht freies, unbefangenes Zutrauen gebietet. Nicht gerade Deine Hitze mein ich, sondern auch jene tiefe erschütternde Empfindung, die Dich ergreift, wenn Du auch in einer anscheinenden Ruhe und Kälte bist. Und dies fürcht ich am meisten.*[50] Er selbst aber sei nun in einen Zustand geraten, in dem er noch nie gewesen sei: *Eine Unruhe geißelte mich überall, deren Peinlichkeit und Heftigkeit ich Dir nicht anschaulich zu machen vermag.*[51] Und daraus wächst dann die Erkenntnis: *Ich muß noch erzogen werden, vielleicht muß ich mich bis an mein Ende erziehn. Im Zivilstande werde ich verweichlicht.*[52] Und Worte fallen wie: *Männlichkeit ist das Ziel meines Bestrebens.*[53] Oder: *Mein Geist und seine Bildung ist ohnedem mein heiligster Zweck.*[54] *Und dazu* schließlich sollte der Soldatenstand der rechte Weg sein: *Mir wird die Subordination, die Ordnung, die Einförmigkeit, die Geistlosigkeit des Militärs sehr dienlich sein. Hier wird meine Phantasie das Kindische, Jugendliche verlieren, was ihr anhängt, und gezwungen sein, sich nach den festen Regeln eines Systems zu richten. Der romantische Schwung wird in dem alltäglichen, sehr unromantischen Gange meines Lebens viel von seinem schädlichen Einfluß auf meine Handlungen verlieren, und nichts wird mir übrigbleiben, als ein dauerhafter, schlichter Bonsens, der für unsre modernen Zeiten den angemessensten, natürlichsten Gesichtspunkt darbietet.*[55]

Der schwungvolle *romantische* Plan, auf dem Hintergrund der kriegerisch bewegten Zeit allzu verständlich, fand dennoch rasch ein prosaisches Ende. Die schlechten Vermögensverhältnisse der Hardenbergs schlossen den Dienst bei Kavallerie oder *Kurfürstkürassieren* ganz aus, und so enthüllte sich dem Einundzwanzigjährigen eine Lebensweisheit: *Mit Geld ists überall gut sein, selbst Fahnjunker, aber ohne Geld da ists ein armselig Ding zu leben.*[56] Das Ende war Resignation: zum Abschluß des Studiums der Jurisprudenz zog er im April 1793 an die Universität Wittenberg.

Dort kehrte er wieder in kleinere, bescheidenere Verhältnisse zurück. Galten die Leipziger Studenten als Stutzer und die Jenaer als Renommisten, so standen die rund 250 Wittenberger eher als das «schmutzige Extrem», als «Pech- und Kuckucksbrüder» in Verruf.[57] Aber Novalis fand dort vortreffliche Lehrer und Mittagstisch bei einer Frau Professorin: *Abends eß ich Butter und Brot und früh eß ich Obst*, berichtet er dem Vater und versichert ihm voll Zuversicht: *Ich hoffe, diesen Sommer mehr zu lernen, als ich je gelernt habe – Die Arbeit schmeckt mir, und was Französisch betrifft, so kann ich positiv genug auf Michaelis. Staatsrecht, Statistik, Völkerrecht und Referieren füllen außerdem meine Stunden völlig. Mich treibt eine Sehnsucht nach*

einer Anstellung, wo ich bald von Deinem Beutel unabhängig bin.[58]
Dem Bruder Erasmus dagegen zeichnet er das Bild eines Hauses: *In diesem Häuschen eine Treppe hoch in dem Erker wohnen ein paar Schwestern. Das Schicksal hat gewollt, daß wir zum Glück uns jeder in die andre verliebt haben. So kommen wir einander nicht ins Gehege und bestehn brüderlich alle Affenteuer. Auf Michaelis kann ich Dir tagelang erzählen. Sie sind sehr hübsch, wunderschön, aber um sie zu erlangen, haben wir Freiherrn müssen eine Fahrt in die Bürgerwelt machen. Es sind nichts als blanke, bare Bürgermädchen – aber sie haben hundertmal mehr Verstand als die Vornehmsten. Du kannst Dir vorstellen, wie angenehm wir leben. Alle Abend um 7–1/28 gehn wir fast hin und bleiben dann bis 10–1/211 da. Sie haben nur eine alte Mutter – eine herzensgute Frau. Mehreres mündlich. Du wirst mich in vielen Dingen verändert finden. Ich bin jetzt viel gründlicher und lebenskluger als vorhin. Ich freue mich sehr auf Michaelis – und noch mehr auf mein Examen. Der Philisterstand ist herrlich. Die überspannten, jugendlichen Ideen sinken dann von selbst in die Grenzen einer bestimmten Wirksamkeit und Tätigkeit herab.*[59] Allerdings steht im gleichen Brief zuvor ein Satz, der doch wieder einen Schatten des Zweifels über die besonnene Fröhlichkeit eines solchen Bekenntnisses wirft: *Mein Wesen besteht aus Augenblicken. Will ich diese nicht ergreifen mit männlicher Hand, so bleibt mir nichts übrig als eine unerträgliche Vegetation.* Denn *männliche Hand* und die Wonnen des *Philisterstandes* waren kaum mehr als Beschwörungsformeln, die sich der nach Zielen und Zwecken unruhig Suchende immer wieder vorsagte.

Wie wenig er solch feste Bestimmung erreicht hatte, verrät der

Zeichnung des «Häuschens» in dem Brief an den Bruder Erasmus

Briefwechsel, den er mit seinem Freund Friedrich Schlegel von Wittenberg und später von Weißenfels aus führte. Nur zehn Briefe Schlegels und zwei Antworten von Novalis sind aus dieser Zeit erhalten, aber dennoch stellen die wenigen Blätter bemerkenswerte Dokumente von Selbstenthüllung und gegenseitiger Erkenntnis dar, für die es nur wenige Gegenstücke in der Literaturgeschichte gibt.

Dem Freund, der aus seiner Krise allmählich wieder zu sich selbst kam, riet Schlegel: «Du wirst sicher noch glücklich werden; übersiehe nur die schönen Kräfte Deiner Seele, die Fülle Deiner Einbildungskraft, die Schnellkraft Deines Herzens, die Leichtigkeit Deines Verstandes; und was weit mehr ist, alles das, was zum edlen Manne reifen wird – der Glauben, die schuldlose Zuversicht auf Dich und die Natur, die warme Ehrfurcht für alles Große. Du gibst Dich so offen hin, und weißt den andern so rein aufzunehmen, daß es eine Wollust ist, in Deinem Herzen zu wohnen.»[60] Novalis dankte dem Freund: *Für mich bist Du der Oberpriester von Eleusis gewesen. Ich habe durch Dich Himmel und Hölle kennen gelernt – durch Dich von dem Baum des Erkenntnisses gekostet.*[61] Und Schlegel versicherte ihm dafür: «Solltest Du mich auch nicht kennen und begreifen, so wahrsagst und ahndest Du doch mit echtem Geist Gottes, der Geist des Herrn ruht auf Dir, und sein Odem fährt aus Deiner Nasen, und seine Liebe schlägt in Deinem Herzen. Du bist ein Prophet – werde nun auch immer mehr und mehr ein Mensch. Mein Leben will ich forthin gern mit Dir teilen: dringen doch Wenige, vielleicht niemand so tief in mich ein wie Du, und ich finde mich so gerne in Dir wieder. Übrigens aber geht es Dir wie allenthalben; Du suchst Geheimnisse in den einfachsten Dingen, übertreibst selbst Deine Vorstellungen, Du siehst tief, aber umfassest selten ein sehr großes Ganze.»[62]

Auch hier wieder verwies Schlegel also auf einen inneren Zwiespalt im Wesen des Freundes, dessen sich dieser selbst immer deutlicher bewußt wurde. In ständiger Selbstreflexion, die schon in seinen Mitteilungen an Schiller erkennbar war, beobachtete sich Novalis mit wachsender Skepsis und versuchte doch zugleich, durch strenge Selbsterziehung zu Harmonie und *Männlichkeit* durchzudringen. Selbstkritik und Ruhe empfiehlt er auch dem Bruder Erasmus, dazu reine Willenskraft: *Sie ist das Element des Mannes, der ohne sie nie Mann, sondern ein halber Verschnittner ist. Sie ists, wodurch wir gesund sind und werden. Denn gewiß nur die Harmonie unsrer Kräfte, die nur durch sie möglich ist, macht uns zu wahren Menschen, zu echten Wesen in der Reihe der Dinge und dem wunderbaren Zusammenhange der moralischen und physischen Welt. Wo kranke Phantasie, da ist auch kranke Empfindung und kranker Verstand.*[63] Und zugleich ärgerte er sich doch wieder über seine eigene *Redseligkeit* und sein *Moralisieren*[64]. Die Kluft scheint in der Tat unüberbrückbar. Lebensunmittelbarkeit und Phantasie klaffen auseinander und treiben den nach Ausgleich suchenden Intellekt in um so größere Unruhe; die Disharmonie jedoch unterminiert immer wieder die Versuche, mit männlicher Festigkeit zu Einklang und Ruhe zu ge-

Carl von Hardenberg. Zeitgenössisches Bildnis

langen. Auf die Quellen solcher Problematik läßt sich nur deuten. Gewiß spielten psychische und physische Konstitution dabei eine ebensolche Rolle wie Umwelt und Erziehung. Friedrich von Hardenberg war keine robuste Natur, eher schwächlich und weich veranlagt. Von der Furcht, krank zu werden, ist in seinen Briefen aus dieser Zeit des öfteren die Rede. Aber in seinem Körper wohnten doch ein starker Charakter und ein durchdringender, gesunder Geist: einen «außerordentlichen Menschen»[65] nannte ihn einmal sein Bruder Erasmus. Asketische Glaubensstrenge und enthusiastische Frömmigkeit, erzwungene Härte und nachgiebige Liebe trafen in seiner Erziehung aufeinander. Die pubertären Schwierigkeiten wurden vertieft durch den Gegensatz zwischen Natur und Gesellschaftsmoral, den der junge Adlige an sich selbst erfahren mußte, und schließlich kollidierten überhaupt die traditionellen Vorstellungen von den Vorrechten des Standes, der *alte aristokratische Glaube mit der neuen Mode der Demokratie*, ohne daß es für Deutschland eine bestimmte Aussicht auf die Lösung eines solchen Konfliktes gab.

Am 14. Juni 1794 gingen Friedrich von Hardenbergs Lehrjahre mit der Ablegung des juristischen Staatsexamens – *mit der ersten Zensur*[66] – in Wittenberg zu Ende. Er kehrte in das heimatliche Weißenfels zurück, und im Gefühl der neuerworbenen Freiheit und Selbständigkeit schrieb er am 1. August, mit dem Blick voraus und zurück, an Friedrich Schlegel: *Jetzt hat mein ganzer Charakter einen politisch philosophischen Schwung erhalten.* Der Satz ist bezeichnend nicht nur für Novalis' augenblickliche Stimmung, sondern für seine ganze Persönlichkeit. Am Ende seiner Lehrjahre steht ein deutliches Missionsbewußtsein, das Gefühl von einer über die Selbstbildung hinausgehenden allgemeinen Verpflichtung und Verantwortlichkeit, das ihn hinfort nicht wieder verließ. *Ich habe nur e i n e n Z w e c k – der ist überall erreichbar, wo ich tätig sein kann – doch hab ich mir nicht, wie ein Spießbürger, allzu enge Grenzen gemacht – Bleib ich gesund, so muß ich ein Maximum für mich erreichen ... Mich interessiert jetzt zehnfach jeder übergewöhnliche Mensch – denn eh die Zeit der Gleichheit kommt, brauchen wir noch übernatürliche Kräfte ... Es sind die Tage des Brautstandes – noch frei und ungebunden und doch schon bestimmt aus freier Wahl – Ich sehne mich ungeduldig nach Brautnacht, Ehe und Nachkommenschaft. Wollte der Himmel, meine Brautnacht wäre für Despotismus und Gefängnisse eine Bartholomäinacht, dann wollt ich glückliche Ehestandstage feiern. Das Herz drückt mich – daß nicht jetzt schon die Ketten fallen wie die Mauern von Jericho.*[67]

SOPHIE

Die *Tage* seines geistigen *Brautstandes* waren für Friedrich von Hardenberg zugleich auch Wochen der Ungebundenheit. Der Bruder Carl war vom Feldzug zurückgekehrt, hatte Urlaub erhalten, und die beiden ergaben sich nun den gesellschaftlichen Freuden der Kleinstadt Weißenfels. *Die jungen Rehe, die daselbst unter Rosen weiden*[68], wurden heftig umworben, man spielte Billard, tanzte und trank. «Wir spielen die Herren von Weißenfels», bekannte Carl in einem Brief, «und sind alle beide in ein Mädchen verliebt, und, o Wunder! vertragen uns dabei sehr gut.»[69] Für ihn wurde es freilich eine lange, herzzerbrechende Liebesgeschichte, während Friedrich später etwas verachtungsvoll gestand, er habe von eben dieser, durchaus gesellschaftsfähigen Dame *gemeine Gunstbezeugungen*[70] erhalten. Es war gewiß keine Zeit ausgeprägter Prüderie, und Freiheit war ein Losungswort nicht nur in Literatur oder Politik. Wandlungen vollzogen sich in den Beziehungen der Geschlechter zueinander und auch in den Vorstellungen von Familie und Freundschaft.

Aus den Weißenfelser Tagen sind einige kleine Gedichte von Novalis überliefert, unter denen sich ein achtzeiliges Lied auf den Walzer befindet:

Bad Dürrenberg mit Saline. Um 1780

> *Hinunter die Pfade des Lebens gedreht,*
> *Pausiert nicht, ich bitt euch, so lang es noch geht.*
> *Drückt fester die Mädchen ans klopfende Herz,*
> *Ihr wißt ja, wie flüchtig ist Jugend und Scherz.*
>
> *Laßt fern von uns Zanken und Eifersucht sein*
> *Und nimmer die Stunden mit Grillen entweihn.*
> *Dem Schutzgeist der Liebe nur gläubig vertraut:*
> *Es findet noch jeder gewiß eine Braut.*[71]

Die Aufforderung darin, die Mädchen fester ans klopfende Herz zu drücken, hatte ihre revolutionären Untertöne. Denn der Walzer, der damals gerade erst recht in Mode kam, war kein Gesellschaftstanz höfischer Provenienz mehr, sondern hier bildeten zwei Tänzer eine kleine Welt für sich, aneinander gepreßt und im Wirbel verbunden. Kein Wunder, daß die ältere Generation abweisend auf solche Intimität blickte und sie als obszön verurteilte. Am 24. Dezember 1794 tanzten zwei preußische Prinzessinnen, Luise, geborene von Mecklenburg-Strelitz, und ihre Schwester, den ersten Walzer auf einem Hofball. Königin Friederike wandte die Augen ab und verbot dergleichen Anstößiges. Schadows Marmorgruppe der beiden Schwestern empfahl Novalis später als den Altar für eine *Loge der sittlichen Grazie*[72], und die junge Königin Luise wurde ihm das Symbol für eine neue bindende Kraft innerhalb der Familie, eine Kraft, die friedenstiftend auf den ganzen Staat ausstrahlen sollte.

Denn auch im Bereiche des bürgerlichen Hauses gingen um diese Zeit Veränderungen vor sich. Haushalt und Tätigkeitsfeld des Mannes wurden weitgehend voneinander getrennt. Hatte auch der Salinendirektor von Hardenberg seinen Sitz in Weißenfels, so vollzog sich doch seine wesentliche Arbeit auf den Salinen in Dürrenberg, Kösen und Artern. Die Familie schloß sich dafür im privaten Bereich enger zusammen. War bei Goethe, Schiller und selbst noch bei Hölderlin das «Sie» in der Anrede der Kinder an die Eltern üblich, so herrschte im Hause Hardenberg von Anfang an das vertraulichere Du. Manche Spannungen zwischen dem Vater und seinem ältesten Sohne lassen sich also gewiß auch als Krisenerscheinung einer Übergangszeit und nicht nur aus ihren Charakteren erklären. Ebenso ist der immer wieder hervorgehobene Familiensinn von Novalis, der seinen Niederschlag vor allem in seinen politischen Schriften, aber auch in seinem dichterischen Werk findet, in gleichem Maße Resultat soziologischer Veränderungen wie Ausdruck persönlicher Anlage und des Traditionsbewußtseins eines freiherrlichen Geschlechts. Schon aus Wittenberg hatte er zum Hochzeitstag der Eltern an seine Mutter geschrieben: *Die Familie ist mir noch näher als der Staat. Freilich muß ich tätiger Bürger sein, um eine Familie an mich knüpfen zu können. Aber mir ist das Letztere näherer Zweck als der Erstere. Man ist auch am allervollkommensten Bürger des Staats, wenn man zuerst für seine Familie ganz da ist – Aus dem Wohlsein der einzelnen Familien besteht der Wohlstand des Staats. Nur durch meine Familie bin ich unmittelbar an mein Vaterland geknüpft – das mir sonst so gleichgültig sein könnte als jeder andre Staat.*[73] Die Sehnsucht nach *Brautnacht, Ehe und Nachkommenschaft* war also nicht nur auf das Reich der Gedanken beschränkt, sondern zugleich auch sehr viel konkreter gemeint.

Zunächst mußte Friedrich von Hardenberg allerdings tätiger Bürger werden. Die Absicht bestand, ihn durch Vermittlung des Ministers Karl August von Hardenberg im preußischen Staatsdienst unterzubringen. Aber die Verhandlungen zogen sich hin, und so gab ihn denn der Vater fürs erste einem erfahrenen Verwaltungsfachmann in die Lehre. Anfang November 1794 trat er seinen Dienst als Aktuarius beim Kreisamt Tennstedt an, das von dem Amtmann Coelestin August Just geleitet wurde.

Bad Tennstedt im nördlichen Thüringen war zwar kaum halb so groß wie Weißenfels, war aber mit seinem Kreisamt Sitz der obersten Verwaltungs- und Gerichtsbehörde des kursächsischen Thüringens, und Just war eine für seine Sachkenntnisse wie für seine Bildung, Aufgeschlossenheit und Humanität weithin bekannte Persönlichkeit. Er war mit 44 Jahren noch Junggeselle und ließ sich den Haushalt von seiner Nichte Caroline führen. In sein Haus zog Friedrich von Hardenberg ein und wurde bald zum Vertrauten und Freund seines Lehrmeisters, dem in der gesellschaftlichen und geistigen Öde des kleinen Landstädtchens der Erkenntnishunger und die intellektuelle Bewegtheit des jungen Mannes besonders willkommen sein mußten. Just wurde der erste Biograph von Novalis; in seiner Darstellung aus dem Jahre 1805 findet sich die folgende Charakteristik: «Ich sollte sein Lehrer und Führer werden; aber er ward mein Leh-

Karl August Fürst von Hardenberg.
Minister im preußischen Staatsdienst

rer. Nicht nur, daß ich selbst in denjenigen Fächern, wo ich vielleicht durch Erfahrung und Übung ihn an Kenntnissen übertraf, alle meine Kraft aufbieten mußte, um seinem Forschungsgeiste, der sich mit dem Gemeinen, Bekannten, Alltäglichen nicht begnügte, sondern das Feine, das Tiefe, das Verborgene überall aufsuchte, einige Gnüge zu leisten; sondern auch hauptsächlich, daß er mich mit sich fortriß, mich von den Fesseln der Einseitigkeit und Pedanterei, in die ein vieljähriger Geschäftsmann so leicht eingeschmiedet wird, befreite; mich zu vielseitiger Ansicht desselben Gegenstandes durch sein Sprechen und Schreiben nötigte, mich zu den Idealen, die seinem Geiste immer vorschwebten, so weit es mir meine Schwerfälligkeit erlaubte, erhob, und den fast entschlummerten ästhetischen Sinn in mir erweckte ... Er wollte das, was er sein wollte, nicht halb, sondern ganz sein. Nichts trieb er oberflächlich, sondern alles gründlich. Dabei kam

Sophie Wilhelmine von Rockenthien,
verw. von Kühn, Sophies Mutter

ihm die herrliche Anlage, das Gleichgewicht aller Geisteskräfte und die
Leichtigkeit, womit er alles betreiben konnte, vorzüglich zustatten.
Ein neues Buch durchlas er in dem vierten Teile des Zeitraums, den
wir andere Erdensöhne dazu nötig haben. Dann legte er es still bei-
seite, als ob er es nicht gelesen hätte. Wenn nun nach Wochen oder
Monaten über dieses Buch gesprochen ward; so war er imstande, den
ganzen Inhalt des Buches zu erzählen, die bedeutendsten Stellen an-
zuführen, über seinen Wert ein bestimmtes Urteil zu fällen und dabei zu sagen: ob und warum er es dem oder jenem Freunde zum Lesen empfehlen könne oder nicht. So las er, so arbeitete er, so studierte er – auch die Menschen.»[74]

Nach der Weißenfelser Freiheit bedeutete die neue Tätigkeit aber
immerhin Beschränkung. *Meine Praxis raubt mir hier ³/₄tel des Tags.*
Das übrige Viertel ist so eingeteilt, daß Freunden und Büchern sehr

wenig bleibt[75], schreibt er an Friedrich Schlegel. Protokolle und Berichte in Rechtsstreitigkeiten, in Zoll- und Grenzfragen füllten den Tag, und dazwischen wurde der Aktuarius unaufhörlich vom *Wollustteufel schikaniert*, der mit *voluptuösen Bildern vor ihm herum auf dem Papier* tanzte.[76] Zu gesellschaftlichem Verkehr und zum alten «Sponsieren» war die Gelegenheit gering. Am interessantesten waren noch die Beziehungen zu den Rittergutsbesitzern der Umgegend, zu den Schmidts in Klein-Ballhausen, zu den Selmnitzens in West-Greußen und den Kühns und Rockenthiens in Grüningen, die man gelegentlich auf Dienstfahrten besuchen konnte. Die Güter waren zum Teil an bürgerliche Eigentümer übergegangen, zum Teil lebte auf ihnen jener kleine Adel in seiner ländlichen Abgeschlossenheit, wie ihn Eichendorff in seinen Erinnerungen an deutsches Adelsleben am Schlusse des 18. Jahrhunderts beschrieben hat: «Die Glücklichen hausten mit genügsamem Behagen großenteils in ganz unansehnlichen Häusern (unvermeidlich ‹Schlösser› geheißen), die selbst in der reizendsten Gegend nicht etwa nach ästhetischem Bedürfnis schöner Fernsichten angelegt waren, sondern um aus allen Fenstern Ställe und Scheunen bequem überschauen zu können. Denn ein guter Ökonom war das Ideal der Herren, der Ruf einer ‹Kernwirtin› der Stolz der Dame. Sie hatten weder Zeit noch Sinn für die Schönheit der Natur, sie waren selbst noch Naturprodukte. Das bißchen Poesie des Lebens war als nutzloser Luxus lediglich den jungen Töchtern überlassen, die denn auch nicht verfehlten, in den wenigen müßigen Stunden längst veraltete Arien und Sonaten auf einem schlechten Klaviere zu klimpern und den hinter dem Hause gelegenen Obst- und Gemüsegarten mit auserlesenen Blumenbeeten zu schmücken.»[77] Freuden und Höhepunkte des Daseins waren die Bälle auf den Gütern der Nachbarn, waren Jahrmarkt und Komödie in der nächsten Kreisstadt und waren schließlich ein paar Besuche von Verwandten und Bekannten. Den Frauen blieben Nähereien, Stickereien und das Briefeschreiben vorbehalten, die Männer vergnügten sich bei Jagden und L'hombre, und ihr Sprachschatz schloß auch im christlichen Hause Gröbstes nicht aus. Solch derber, heiterer, zugleich auch simpler und etwas fadenscheinig gewordener Ländlichkeit begegnete Novalis, als ihn Mitte November 1794 ein Auftrag in das nördlich von Tennstedt gelegene Grüningen führte. Dort residierte der ehemalige kurfürstlich sächsische Leutnant und fürstlich schwarzburgische Hauptmann Johann Rudolf von Rockenthien, der 1786 die Witwe des vorherigen Besitzers, Sophie Wilhelmine von Kühn, geheiratet hatte, zu deren sechs Kindern aus erster Ehe nun noch vier weitere hinzukamen.

Die patriarchalische Fröhlichkeit und Gastfreundschaft der großen Familie zogen Hardenberg in ihren Bann, vor allem aber Sophie, das zweitjüngste der Kinder aus der Kühnschen Ehe. Eine Viertelstunde habe ihn in seiner Neigung für sie bestimmt, berichtete er dem Bruder Erasmus, worauf dieser einwandte: «Wie kannst Du in einer Viertelstunde ein Mädchen durchschauen? Noch überdies ein Mädchen von so außerordentlichen Eigenschaften, wie Du mir jene be-

Das «Herrenhaus» von Grüningen, 1792 erbaut

schreibst? Wenn Du mir ‹ein Vierteljahr› geschrieben hättest, so hätte ich noch Deine Talente in der Kenntnis des weiblichen Herzens, bewundert, aber eine Viertelstunde...»[78] Überdem sei das Mädchen erst vierzehn Jahre alt. Tatsächlich war Sophie von Kühn zu diesem Zeitpunkt zwölfeinhalb, und es muß dahingestellt bleiben, ob das Novalis selbst nicht wußte oder nur dem Bruder nicht hatte sagen wollen. Ein halbes Jahr später jedenfalls, zwei Tage vor ihrem dreizehnten Geburtstag, *sagte Sie mir zum erstenmale, daß Sie Mein sein wollte*[79].

Nun war gewiß für die damalige Zeit eine solche Verbindung zwischen einem bereits Erwachsenen und einem Kinde nicht so außergewöhnlich, wie sie dem späteren Betrachter erscheinen mag. Zwei von Sophies älteren Schwestern hatten mit siebzehn und sechzehn Jahren geheiratet, und eine Verlobung im Alter von vierzehn oder fünfzehn war gerade in adligen Kreisen, wenn man nur einen standesgemäßen Bewerber gefunden hatte, durchaus gang und gäbe. Sophie muß außerdem – Carl von Hardenberg spricht später von ihrer «hohen Gestalt»[80] – älter gewirkt haben, als sie war, so daß Novalis' Entschluß auch in dieser Hinsicht verständlicher und natürlicher erscheint. Dennoch war allerdings das, was ihn anzog, im wesentlichen gerade das Kindliche. Der Brief, in dem er Erasmus seine neue Bekanntschaft mitteilt, ist nicht erhalten, und nur aus der Antwort des Bruders lassen sich Schlüsse ziehen auf das, was er selbst gesagt hat. Einen Satz zitiert Erasmus allerdings wörtlich: *Mit der zarten Blüte meiner Neigung ist es vorbei, sobald ich g e m e i n e Gunstbezeugungen erhalte,* hatte Novalis geschrieben und zugleich die Unverderbtheit des *schönen unschuldigen Mädchens* [81] hervorgehoben. Dagegen hält ihm Erasmus in seiner Antwort vor, daß sie schließlich ein Mädchen wie alle anderen sei und daß sie erst noch ein Verhältnis zur Welt zu finden habe. Vor allem tadelt er das «kalte entschlossene Wesen», das in dem Brief des Bruders herrsche: «Überhaupt gefällt mir Deine ganze Art nicht, Dich in das Mädchen zu verlieben, Du bist mir so tragisch, Freund, und selbst, wenn Du sie heiraten willst, solltest Du die Sache aus einem leichtsinnigern Gesichtspunkte ansehen...» [82]

Das feine Gefühl von Erasmus spürt hier mit erstaunlicher Sicherheit etwas von den Ursachen für des Bruders rasche Neigung und für seine plötzliche Entscheidung. Der Drang, das Unstete und Flüchtige in sich zu zügeln, eine Bestimmung für sein Leben zu erreichen, sein *Sinn für Familienglück* und seine politische Sehnsucht nach *Brautnacht, Ehe und Nachkommenschaft* fanden, wie es Novalis scheinen mußte, in der Liebe zu Sophie und in dem Plan zu einer Verbindung mit ihr eine unverhoffte Erfüllung. Denn hier zeigte sich für den Schweifenden plötzlich ein Ziel und der Zwang zu Selbstzucht, auch im Geschlechtlichen; für *gemeine Gunstbezeugungen* war Sophie noch unerreichbar. Solcher selbsterzieherischer Eifer war es, was der Bruder als «kalte Entschlossenheit» erkannte und als eine Selbsttäuschung zu enthüllen versuchte, denn Selbsttäuschung war es in der Tat, wenn Novalis glaubte, in dieser Verbindung eine Erlösung aus der Problematik zu finden, in die ihn sowohl seine gesellschaftliche Stellung wie seine Anlagen und Neigungen gebracht hatten. Das Patriarchalische in der kleinen Welt des Thüringer Landadels war im Zeitalter der Französischen Revolution kaum noch der rechte Nährboden für einen neuen Familien- und Staatssinn und die Verlobung mit einem Kinde auch nicht schon zureichende Bestimmung für das Leben eines «außergewöhnlichen Menschen». Sophie von Kühns schwere, tödliche Erkrankung, die ein halbes Jahr nach dem heimlichen Verlöbnis begann, hat dann verhindert, daß sich die Vorsätze, mit denen die Verbindung geschlossen wurde, in der Wirklichkeit bewähren mußten.

Erst in veränderter Gestalt ist später die Braut in das Werk von Novalis eingegangen. Denn bei all dem «kalten entschlossenen Wesen», das Novalis gewiß zur Zeit seiner Wahl beherrschte, ist nicht zu vergessen, daß er sich zu Sophie auch herzlich und aufrichtig hingezogen fühlte. Die Zauberkraft ihrer Persönlichkeit muß groß gewesen sein. Erasmus distanzierte sich von seinen früheren Bedenken, als er Sophie kennengelernt hatte, und er erinnerte sich immer wieder an «den unvergleichlichen, guten, großen, lieben Blick» [83]. Auch der Bruder Carl kam zu Besuchen, und die drei jungen Hardenbergs träumten bald von einer mehrfachen Verbindung mit dem Hause von Kühn. In ihren Briefen wurde Grüningen zum «Elysium» und So-

Sophie von Kühn. Zeitgenössisches Aquarell

phie darin die «Sakontala», das indische Büßermädchen, das der König überrascht, als sie mit zwei Freundinnen im väterlichen Hain junge Bäume begießt: der König macht sie zu seiner Geliebten, und ein Zauberring bindet die beiden nach manchen Wirren auf immer aneinander. «Sakontala oder der entscheidende Ring – ein indisches Schauspiel von Kalidas» war 1791 in der Übersetzung Johann Georg Forsters erschienen, und einen Ring mit dem Bildnis der jungen Braut und der beschwörenden Inschrift «Sophia sey mein Schuz Geist» besaß auch Friedrich von Hardenberg seit dem Sommer 1795.

So häufig als möglich machte er sich nun von den Pflichten in Tennstedt frei, um nach Grüningen zu reiten. «Heute war Hartenberch

Novalis' Verlobungsring. Museum Weißenfels.
Rückseite: «Sophia sey mein Schuz Geist»

bey uns und es viel weider gar nichts vor.»[84] Das oder ähnliches trug
dann Sophie mit der ihr eigenen unsicheren Orthographie in ihr Tagebuch ein, denn um ihre Schulbildung war es schwach bestellt. Als
Gesellschaftsspiel wurden Annoncen wie diese entworfen: *Unsern
wechselseitigen Verwandten und Freunden machen wir hierdurch unsre Verbindung am 19ten März dieses Jahrs bekannt und versichern
uns im voraus ihrer freundschaftlichsten Teilnahme. Schlöben: am
25sten März 1798. Friedrich von Hardenberg und Sophie von Hardenberg, geb. v. Kühn.*[85] Es ist eine besondere Ironie des Schicksals,
daß Sophie an einem 19. März starb und Friedrich von Hardenberg
am 25.

Vorderseite: Bildnis Sophie von Kühns

Für die abendliche Geselligkeit verfaßte Novalis auch Lieder und Rundgesänge, in denen mitten im ganz Persönlichen und oft Trivialen Gedanken von einem kommenden Reiche der Liebe und Eintracht poetische Gestalt erhielten, entwickelten sie sich doch organisch aus dem Lob des harmonischen Familienkreises, der die Keimzelle für eine neue Welt sein sollte:

> *Ihr schaut in einen Wirbel*
> *Von Menschenschicksal hin*
> *Und forscht und fragt vergebens*
> *Nach dieses Rätsels Sinn.*

Johann Gottlieb Fichte.
Kohlezeichnung von
F. Bury, 1814

> *Einst wird es leicht sich lösen;*
> *Längst ist der Schlüssel da;*
> *Denn war nicht Lieb' und Einfalt*
> *Den Menschen immer nah?* [86]

Und in einem anderen Gedicht, den auf seine frühere Würdigung
Schillers verweisenden Begriff aufnehmend, deutet er die Geliebte –
zum erstenmal – als Mittlerin zu einem *höheren Bewußtsein*:

> *Einst wird die Menschheit sein, was Sophie mir*
> *Jetzt ist – vollendet – sittliche Grazie ...* [87]

Dennoch: was Sophie tatsächlich für Novalis bedeutet hat, ist
schwer zu ergründen. Er selbst hat, schon als sie krank war, den Versuch unternommen, eine Skizze ihrer Persönlichkeit zu geben, und
es scheint danach, als wenn der besondere Reiz des Mädchens in einer
eigentümlichen, widerspruchsvollen Mischung zwischen kindlicher
Natürlichkeit oder auch Naivität und einer wohl von der Krankheit
beeinflußten Frühreife gelegen habe. *Ihre Dezenz, und doch ihre
unschuldige Treuherzigkeit* verzeichnet Novalis, und auch ihren
Hang zum kindischen Spiel wie den, *gebildet zu sein*. Sie hat einen
Schreck für der Ehe ... Sie will sich nicht durch meine Liebe genie-

ren lassen. *Meine Liebe drückt sie oft. Sie ist kalt durchgehends.*
Zwischen den Verlobten ist es deshalb auch stets bei dem formellen
«Sie» in der Anrede geblieben. *Sie fürchtet sich für Spinnen und
Mäusen*, trinkt gern Wein, raucht Tabak, will Hardenberg immer
vergnügt sehen und *glaubt an kein künftiges Leben*, nur an die See-
lenwanderung. Ihre feine Beobachtungsgabe wird vermerkt, zugleich aber auch, daß sie *noch nicht zu eigentlichem Reflektieren gekommen* sei. Schließlich: *Sie will nichts sein – Sie ist etwas.*
Und über die Frauen allgemein: *Sie sind vollendeter als wir. Freier als wir.*[88]

Was sich Novalis hier im Bilde dieses jungen Mädchens entwarf,
war offenbar das Ideal einer heranreifenden Frau, die dem unruhig
irrenden Mann Gefährtin sein und ihn aus natürlicher, durch Reflexion nicht gebrochener Harmonie bestimmen und leiten konnte. Die
Frauen *sind geborne Künstlerinnen* [89], heißt es mit Bezug auf Sophie;
bei ihnen schweben Natur und Geist in feinem Gleichgewicht. So
sollte Sophie das geben, was ihm selbst noch fehlte.

Novalis stand mit einem solchen hohen Ideal vom Weiblichen gewiß nicht allein in seiner Zeit. Auch Hölderlins Diotima und Schlegels Lucinde verkörpern es jede auf ihre Art und erweisen zugleich,
daß solchem Anspruch mehr als nur Persönlich-Zufälliges zugrunde
liegt. Aber in der Wirklichkeit suchten allerdings Zeitgenossen oder
Freunde wie Hölderlin und die Schlegels, Schleiermacher und Schelling dieses Ideal eher bei Frauen, die – zum Teil beträchtlich – älter
waren als sie selbst.

Einmal, genau ein Jahr nach der ersten Bekanntschaft mit Sophie,
kam es zu einem Ausdruck wirklicher Spannung. In einem Brief ist
die Rede von der *schmutzigeren* Kehrseite Grüningens und von der
möglichen Entschädigung für die *mißglückte Besitznehmung einer
Sophie* [90]. Aber nur wenige Tage später erhielt Novalis die Mitteilung von der lebensgefährlichen Erkrankung Sophies, und das veränderte alles wieder mit einem Schlag.

PHILOSOPHIE

In dem Brief an Erasmus von Mitte November 1795, in dem ein
Schatten des Zweifels auf das Paradies Grüningen und seine Bewohner geworfen wurde, steht auch ein Satz über die Tennstedter Arbeit
des Aktuarius von Hardenberg: *Ich habe ohngefähr 3 Stunden des
Tags frei i. e. wo ich für mich zu arbeiten wollen kann. Drin-
gende Einleitungsstudien auf mein ganzes künftiges Leben, wesentliche Lücken meiner Erkenntnis und notwendige Übungen meiner
Denkkräfte überhaupt nehmen mir diese Stunden größestenteils
weg.*[91] Was Novalis hier, zu einem kritischen Zeitpunkt seines Lebens, begonnen hatte, war eine gründliche Auseinandersetzung mit
der Philosophie Johann Gottlieb Fichtes. Schon in Jena unter Rein-

holds Leitung war ihm die Philosophie nahegekommen, aber hatte ihm deren Studium nur «üppige Leichtigkeit gegeben, schöne philosophische Gedanken zu bilden», wie Schlegel schrieb[92], so nahm er jetzt Fichtes Gedanken mit ungleich ernsterem Vorsatz in sich auf. Der Wunsch, an den Konstruktionen der Philosophie das Denken zu schulen, war geblieben, aber zugleich hoffte er, in der Beschäftigung mit Fichtes Lehre einen neuen Weg zu finden, sein ferneres Leben auf festen Boden zu stellen. Wieder ist es also das Motiv der Selbsterziehung und Bestimmung, das sich in den Vordergrund drängte. Novalis hatte Fichte zum erstenmal im Sommer 1795 im Hause des Jenaer Professors Niethammer kennengelernt. Auch Hölderlin war an diesem Abend zu Gast – es ist wohl das einzige Mal, daß sich die beiden Dichter begegnet sind. Niethammer vermerkte in seinem Tagebuch, es sei viel über Religion und Offenbarung gesprochen worden, «und daß für die Philosophie noch viele Fragen offen bleiben»[93]. Rund ein Jahr vorher, am 18. Mai, einen Tag vor seinem 32. Geburtstag, war Johann Gottlieb Fichte als neuer Professor supernumerarius in Jena eingetroffen, an Reinholds Stelle, der einen Lehrstuhl in Kiel angenommen hatte. Fichte ging der Ruf voraus, der «mutigste Verteidiger der Menschenrechte»[94] zu sein, ein Ruf, der vor allem durch seine Rede «Zurückforderung der Denkfreiheit von den Fürsten Europas, die sie bisher unterdrückten» und seinen «Beitrag zur Berichtigung der Urteile des Publikums über die Französische Revolution» begründet war. Beide Schriften waren 1793 erschienen. In den folgenden zwei Jahren trat Fichte dann mit jenen Werken an die Öffentlichkeit, die ihm weithin Anerkennung als tiefen, originellen Denker verschafften. Es waren seine verschiedenen Abhandlungen über die «Wissenschaftslehre», mit denen er hoffte, die Philosophie von der Utopie zur Wissenschaft zu führen und sie aus einer einfachen dialektischen Grundstruktur abzuleiten, wie das ungefähr zur gleichen Zeit auch in den Naturwissenschaften, besonders in der Chemie und der Elektrizitätslehre, unternommen wurde.

Die Wirkung, die Fichte mit seiner Philosophie damals vor allem auf die jüngere Generation ausübte, wird allein schon deutlich aus einem Fragment, das Friedrich Schlegel 1798 veröffentlichte. Denn dort stellt er Fichtes Wissenschaftslehre in eine Linie mit der Französischen Revolution und Goethes Roman «Wilhelm Meister» und nennt diese drei die «größten Tendenzen des Zeitalters»[95]. In der Tat steckte revolutionärer Elan in Fichtes großartigem Entwurf, nur sollte die verändernde Gewalt das menschliche Bewußtsein selbst und nicht Bastillesturm oder Guillotine sein. Hinter einem *furchtbaren Gewinde von Abstraktionen*[96], wie Novalis später Fichtes Philosophie genannt hat, verbarg sich doch die Hoffnung auf harmonische Vereinigung von Freiheit und Notwendigkeit im Geiste und zugleich die Überzeugung von dessen führender und bestimmender Kraft überhaupt.

Novalis betrieb sein Studium gründlich. Nahezu 500 Seiten umfassen die Aufzeichnungen, in denen er die Begriffe und Denkgebilde

Fichtes umkreist, sie sich anzueignen, zu erweitern und umzuformen versucht. Fichtes auf der Dialektik von Subjekt und Objekt aufbauender Grundgedanke vom Ich, das sich durch Gegensetzung eines Nicht-Ich zum Bewußtsein seiner selbst als Teil eines absoluten Ich erhebt, wurde ihm zum Ausgangspunkt vielfältiger eigener Überlegungen. Es ergab sich daraus vor allem die Möglichkeit, von einer einfachen Formel her Bestimmung für einen *Wirbel von Menschenschicksal* und so auch für das eigene Leben zu finden. In diesen Untersuchungen wird also deutlich, daß es Novalis in erster Linie um die praktischen Konsequenzen zu tun war. Deshalb blieb ihm auch Fichtes abstrakte Dialektik gleich von Anfang an unzureichend. *Spinoza stieg bis zur Natur – Fichte bis zum Ich oder der Person. Ich bis zur These Gott* [97], stellt er fest und definiert Gott als *absolute These, Antithese und Synthese* [98], als die den dialektischen Prozeß auffangende, ihn umschließende höhere Einheit. Von solcher Voraussetzung her bildete sich dann auch ein neues Geschichtsbewußtsein. *Die Menschheit grünt und blüht, welkt und ruht zu gleicher Zeit* [99], heißt es an einer Stelle in den Fichte-Studien in Anwendung der vorausgehenden Definition Gottes. Das bedeutete, daß die mit dieser Definition postulierte Harmonie im Unendlichen immer vorhanden war. Der Mensch mußte nur die Kraft erwerben, sie zu finden, indem er sich als Teil dieses großen Ganzen erkannte und bestimmte. Mit dem Zweifel an dem geradlinigen Fortschreiten der Geschichte vom Dunklen ins Helle verbindet sich also die feste, aus dem Denken der Aufklärung empfangene Überzeugung vom endgültigen Sieg des Guten, Moralischen. Geschichts- und Weltbild der Romantik beginnen sich aus dem Alten herauszukristallisieren. Fichtes Ziel, in seiner Philosophie die tätige Freiheit des Subjekts zu begründen und das empirische Ich zur Erhebung über sich selbst zu leiten, führte bei Novalis also zu weitreichenden Folgerungen. *Ist ein tausendjähriges Reich möglich – werden einst alle Laster exuliert? fragt Novalis, und er antwortet: Wenn die Erziehung zur Vernunft vollendet sein wird.* [100] Und aus einer Erörterung über die vollkommenste Philosophie erwachsen Bekenntnisse wie dieses: *Prinzip der Vervollkommnung in der Menschheit – Die Menschheit wäre nicht Menschheit – wenn nicht ein tausendjähriges Reich kommen müßte. Das Prinzip ist in jeder Kleinigkeit des Alltagslebens – i n a l l e m sichtbar. Das Wahre erhält sich immer – das Gute dringt durch – der Mensch kommt wieder empor – die Kunst bildet sich – die Wissenschaft entsteht – und nur das Zufällige, das Individuale verschwindet – Es ist der Kampf des Vergänglichen mit dem Bleibenden . . .* [101] «Kunst» aber ist für Novalis der allgemeine Begriff eines bestimmten, auf die *Erziehung zur Vernunft* gerichteten Wollens des Menschen, und deshalb kann er auch sagen: *Die Kunst muß über die rohe Masse triumphieren.* [102] So wurden die Fichte-Studien Hardenbergs die Ausgangsbasis für viele seiner späteren philosophischen und politischen Anschauungen, und sie leiteten ihn auch zu einer eigenen Ansicht von dem Wesen und der Aufgabe des Dichters, des Künstlers: werde die

Kunst einst *über die rohe Masse triumphieren*, so werde die Poesie auch den *Sieg über die rohe Natur in jedem Wort* darstellen, werde *Handlungsweise der schönen, rhythmischen Seele* sein, überall die *leise Spur des Fingers der Humanität* [103] zeigen und somit immer mehr das große Ganze, in das die Existenz jedes einzelnen eingebettet ist, sichtbar machen. Der Dichtung wurde also von vornherein eine verbindliche gesellschaftlich-moralische Aufgabe zugewiesen.

Aus den in der Auseinandersetzung mit Fichte gewonnenen Gedanken und Überzeugungen ergab sich aber außerdem noch eine weitere Schlußfolgerung für Novalis: *Wenn wir von uns sprechen, so reden wir von der Gattung und dem Einzelnen. Unser Ich ist Gattung und Einzelnes – allgemein und besonders. Die zufällige oder einzelne Form unsers Ich hört nur für die einzelne Form auf – der Tod macht nur dem E g o i s m u s ein Ende.* Und wenig später fügt er hinzu: *Was du wirklich liebst, das bleibt dir.* [104] Damit wird aber nicht nur das Leben des einzelnen auf das Unendliche bezogen, sondern von den philosophischen Positionen her auch dem Phänomen des Todes seine Endgültigkeit und Macht genommen, noch bevor der Tod selbst in den Gang von Novalis' Leben störend und verwirrend eingriff.

Die Philosophie sollte ihm Kraft und innere Freiheit geben. *Bleibe fest im Glauben an die Universalität Deines Ichs*, riet er dem in Hubertusburg krank liegenden Bruder Erasmus, und er fügte hinzu: *Überall ist Hubertusburg – wo Dein Geist nicht frei aufsteht und den Staub von seinen Flügeln schüttelt.* [105] Dem Freund Friedrich Brachmann machte er Ende März 1796 Andeutungen von großen Plänen, den Staub von den eigenen Flügeln zu schütteln. *Ich rede nicht von Luftgebäuden – in uns oder nirgends muß der Grund zu allem liegen.* Nur: *Unsere Prüfungen sind desto schwerer – denn wir müssen mit Lappalien streiten, und sind noch obendrein halb gebunden – Gulliver im Pygmäen-Lande.* Aber: *Politischer Glaube tut, wie der religiöse, Wunder.* [106] Eine große Verwandlung sei in ihm vorgegangen, berichtete er schließlich am 8. Juli 1796 Friedrich Schlegel. Fichte sei er für die Aufmunterung dazu verbunden. Er sei *ernster, zärter, fester und wärmer geworden. Mein Lieblingsstudium heißt im Grunde wie meine Braut. Sophie heißt sie – Philosophie ist die Seele meines Lebens und der Schlüssel zu meinem eigenen Selbst.* Das Ziel seiner Wünsche sei jetzt, *etwas zu schreiben und zu heiraten.* Und begeistert bekannte er dem Freund: *Ich fühle in Allem immer mehr die erhabnen Glieder eines wunderbaren Ganzen – in das ich hineinwachse, das zur Fülle meines Ichs werden soll – und muß ich nicht alles gern leiden, da ich liebe und mehr liebe, als die 8 Spannen lange Gestalt im Raume, und länger liebe, als die Schwingung der Lebenssaite währt. Spinoza und Zinzendorf haben sie erfaßt, die unendliche Idee der Liebe und geahndet die Methode – sich für sie und sie für sich zu realisieren auf diesem Staubfaden.* [107] Schlegel, der ein paar Wochen nach diesem Brief Hardenberg in Weißenfels besuchte und den Freund nach Jahren zum erstenmal wiedersah, war allerdings geneigt, gleich wieder abzureisen, da ihn die «Herrnhute-rei» des Freundes, seine «absolute Schwärmerei» irritierten. Er blieb dann aber doch, von der liebenswürdigen Persönlichkeit angezogen, «ohngeachtet aller Verkehrtheit, in die er nun rettungslos versunken ist»[108].

Seit Anfang Februar 1796 war Hardenberg wieder ständig in Weißenfels. Die Aussicht auf eine Verbindung mit Sophie von Kühn hatte ihn dazu bestimmt, bald eine feste Anstellung und ein gesichertes Einkommen zu suchen. Der Plan, in den preußischen Staatsdienst zu treten, rückte immer mehr in die Ferne, auch war wohl der Vater nicht allzusehr davon eingenommen. So kam es schließlich zu einem Gesuch des Salinendirektors an den sächsischen Kurfürsten, den Sohn «als Accessißten bey den schriftlichen Geschäften Höchst Dero Local Salinen Directorii adhibiren zu dürfen»[109], das am 30. Dezember 1795 genehmigt wurde.

In Grüningen jubelte man, daß Sophiens Bräutigam nun in Thüringen bleiben werde. *Der Wunsch meines Vaters und die Rücksicht auf ein sehr glückliches damaliges Verhältnis riß mich in meine jetzige Laufbahn – für die mich vorher weder Neigung noch Studien bestimmt hatten*[110], bekannte er später. Nach einem kurzen Kursus in Chemie und Salzwerkskunde bei dem damals weithin bekannten Chemiker und Apotheker Johann Christian Wiegleb in Langensalza trat Friedrich von Hardenberg im Februar 1796 sein Amt als sächsischer Salinenbeamter an; er hat diesen Beruf zeitlebens als seine Hauptarbeit angesehen und ihn mit Gewissenhaftigkeit und Hingabe ausgeübt. Auch wenn er gleich nach seiner Ernennung einem Freund schrieb: *Ganz bin ich nicht in meine Sphäre gekommen,* so tröstete er sich doch: *Man muß vielleicht in allen Sätteln gewesen sein, um auf Einem recht zu sitzen.* Und im gleichen Brief steht auch der Satz: *Meine Bestimmung ist nun fixiert.*[111]

Selbsterziehung und der Vorsatz, ein festes Ziel für sein Leben zu finden, vereinigten sich hier mit Novalis' Drang, die Vielfältigkeit des Lebens in sich zu fassen und sein Dasein zu erweitern. Gab ihm die Lehre Fichtes das geistige Gerüst für eine Verschmelzung von Einheit und Vielheit unter einem großen Gesichtspunkt, so sollten Ehe und Beruf das Gerüst für seine bürgerliche Existenz und Wirksamkeit in Staat und Gesellschaft darstellen. *Jeder Federzug* wurde ihm jetzt Glied in einer *teleologischen Kette,* wie er an Caroline Just schrieb, und er setzte hinzu: *Die Richtung ist alles für einen Geist wie den meinigen.*[112] Der Satz ist bezeichnend für Novalis, er findet sich mit solch beschwörendem Charakter in vielen Variationen bei ihm. Denn wie dem Entschluß zur Ehe und dem Glauben an die Macht der Philosophie, so haftete auch dem Entschluß zur Hingabe an *die Tugenden eines Geschäftsmanns*[113] etwas Gezwungenes an, das Ausdruck einer Skepsis trotz alldem ist. *Nur Ruhe und anhaltende Energie der Tätigkeit – da kann aus mir etwas werden*[114], schreibt er im Hinblick auf seine zukünftigen Aufgaben an den Bruder Erasmus, und selbst mitten in den abstrakten Diskussionen der Fichte-Studien stehen Aufforderungen an sich selbst wie *Fein langsam*[115] oder die Frage: *Warum muß ich nur alles p e i n l i c h treiben – nichts ruhig – mit Muße – gelassen.*[116] Und so geht er dort auch mit sich ins Gericht und klagt: *Ich bin zu sehr an der Oberfläche – nicht stilles, innres Leben – Kern – von innen aus einem Mittelpunkt heraus wirkend – sondern an der Oberfläche – im Zickzack – horizontal – unstet und ohne Charakter – Spiel – Zufall – nicht gesetzliche Wirkung – Spur der Selbständigkeit – Äußerung Eines Wesens.*[117]

Es ist im Grunde sein altes Problem, ihm schon seit der Studentenzeit vertraut, dem er in beständiger Selbstbeobachtung und Selbstkritik beizukommen versuchte: die Beweglichkeit und Leichtigkeit seines Geistes, die ihm Kraft und Verführung zugleich bedeutete, die ihm Feinstes zu empfinden und zu denken ermöglichte, ihn in der Tat zu einem «außerordentlichen Menschen» machte und die ihn doch zugleich der Gefahr aussetzte, nichts zu erreichen und sich zu zersplittern und zu verlieren.

Äußerlich blieb sein Leben in dieser Zeit ganz und gar unruhig – ein *kainitisches Leben*[118], wie er es Schlegel gegenüber nannte. Fortgesetzter Ortswechsel – Reisen auf die Salinen, nach Jena, Leipzig, Tennstedt, Grüningen, auf das Schloß Hardenberg in Nörten – war kennzeichnend für das Jahr nach dem Dienstantritt in Weißenfels. Aber auch innerlich konnte sich trotz aller Bemühungen die rechte Ruhe und Harmonie nicht einstellen. Mochte der Zweifel an Grüningen als einem Elysium und an der Richtigkeit seiner Wahl nur eine vorübergehende Laune gewesen sein, so trat bald eine akutere Gefahr für seine Hoffnung auf *Brautnacht, Ehe und Nachkommenschaft* ein. Im November 1795 erkrankte Sophie schwer. *Die Leber war stark entzündet – die heftigsten Schmerzen, seit dem Montag schlaflose Nächte, brennendes Fieber – Schon war ihr zweimal zur Ader gelassen – Sie war sehr matt, konnte sich nicht rühren – aber heiter und gelassen*[119], berichtete Novalis am 20. November an Erasmus. Mehrere Wochen blieb das Mädchen in ernstem Zustande, aber es trat doch nach und nach eine Besserung ein, so daß der Bruder Carl aus Grüningen an Erasmus schrieb: «Sakontala blüht zu einem neuen Leben, einer schönern Zukunft wieder auf, sie ist fest und himmlisch gut, ich habe Beweise für Fritz, die ihm Aussichten ins Elysium gewähren.»[120] Aber dann kam im Sommer 1796 ein Rückfall, und Sophie wurde nach Jena gebracht, wo sie Hofrat Stark, der Arzt Schillers, und zwei andere Ärzte an der Leber operierten – möglicherweise hat es sich um einen Senkungsabszeß in Verbindung mit einer tuberkulösen Erkrankung des Brustraumes gehandelt. Nun begann eine bewegende, den Geist der Medizin aufs äußerste bloßstellende Leidenszeit des jungen Mädchens. Hardenberg wurde teils Augenzeuge, wenn er aus Weißenfels nach Jena kam, teils erfuhr er von dem Zustand durch Friederike von Mandelsloh, die ältere Schwester Sophie von Kühns, die sie in Jena pflegte. Die Wunde eiterte stark und mußte täglich bei großen Schmerzen gereinigt werden. Das Fieber hielt an, und trotz der Versicherung des Hofrats, die Wunde werde «nächstens auch zugeheilt sein»[121], wurde Ende August eine zweite und bald darauf eine dritte Inzision nötig. *Unsre Sophie beträgt sich trefflich. Sie ist immer heiter und tröstend. Ich liebe sie fast mehr ihrer Krankheit wegen*[122], schrieb Novalis damals einer anderen Schwester Sophies, und es muß vor allem der Eindruck des mit einer ganz ungewöhnlichen Tapferkeit leidenden Kindes gewesen sein, der die Menschen um sie in mitleidvoller Bewunderung anzog. Hardenbergs Vater, der erst spät von der Verbindung des Sohnes erfahren hatte und ihr wohl auch zurückhaltend gegenüberstand, schloß jetzt Sophie in sein Herz und bot ihr einen Genesungsaufenthalt im Weißenfelser Hause an. Denn *bei uns ist man auf Krankenpflege weit besser abgerichtet*[123], wie Novalis schreibt. Friedrich Schlegel besuchte sie am Krankenbett und fand sie «sehr schön und sehr anziehend»[124]. Anfang September kam auch Goethe zu kurzer Visite. «Er war charmant, hielt sich aber nicht lange bei uns auf, machte uns aber die Hoffnung, daß wir bald wieder so glücklich sein würden, ihn von Angesicht zu Angesicht zu schauen», schreibt Friederike von Mandelsloh an Novalis und fügt hinzu: «Verwundert war ich's sehr, daß unsere kleine Stube keinen Spalt bekam, ich hatte aber auch bei Goethens Ankunft die Vorsorge, sogleich die Fenster zu öffnen.»[125] Aber zugleich muß sie doch auch über die Patientin sagen, daß die Wunden immer noch stark eitern, «so daß sie in einer beständigen Nässe sitzt». Der Hofrat hielt das allerdings für «sehr gute Zeichen» und versicherte, «daß er die heftigen Schmerzen schon längst gewünscht hätte»[126]. Einen Monat später schrieb Sophie selbst: «Ich habe zwar etwas schmertzen welches den Hofrath recht lieb iest ersagt es wär ein zeichen daß gesund Fleisch da ist.»[127] Und zwei Tage später: «Es Freut mich recht sehr daß sie alle so wohl und vergnügt sind, und besonders Sie lieber Hardenberg mier geht es nicht so gans wohl ich habe wieder seit einigen Tagen das Fieber welches wohl wieder von der fatallen Beriode herkommt»[128], eine Offenheit, die zu gleichen Teilen ihrem arglosen Wesen wie dem gar nicht prüden Jahrhundert zugerechnet werden muß. Ein heftiger Husten trat hinzu, Fieber und Schmerzen hielten an, «welches aber der Hofrat der Heilung zuschreibt»[129], wie es am 1. Dezember heißt. Kurz vor Weihnachten wurde Sophie dann wieder nach Grüningen gebracht. Eine leichte Besserung trat ein, zu der sich der Grüninger Arzt optimistisch äußerte: «Die Wunde war träge und heilte mehr von außen als von innen aus der Tiefe, wo sie nicht ganz rein war. Seit der Reinigung treibt die Wunde recht kräftig; Eiter ist wenig und gut und das Fontenell habe ich auch in frischem Gange.»[130] Aber der Schein trog. Anfang Februar 1797 schrieb die französische Gouvernante Jeannette Danscour an Novalis, die Wunde habe sich «sehr verschlimmert, war auf einmal, wo das zugeheilte Fleckchen war, wieder aufgebrochen». Der Arzt von Ende und sie hätten es entdeckt, «da aber von Ende aus Schonung für Söphchen nicht tief genug sondiert, so hatte sich viel Materie verhalten und der armen Söphe unendliche Schmerzen verursacht, auch die Fiebers vermehrt, allein heute hat der Rat Blö-

Güter Brandenburg

Jehen Sie doch ich mein Verschwiegen
Holde und an Sie schreiben, nehmlich
wann es mir möglich ist. Wie es mir
geht hat Ihnen wahrscheinlich Lenz
vnserm schon geschrieben. Wir haben
nicht wohl und vergnügt an die Kinder
und alles nach Hietel ich seh zwar alles
nach und nach doch vermiss mehr alles.
Ach Schon gute Mutter mein Gemüthe
haben will schmeichelt mich sehr. Der
Herr Mahler ist mir zu gut gewesen
und hat die beiden Bilder nicht gnädig
gemacht

Brief Sophie von Kühns an Novalis. Nachschrift von Jeannette Danscour, der französischen Gouvernante Sophies. Ende Dezember 1796

Eintragung über Sophies Tod im Grüninger Kirchenbuch

dau die Sache genauer untersucht, und nachdem er fingerslang mit
der Sonde in der Krümmung nach der kranken Seite hin sondiert
hatte, so kam eine Menge, wahrscheinlich lang verschlossen gewese-
ner Materie gequollen – der Rat freute sich unendlich über diese Aus-
leerung der Wunde und versicherte, es würde nun gewiß mit der
Patientin viel besser gehen, die Fiebers nicht mehr so stark und an-
haltend sein, auch alle übrigen Umstände dadurch erleichtert werden
welches ich auch ganz gewiß glaube, ach!»[131] Das letzte Ach! war
berechtigt. Anfang März besuchte Novalis seine Braut noch einmal in
Grüningen, aber er verließ den Ort *mit der fast apodiktischen Gewißheit, daß Sophie nur noch wenige Tage zu leben hat*[132], wie er
am 14. März 1797 an Friedrich Schlegel schreibt. Länger zu bleiben
vermochte er nicht. Fünf Tage später – «den 19. März 1797, früh um
9 Uhr, zwei Tage nach ihrem funfzehnten Geburtstage» – starb sie
«von den Folgen einer Lungensucht», wie es im Grünniger Kirchenbuch heißt.

Der Tod Sophie von Kühns ist des öfteren als die Geburtsstunde des romantischen Dichters Novalis angesehen worden. So einfach vollziehen sich indes derartige Vorgänge nicht. Gewiß spielt das Bild der toten Geliebten in einigen von Hardenbergs bedeutendsten Dichtungen, besonders den *Hymnen an die Nacht*, eine gewichtige Rolle, und der Tod wie die Überwindung des Todes wurden bestimmende Themen für ihn. Aber was uns an Gedanken und poetischen Bildern in Novalis' späteren Werken entgegentritt, ist doch das Ergebnis eines langen inneren Reifungs- und Entwicklungsprozesses, dessen Ursprung eher in den Tiefen seiner durch viele Zuströme geformten Persönlichkeit liegt als in einem wenn auch noch so erschütternden momentanen Ereignis.

Sophies Tod traf ihn weder äußerlich noch innerlich unvorbereitet. Die Hoffnung auf ihre Genesung war trotz aller optimistischen Äußerungen der Ärzte spätestens seit der Rückkehr nach Grüningen geschwunden. Innerlich hatte ihn die Auseinandersetzung mit der Philosophie Fichtes zur Erkenntnis von der Relativität der zufälligen oder einzelnen Form des Ich kommen lassen: *Was du wirklich liebst, das bleibt dir.* Pietistisches Glaubensgut, von der Kindheit her vertraut, war unter dem Eindruck von Sophies Leiden neu in ihm erwacht, so daß der Freund Schlegel gar den Eindruck völligen Verfallenseins an «Herrnhuterei» und «absolute Schwärmerei» bekommen hatte. Deshalb überrascht es zunächst nicht, wenn Novalis schon Wochen vor dem Tode Sophies nahezu prophetische Worte wie diese schrieb: *Meine Phantasie wächst, wie meine Hoffnung sinkt — wenn diese ganz versunken ist und nichts zurückließ als einen G r e n z - s t e i n, so wird meine Phantasie hoch genug sein, um mich hinaufzuheben, wo ich das finde, was hier verloren ging. Frühzeitig hab ich meine prekäre Existenz fühlen gelernt, und vielleicht ist dieses Gefühl das erste Lebensgefühl in der künftigen Welt.*[133]

Als er aber dann der Endgültigkeit des Todes wirklich gegenüberstand, versagte die Zauberkraft der Phantasie fürs erste. Alles erschien ihm nun auf einmal *tot, wüste, taub, unbeweglich, versteinert*[134]. Es sei Abend und Herbst um ihn geworden, bekannte er in Briefen, und wenn er an einer Stelle von sich sagte, er habe sich selbst fast nicht mehr[135], so war das keine bewegte Trauerfloskel, sondern die präzise Bezeichnung seines inneren Zustands. Denn sentimental ist Friedrich von Hardenberg nie gewesen, auch nicht und erst recht nicht angesichts des Todes. Die Suche nach Festigkeit und einem Ziel hatte sein ganzes bewußtes Leben bisher gekennzeichnet. In Sophie, in der Hoffnung auf *Brautnacht, Ehe und Nachkommenschaft*, schien sich ihm eine solche Lebensmitte aufzutun. Nun aber fand er sich wieder hinausgestoßen in die Unsicherheit einer schweifenden, einsamen, unverstandenen Existenz, deren Gefahren ihm nur zu deutlich bewußt geworden waren.

Als dann die erste, tiefe Lähmung durch die Nachricht über das

Ende seiner Sophie geschwunden war, versuchte er allmählich, die Bestimmung, die ihm die äußere Welt versagte, nun in der inneren zu finden. Wege dazu waren ihm in seinem Studium der Philosophie gewiesen worden. Was sich dabei in den Wochen und Monaten nach Sophies Tod in Novalis vollzog, war allerdings ein Vorgang voller tiefer Widersprüche, die sich durchaus nicht versöhnen und auf einen Nenner bringen lassen. In einem langen Brief an Caroline Just in Tennstedt von Ende März 1797 kommen zwei Hauptmotive seiner Gedanken der folgenden Zeit, sich überkreuzend, zum erstenmal zum Ausdruck. Das eine Motiv entwickelt sich aus der Erkenntnis seiner erneuten Einsamkeit und Verlorenheit: *Wenn meine Wehmut zur leisen Flamme würde, die mich so verzehrte, daß mich dann ein leichter Luftstoß in einen Haufen Asche verwandelte, sollte Sophie nicht diesen Wunsch unterstützen? Ihr Leben hielt ohnedem meine geistige Existenz zusammen – seit dieser Geist wich, fangen schon die organischen Teile an sich zu trennen und zu ihren Elementen zurückzukehren.* Sein eigener Tod sollte die klarste und reinste Konsequenz seines Selbstverlustes werden, und der Entschluß, Sophie nachzusterben, durchzog fortan seine Gedanken wie seine Aufzeichnungen.

Das andere aber war, in merkwürdigem Gegensatz dazu, die Hoffnung auf die unsichtbare Gegenwart von Sophie in dieser Welt. Im gleichen Brief heißt es: *Eins hab ich gewonnen – die f e s t e Hoffnung, sie nicht verloren zu haben – auch würde mich diese Hoffnung noch mehr stärken, wenn Sophie mir erscheinen könnte und dürfte. Wie unaussprechlich glücklich wär ich noch hier, wenn sie mir zuweilen sich offenbarte – mich aufrichtete, stärkte – nur mit einem einzigen liebevollen Blick.* Aus dieser Hoffnung aber wollte er für sich *himmlischen Enthusiasmus* schöpfen; Sophie sollte ihm zum *Geist des ewigen Friedens, der Eintracht, Liebe, Herzensgüte, Sanftheit und Demut* werden, *ewige Heiterkeit* sollte seine Augen und Stirn beseelen, ein *wahrhaft hoher Mensch* wollte er werden, der in sich den *Beruf zur apostolischen Würde* fühlte.[136] Das, wie gesagt, steht dicht neben Gedanken über das Nachsterben und war doch eigentlich eher auf ein Nachleben angelegt. Aber beide, Tod und *apostolische Würde*, verbinden sich in gewissem Maße in dem Begriff des *hohen Menschen*, den Jean Paul in seiner «Unsichtbaren Loge» geprägt hatte, die schon 1795 ein Lieblingsbuch der Brüder Hardenberg gewesen war. Dieser «hohe Mensch» besaß «die Erhebung über die Erde, das Gefühl der Geringfügigkeit alles irdischen Tuns und der Unförmlichkeit zwischen unserem Herzen und unserem Orte, das über das verwirrende Gebüsch und den ekelhaften Köder unsers Fußbodens aufgerichtete Angesicht, den Wunsch des Todes und den Blick über die Wolken»[137]. In ihm lag die Kraft, das Leben aus einem höheren Gesichtspunkt zu betrachten, dadurch daß er den Tod in das Leben einbezog und Größe aus solcher Überwindung scheinbarer Endgültigkeiten gewann. Der sich aus dem Bewußtsein von der Existenz einer transzendenten Sphäre «über den Wolken» ergebende *Beruf*

Kreisamtmann Coelestin August Just. Gemälde von W. Eichler, vermutlich Kopie eines älteren Bildes

zur unsichtbaren Welt, die liebevolle Annäherung zu Gott und dem Erhabensten, was die Menschheit hat [138], wurden so dem Vereinsamten eine neue, wenn auch noch keineswegs fest umrissene Aufgabe.

Weitere Prüfungen standen bevor. Erasmus, der einst dem Bruder Fritz von der «Unsichtbaren Loge» vorgeschwärmt und gemeint hatte, er wisse «für einen schwindsüchtigen jungen Menschen ... kein trostreicheres Büchlein in der Welt» [139], war kurz vor dem Tode Sophies als Schwerkranker in sein Elternhaus zurückgekehrt, und am 14. April, einem Karfreitag, erlag er der Tuberkulose. Zwei Tage vorher war Novalis nach Tennstedt abgereist. Wie schon bei Sophie war es ihm unerträglich, Zeuge langsamen Sterbens zu sein.

Tennstedt mußte dem aus seinen Bahnen Geworfenen am ehesten als ruhiger, schützender Hafen erscheinen. Der Amtmann Just hatte im Jahre vorher Rahel Nürnberger, die Witwe eines Wittenberger Professors, geheiratet, und Hardenberg hatte selbst dazu beigetragen, diese Verbindung zustande zu bringen. In der Stille der Landstadt und in der harmonischen Atmosphäre des Justschen Hauses konnte er hoffen, Entgegenkommen und Verständnis zu finden. Zugleich war er damit nun auch wieder Grüningen nahe, von dem er kurz vorher an Caroline Just geschrieben hatte: *Grüningen, die Wiege meines bessern Selbst, ist mir zur Grabstätte geworden – das einsame Grab auf dem kleinen Kirchhofe – die drei Ellen Erde auf dieser himmelvollen Brust – das ist, was meine Phantasie erfüllt, die sonst in Paradiesen schwebte.* [140] Allerdings hatte er eben dieses Grab bisher noch nicht gesehen; er war auch nicht zu Sophies Beerdigung erschienen. Am Ostersonntag ging er dann zum erstenmal auf den Grüninger Friedhof.

Nimmt man alles in allem – seine sensitive, leicht bewegte Persönlichkeit, die Trauer um den Verlust zweier ihm am nächsten stehender Menschen, das Gefühl, wiederum Richtung und Ziel für sein Leben verloren zu haben, dazu das Umkreisen des Todesproblems in seinem Philosophieren und schließlich die Tradition pietistischer Frömmigkeit, in der er aufgewachsen war – so kann man sich wohl vorstellen, welch tiefe Erschütterung dieses Osterfest 1797 für ihn bedeutete. Am Dienstag danach, einem 18. April, begann er ein Tagebuch, das einzig in seiner Zeit dasteht, nicht nur als Dokument eines um Antworten auf die letzten Fragen nach dem Sinn von Leben und Tod suchenden Menschen, sondern zugleich auch als ein Dokument rücksichtsloser Gewissenserforschung und kritischen Interesses an der Verflochtenheit der eigenen Empfindungen. Über zweieinhalb Monate setzte er die Eintragungen fort, bis er von seinem Aufenthalt in Tennstedt und Grüningen und einer Reise in den Harz Anfang Juli wieder endgültig nach Weißenfels zurückkehrte. Zu jedem Datum fügte er jeweils eine Zahl hinzu, die anzeigte, der wievielte Tag es nach Sophies Tode war – der 18. April war der einunddreißigste.

Was Novalis in sein *Journal* mit der Genauigkeit eines psychologischen Experimentators aufzeichnete, blieb keineswegs nur beschränkt auf das, was seinen Geist bewegte. Auch das alltägliche Leben spiegelt sich darin, der Aufenthalt bei den Justs und in Grüningen, später die Reisen in den Harz, nach Halle und Dessau als Begleiter des Vaters. Literarische und philosophische Studien werden reflektiert. Vor allem setzte sich Novalis in diesen Tagen und Wochen zum erstenmal gründlich mit Goethes «Wilhelm Meister» auseinander, wohl in der Absicht, eine Rezension zu schreiben, aber auch, um aus dieser und jener Stelle, die er sich näher bezeichnete, Trost und Kräftigung zu ziehen. In eben diesen Tagen schickte ihm Friedrich Schlegel überdies ein Exemplar von «Romeo und Julia», das in der Übersetzung des Bruders August Wilhelm gerade erschienen war. Der Zufall berührte ihn merkwürdig.

> O, hier bau' ich ew'ge Ruhstatt mir
> Und schüttle von dem lebensmüden Leibe
> Das Joch feindseliger Gestirne,

hatte Romeo am vermeintlichen Totenbett Julias geklagt. Und Novalis trug in sein Tagebuch ein: *Früh sprach ich lange an dem mit Rosen bepflanzten Grabe mit Karolinchen. Romeo las ich noch einmal –.*[141] In Edward Youngs «Klagen oder Nachtgedanken über Leben, Tod und Unsterblichkeit» blätterte er, und auch Fichtes und Jean Pauls Namen finden sich wieder in den Seiten des Tagebuchs verzeichnet.

Unmittelbar neben den Notizen über seine geistige Tätigkeit stehen genaue Beobachtungen über körperliche Funktionen. So fühlte er sich zuweilen *nicht wohl*, hatte *zuviel gegessen*[142], *früh etwas Kolik*[143], mußte *abzuführen*[144] einnehmen oder spürte *die fatale, drückende, bängliche Empfindung des eintretenden Schnupfens*[145]. Vor allem aber war es die Bedrängnis durch eine immer wieder als störend und irritierend empfundene Sexualität, über die er sich mit aller Offenheit Rechenschaft ablegte. *Sinnliche Regungen*[146] und Phantasien verfolgen ihn, er ist *lüstern*[147], treibt die Lüsternheit *ein wenig weit*[148] oder bekennt sogar: *Die lüsterne Phantasie des Morgens veranlaßte nachmittags eine Explosion.*[149]

Nicht nur aus solchen Aufzeichnungen, sondern auch aus seinen Werken selbst läßt sich ablesen, daß Friedrich von Hardenberg in mehr als gewöhnlichem Maße von sexuellen Vorstellungen und Träumen heimgesucht wurde. Das ist nicht ungewöhnlich und überraschend bei Menschen, die, wie er, den Keim zur Tuberkulose in sich tragen und unablässig gegen eine schwächliche Konstitution anzukämpfen haben. Daß aber sein Denken wie seine dichterische Vorstellungswelt aus der Sphäre des Sexuellen starke Impulse empfangen haben, ist dennoch gern übersehen worden. Vor allem darf nicht außer acht gelassen werden, daß gerade das verstärkte Ausgesetztsein an das Triebhafte auch die Abwehrkräfte des Geistes gegen eine solche Vorherrschaft aufs äußerste mobilisierte und Novalis in vieler Hinsicht erst zu dem befähigte, was er in seinem Werk geleistet hat.

Diese Abwehrkräfte zeigen sich im Tagebuch vor allem in einer bis zum äußersten getriebenen Selbstreflexion, in exakter, strenger Beobachtung nicht nur des Körperlichen, sondern auch seines gesamten inneren Zustands. Denn dort standen ebenfalls Neigungen oder Triebe im Kampf mit dem um Vorherrschaft ringenden Bewußtsein. Auf der einen Seite gab es einen Zustand, den er als feindlich und störend empfand und der mit Begriffen wie Unruhe, Lauheit oder Kälte umschrieben wird. Das andere aber war eine Gemütsverfassung der *Heiterkeit* in all der Bedeutungsfülle, die das Wort im 18. Jahrhundert einschloß und die aus den Synonymen oder Zusätzen erkennbar wird, mit denen es Novalis in seinem Tagebuch verband: *leicht, ruhig, hell, frei, fröhlich, glücklich, gelassen, besonnen, fest, männlich.* Ein solcher Wortschatz hatte auch früher schon Hardenbergs Wunschvorstellungen für die Bildung seiner Persönlichkeit umschrieben, aber jetzt hatten seine Wünsche und Hoffnungen eine neue Dimension erhalten, denn in den Zwiespalt seines Innern war auch das Bild der verstorbenen Braut geraten, das ihm Leitbild für ein neues Ziel, für den *Beruf zur apostolischen Würde* werden sollte. Häufig finden sich im Tagebuch Aufzeichnungen wie *Viel an S. gedacht* [150] oder *Lebhaft an S. gedacht* [151]. Aber nicht immer war Novalis mit sich zufrieden. *An S. hab ich oft – aber nicht mit Innigkeit gedacht* [152], notierte er am 21. April, und er versuchte, durch Bildbeschwörung und Reliquienkult seine Vorstellungskraft dem Willen zu unterwerfen und sich zu warmen, innigen Empfindungen zu zwingen: *Dann ging ich in die liebe Bilderkammer – schloß den Schrank auf – besah die Sachen meiner S., las meine Briefe und ihren Briefvorrat überhaupt – Nachher war ich ganz bei ihr.* [153] Oder: *Spät recht lebhaft Söffchens Bild vor mir gehabt – En profil neben mir auf dem Kanapee – im grünen Halstuch – in charakteristischen Situationen in Kleidern fällt sie mir am leichtesten ein. Abends überhaupt recht innig an Sie gedacht.* [154] Aus solchem Zusammenhang ist auch sein Versuch zu verstehen, sich am Grabe selbst die ihn in seinen Wunschvorstellungen Umgebende gegenwärtig zu machen. Des öfteren besuchte er die – heute eingeebnete – Grabstelle, *pflückte Blumen – streute sie aufs Grab – ich war innig mit ihr* [155]. Einen

Heute fühl abend Politik. Heute Chal
ich wenig. Ich störte mit dem Hauptmann
in allen Rohen. Ich fand mich sehr beschäftig
Rück sicht spracht ich mit der Nummer -
dann zu immer - drüben in der Buchandlung
bei hagen Rad den über Divinaborg de den
hagen mit das Phänomen geschrapht. Schon
wilzens kommen - ich schreib oben einiges
mit. Aus den Sparzinogrungen sucht
ich einige deutliche Ideen. Auch Grieben ver
ich nachdenkend en aber meist mit augen
zahl. Mit einigen tagen ängstlich mich
auch Hormierungen wieder - ich stütze
mich ununterbrochen wieder in zurückten
Momenten für anhaftlichen Jammer in
dem was mir begegnet ist. hagen Ipsah
thial mir mir - darob ich ihres mainem
bei des Wechselspiel eine falsch brauen bet
in eben bad versehen - jetzt einzer ist zugleich
denn eine falsche dath möglich.

der Ueber füchs haute mit der dummela nach der
derharfen. Ich Chal wenig - aber weil festzeig
bist sprach ich lange an den mit Ferdunghbengher
Quarte mit Burgehühner. Kommer bei ich noch einmal -

Tag später, am 12. Mai, zeichnete er auf, daß er an seinem lieben Grab *bis um 7 blieb – und recht innig* für sich war.[156] Wieder einen Tag später, am 13. Mai: *Abends ging ich zu Sophien. Dort war ich unbeschreiblich freudig – aufblitzende Enthusiasmusmomente – das Grab blies ich wie Staub vor mir hin – Jahrhunderte waren wie Momente – ihre Nähe war fühlbar – ich glaubte, sie solle immer vortreten.*[157] Und am darauffolgenden Tag: *Gestern abend war ich am Grabe und hatte einige wilde Freudenmomente.*[158]

Besonders die Eintragung vom 13. Mai hat in der Literaturgeschichte Berühmtheit erlangt, da gewisse Wendungen daraus später in der dritten *Hymne an die Nacht* wiederkehren. Man hat deshalb in dieser «Vision am Grabe» das für Novalis' Dichtertum wegweisende «Urerlebnis» gesehen, aber eine Überschau über die Lebensdokumente aus dieser Zeit macht eine derartige Behauptung doch recht fragwürdig, ganz davon abgesehen, daß sich im Wortlaut einige Anklänge an eine Stelle aus Jean Pauls «Unsichtbarer Loge» finden, die Carl von Hardenberg zwei Tage vorher in einem Brief an den Bruder zitiert hatte.[159] Vor allem enthalten ja eben auch andere Stellen im Tagebuch – wie schon der Brief an Caroline Just – Andeutungen solcher Erscheinungen Sophies, in der Bilderkammer, auf dem Kanapee und nun am Grabe. Man wird an der Echtheit und Tiefe der Visionen nicht zweifeln können, ebensowenig aber auch daran, daß sie nicht spontan, sondern durch ganz bewußte vorbereitende Anstrengung des Geistes entstanden, durch die Nötigung, *bestimmte Stimmungen nach Willkür*[160] in sich zu erzeugen, wie er es selbst im Tagebuch von sich forderte. Je mehr nun aber für ihn Sophies körperliche Erscheinung trotz aller Beschwörungsversuche verblaßte, desto mehr verstärkten sich seine Vorstellungen von ihr als einer Idealgestalt, die seiner ferneren Existenz Mittelpunkt und Ziel gab, wie es einst auch schon dem lebenden Urbild bestimmt gewesen war. Schon am 14. April, dem Karfreitag, schrieb Novalis in solcher Erkenntnis, *daß sie Eine der edelsten, idealischsten Gestalten war, die je auf Erden gewesen sind und sein werden. Die schönsten Menschen müssen ihr ähnlich gewesen sein.*[161] Zweieinhalb Monate später trug er, als eine der letzten Aufzeichnungen, in sein Tagebuch den Satz *Christus und S o p h i e*[162] ein. Das war kein Losungswort, sondern die Erkenntnis von der Rolle, die die Braut für ihn als Mittlerin zwischen dieser und jener Welt angenommen hatte, vergleichbar der Mittlerrolle, die Christus nach kirchlicher Lehre für die Menschheit übertragen war. Aus der verblaßten irdischen war in geradezu blasphemischer Freizügigkeit eine mythische Gestalt geworden.

Von der Wandlung des Bildes der Braut war in Novalis auch der Entschluß, ihr nachzusterben, nicht unbeeinflußt geblieben. Fast in jeder Eintragung im *Journal* ist von ihm die Rede. *Der Entschluß stand fest*[163], versicherte er sich des öfteren, und noch in einer der

Aus dem Tagebuch (Journal). Eintragung vom 19. Mai 1797

letzten Eintragungen heißt es: *Mein Entschluß steht ganz unwandelbar.*[164] Schon solche Versicherungen, die er sich fortwährend gab, lassen auf Ungewißheit und Unsicherheit schließen. Aber dazwischen gibt es auch noch zahlreiche Bemerkungen wie: *Der Entschluß ward etwas düster angesehn.*[165] Oder: *Der Entschluß ward sehr beräsoniert.*[166] Dann mit Tempuswechsel: *Mein Entschluß hat recht fest gestanden. Er wird nur noch zuweilen beräsoniert.*[167] Schließlich hielt er sich vor: *Bei meinem Entschluß darf ich nur nicht zu vernünfteln anfangen – Jeder Vernunftgrund, jede Vorspiegelung des Herzens ist schon Zweifel, Schwanken und U n t r e u e.*[168] Aus solchem Hin und Her ist nicht in erster Linie Angst oder gar Feigheit abzulesen, denn einen physischen Gewaltakt hatte er ohnehin nicht beabsichtigt. Der französischen Gouvernante in Grüningen soll er gesagt haben: *Seien Sie nur ruhig, meine gute Ma chère – ich habe weder Gift noch Dolch bei mir – aber ich fühle, daß längstens das Ziel aller meiner sehnlichsten Wünsche Weihnachten sein wird.*[169] Was ihm vorschwebte, war eher ein Tod durch die Kraft des zum Sterben bereiten freien Willens. Wenn sein *Entschluß* dennoch immer wieder ins Schwanken geriet, wenn er sich zu ihm ständig überreden mußte und von verschiedenen Seiten Störungen fürchtete, so geschah das deshalb, weil er hier Widerstände seiner Natur gewahr wurde, die er sich mit der Kraft seines Geistes nicht völlig unterwerfen konnte. Das gelang ihm erst in anderer Art, als sich auch die Natur des Entschlusses selbst wandelte. Eine Andeutung solcher Wandlung findet sich schon in der Tagebuchaufzeichnung vom 19. Mai: *Beim Grabe fiel mir ein*, heißt es dort, *daß ich durch meinen Tod der Menschheit eine solche Treue bis in den Tod vorführe – Ich mache ihr gleichsam eine solche Liebe möglich.*[170] Sein Tod sollte demnach exemplarischer Natur sein, *echte Aufopferung*[171], und die Bemerkung *Christus und S o p h i e* erhält in diesem Lichte also einen merkwürdigen Doppelsinn.

Um eben diese Zeit, am 14. Juni, schrieb Novalis an Friedrich Schlegel: *Du wünschest mehr von mir in betreff meiner Sehnsucht zu hören – Bester, wenn es mir nur nicht immer schwerer würde, davon zu reden. Ich weiß auch wenig davon zu sagen – Es bleibt beim alten – es wird immer älter – immer tiefer – immer befassender.*[172] So verwischten sich die festen Konturen des ersten Entschlusses und liefen zusammen mit anderen, früheren Wünschen und Hoffnungen. Manche Widersprüche blieben unaufgehoben, aber aus der *Idee der unaussprechlichen Einsamkeit, die mich seit S. Tode umgibt*[173], war ihm doch die Möglichkeit zu neuer Existenz mit missionarischer Verpflichtung und *apostolischer Würde* erschienen, die seinem Leben und Denken fortan Richtung gab.

DER FREMDLING

Ein paar Wochen vor Erasmus' Tod, am 26. Februar 1797, hatte Friedrich von Hardenberg dem schwerkrank in Zillbach, einer Weimarischen Enklave auf der Westseite des Thüringer Waldes, liegenden Bruder einen Trostbrief geschrieben. Positiv sei jetzt für ihn *keine Gefahr mehr vorhanden,* und der Entschluß, Algebra zu studieren, werde ein übriges zu seiner Heilung tun, denn: *Die Wissenschaften haben wunderbare Heilkräfte – wenigstens stillen sie, wie Opiate, die Schmerzen und erheben uns in Sphären, die ein ewiger Sonnenschein umgibt. Sie sind die schönste Freistätte, die uns gegönnt ward. Ohne diesen Trost wollt ich und könnt ich nicht leben. Wie hätt ich ohne sie seit 1 1/2 Jahren so gelassen S. Krankheit zusehn und außerdem so manchen Verdrießlichkeiten ausgesetzt sein können. Es mag mir begegnen, was will; die Wissenschaften bleiben mir – mit ihnen hoff ich alles Ungemach des Lebens zu bestehn.*[174]

Die Wissenschaften – das war im Gebrauch der Zeit ein Sammelbegriff für die verschiedensten Zweige der Gelehrsamkeit, für Mathematik und Medizin, Physik und Metaphysik, Chemie und Philosophie. Gerade mit dem letzteren Bereich hatte sich neuerdings der Begriff durch Fichtes Konstruktion einer «Wissenschaftslehre», einer Wissenschaft von dem Vorschreiten des menschlichen Denkens, aufs engste verschwistert. Sowohl mit den Naturwissenschaften wie mit der Philosophie aber war Novalis in den vergangenen Monaten vertrauter geworden, mit den ersteren zunächst nur aus Nötigung des Berufs, mit der Philosophie aus innerer Neigung. Jedoch die Gegensätze schwanden immer mehr, je tiefer er eindrang und Gemeinsames sah.

Dem unmittelbaren Anspruch, Trost in schwerem Leid zu bieten, schienen die Wissenschaften allerdings nicht gewachsen zu sein. Nachdem er Sophie zum letztenmal gesehen hatte, bekannte er Friedrich Schlegel, daß ihn die Hoffnung, die Wissenschaften sollten ihm *einen Ersatz bieten*[175], doch getrogen hatte. Aber wenig später, zehn Tage nach Sophies Tod, heißt es in einem Brief an den Kreisamtmann Just: *Die Wissenschaften gewinnen ein höheres Interesse für mich; denn ich studiere sie nach höhern Zwecken, von einem höhern Standpunkte.*[176] Ein neues Licht glomm auf. Friedrich Schlegel versicherte er bald darauf, daß die Wissenschaften jetzt das *Hauptinteresse* seien, was er *an der Welt nehme.* Und er fügt hinzu, daß ihm immer klarer werde, *welcher himmlischer Zufall* Sophies Tod gewesen sei, *ein Schlüssel zu allem*[177].

Sinn und Richtung des neuen Interesses, das sich im Laufe der kommenden Monate in Novalis noch verstärkte und vertiefte, lassen sich aus solchen Bemerkungen deutlicher erkennen. Hatte ihm Fichtes Wissenschaftslehre einen Weg aus der Notwendigkeit in die Freiheit des Geistes gezeigt, so wurde ihm durch das Gefühl einer fortbestehenden inneren Verbindung mit der verstorbenen Braut die Gewißheit von der Existenz einer *unsichtbaren Welt* gegeben, die als

August Wilhelm Schlegel

ein Reich der Harmonie und Liebe dem freien Geist zugänglich war und jenseits der Begrenzungen durch irdische Notwendigkeiten lag. Sein Tagebuch war ein Zeugnis davon, wie ihm immer stärker das Bewußtsein von einer solchen höheren Welt aufging und Sophie als Mittlerin zur Mythe wurde. Aber wenn es sich bei dem zunächst nur persönlich Erfahrenen nicht um Sinnestäuschung handeln sollte, so mußte sich die Bestätigung für das Vorhandensein einer alles einenden und umschließenden transzendenten Welt auch hinter anderen Erscheinungen des irdischen Daseins finden. Diese Hypothese war der *höhere Standpunkt,* unter dem er jetzt die Wissenschaften betrachten wollte.

Von systematischem Studium war allerdings noch nicht die Rede – dazu fehlte das innere Gleichgewicht. Aber Anregungen kamen durch den neuauflebenden Gedankenaustausch mit dem Freunde Friedrich Schlegel. Noch kurz vor Sophies Tod hatte Novalis Schlegel gegenüber der Hoffnung Ausdruck gegeben, *Du würdest mich doch vielleicht mit Deinen kräftigen Ansichten der Dinge und Wissenschaften beleben* [178]. Nun hatte ihm Schlegel seine «Hefte» mit «Philosophemen» gesandt und ihm versprochen, sie «mit einem Brief an Dich» in die Welt zu schicken. [179] Es waren vor allem kritische Gedanken zu Fichte, die Schlegel bewegten und die Novalis seinerseits zu einem Überdenken seiner auf der Wissenschaftslehre errichteten Positionen herausforderte. «Fichtisieren» und «symphilosophieren» waren die Ausdrücke, die Schlegel für solchen geistigen Austausch geprägt hatte. Fichtes Auffassung war für Schlegel bei aller Bewunderung zu eng und starr, zu wenig auf das Rücksicht nehmend, was Schlegel als das eigentlich Wichtige erschien – auf Phänomene des Ästhetischen und Gesellschaftlichen, auf Liebe, Kunst und Poesie. Novalis gestand: *Deine Hefte spuken gewaltig in meinem Innern, und so wenig ich mit den einzelnen Gedanken fertig werden kann, so innig vereinige ich mich mit der Ansicht des Ganzen und errate einen Überfluß des Guten und Wahren. Und Fichte erscheint ihm nun selbst als der gefährlichste unter allen Denkern, die er kenne. Er zaubert einen in seinem Kreise fest. Keiner wird wie er mißverstanden und gehaßt werden. Aber die Mißverständnisse werden hier erschöpft werden. Du bist erwählt gegen Fichtes Magie die aufstrebenden Selbstdenker zu schützen. Ich hab es in der Erfahrung, wie sauer dieses Verständnis wird – Manchen Wink, manchen Fingerzeig, um sich in diesem furchtbaren Gewinde von Abstraktionen zurechtzufinden, verdank ich lediglich Dir und der mir vorschwebenden Idee Deines freien, kritischen Geistes.*[180]

Anfang Juli besuchte Schlegel Novalis in Weißenfels und brachte einen Boten eigens zum Tragen philosophischer Hefte mit, aber das *Schwatzen, Polemisieren* und *Radotieren* wiederum störte Novalis, wie er in seinem Tagebuch notiert – *mich ruiniert diese Lebensart gänzlich*[181]. Erst in der Stille der folgenden Wochen, bei Reisen auf die Salinen, nach Artern und Kösen, begannen dann wieder Gedanken in ihm zu reifen. Zweimal war er im Sommer 1797 auch in Jena. Er sah Fichte und August Wilhelm Schlegel, der mit seiner Frau Caroline seit etwas mehr als einem Jahr dort wohnte. Am 24. September schrieb Schlegel an Goethe: «Hr. v. Hardenberg aus Weißenfels hat einige Male einen Tag bei uns zugebracht. Sie werden ihn hier oft gesehen haben, aber ich weiß nicht, ob Sie je näher ins Gespräch mit ihm gekommen sind. Er ist für uns ein äußerst interessanter Mann, und die schwärmerische Wendung, die ihm der Tod seiner jungen Geliebten, des Fräuleins v. Kühn, gegeben hat, macht ihn noch liebenswürdiger, da ein so ausgebildeter Geist sie unterstützt, oder ihr das Gegengewicht hält. Seine Schwermut hat ihn mit doppelter Tätigkeit in die abstraktesten Wissenschaften gestürzt: seine innre Unruhe verrät sich dabei durch die Menge und Neuheit seiner eigentümlichen Ansichten.»[182]

Dieses Urteil ergänzt ein Selbstbekenntnis, das Novalis kurz vorher Friedrich Schlegel gemacht hatte. In einem durch Gedankenstriche zerklüfteten Brief schrieb er, er sei nun *in der Brandung* und *ein Wogenstrom* schlage ihn *an festes Land. Mein Geist ist jetzt fruchtbarer, vielleicht glücklicher, als je.* Er berichtet von den Besuchen in Jena und verkündet, die alte Jugendliebe zur Dichtung sei wieder erwacht; von Goethes «Alexis und Dora» und von Schillers Balladen im «Musen-Almanach für das Jahr 1798» wird gesprochen, ebenso von Schellings «Ideen zu einer Philosophie der Natur», die in diesem Jahr erschienen waren und die Novalis auf Empfehlung Friedrich Schlegels studiert hatte. Am Schluß des Briefes folgt schließlich die Bemerkung: *Michaelis geh ich nach Dresden und Freiberg – in Freiberg bleib ich vor der Hand.*[183] August Wilhelm Schlegels Mitteilung an Goethe macht deutlich, was auch der Brief in seiner etwas hektischen Fahrigkeit verrät: daß das feste Land, auf das Novalis zu gelangen glaubte, doch noch recht schemenhaft war. Unsicherheit und Unruhe fochten erneut gegen den Zwang des planenden Geistes, auch wenn Novalis wohl solche Unruhe jetzt als schöpferisch empfand.

Die Neigung zu den Wissenschaften hatte immerhin zu einem konkreten Ziel geführt. Das Studium an der Bergakademie Freiberg war beschlossen worden, was einmal für den sächsischen Salinenbeamten praktische Bedeutung hatte, zugleich aber auch die Möglichkeit

*Frans Hemsterhuis. Lithographie von C. C. A. Last
nach einer Büste von Gottlieb M. Klauer*

bot, gerade die exakten Wissenschaften von jenem *höhern Standpunkt* zu betrachten, von dem aus vielleicht deren Verbindung zu
einer *unsichtbaren Welt* gesehen werden konnte. Daß Bezüge zwischen den Naturphänomenen und einem größeren Zusammenhang
durchaus zu bestehen schienen, war ihm eben erst durch Schellings
jüngste Schrift über eine «Philosophie der Natur» eindringlich vor-
geführt worden.

Die Verwirklichung des Plans verzögerte sich. Erst Anfang November wurde die kurfürstliche Erlaubnis zur «Anhörung der Vorlesungen bey der Berg Academie zu Freyberg gegen Entrichtung des den

Lehrern geordneten Honorarii, als auch die Befahrung und Besichtigung der dasigen und der Obergebürgischen Berg- und Hüttenwerk-ke»[184] gegeben, und am 1. Dezember 1797 verließ Novalis Weißenfels.

Die Wochen zuvor waren angefüllt gewesen mit beruflicher Tätigkeit und mit dem Studium der Werke des holländischen Philosophen Frans Hemsterhuis. Schon während seines Universitätsjahres in Jena hatte sich Novalis offenbar mit Hemsterhuis beschäftigt, denn Friedrich Schlegel bezeichnete diesen und Platon als «seine Lieblingsschriftsteller». Besonders durch Herder und Friedrich Heinrich Jacobi, die einzelne Schriften des Holländers übersetzt hatten, wurden dessen Gedanken in den achtziger Jahren dem deutschen Publikum vermittelt. Eine deutsche Gesamtausgabe erschien 1797, aber Novalis las ihn jetzt im französischen Original. Die Lektüre erfolgte zu einer Zeit, in der er dieser Gedanken am bedürftigsten war. Hemsterhuis' Lehre von der Existenz einer Einheit des ganzen Universums, die den Verstandeskräften des Menschen nicht zugänglich war, wohl aber von einem als Anlage im Menschen schlummernden «moralischen Organ» erfahren werden konnte, mußte bei ihm auf fruchtbaren Boden fallen. Hier spiegelten sich eigene Gedanken, und wenn Hemsterhuis als die Grundkraft dieses zu entwickelnden moralischen Organs die Liebe bezeichnete, so mußte auch das verwandte Saiten in Novalis berühren. Denn wie sehr die Liebe den Zusammenhang zwischen der sinnlichen, von der Zeit beschränkten Existenz und einer transzendenten offenbare, hatte er an sich selbst erfahren. Auch Anregungen zu einer Betrachtung der Wissenschaften, insbesondere der Naturwissenschaften, von einem *höhern Standpunkt* enthielt Hemsterhuis' Lehre, ging sie doch von der Annahme eines engen, noch längst nicht genügend erkannten Bezuges zwischen Körperlichem und Geistigem, Physischem und Metaphysischem aus. Daraus erklärt sich übrigens auch das allgemeine Interesse an ihm zu einer Zeit, da sich in Deutschland eine stark vom Irrationalen bestimmte Naturphilosophie ausbildete. Gedanken von der Wiederkehr eines goldenen Zeitalters wurden vor allem in dem Dialog «Alexis ou de l'âge d'or» erörtert; auch sie stießen bei Novalis auf vorbereiteten Grund. Und was ihn schließlich noch besonders betreffen mußte, war die Bedeutung, die Hemsterhuis der Poesie innerhalb seiner Philosophie beimaß, denn gerade war Novalis, wie er an Friedrich Schlegel geschrieben hatte, von neuem in die Welt der Dichter gezogen worden: *Meine alte Jugendlieb' erwacht.*[185] Poesie war für Hemsterhuis der einzige angemessene Ausdruck für das höhere, «moralische» Erkenntnisorgan: sie war die «Sprache der Götter», wie er sie einmal genannt hat.

Aus seinen Werken nun machte sich Hardenberg umfangreiche Auszüge, im Übersetzen deutend, interpretierend und weiterdenkend. An eine Stelle anknüpfend, in der Hemsterhuis über die Unzulänglichkeit der Sprache bei der Darstellung höherer Gedankenzusammenhänge spricht, kommt Novalis zu der Überzeugung, daß die Darstellung der Philosophie nur aus *lauter Themas, Anfangssätzen – Unterscheidungssätzen – bestimmten S t o ß sätzen bestehe* [186], also das war, was er selbst bald für seine ersten Fragmentsammlungen, den *Blütenstaub* und *Glauben und Liebe*, als Ausdrucksform wählte. Niedergeschriebene Philosophie sollte demnach nur Anstöße, Anregungen zum wirklichen Philosophieren bieten. Philosophieren selbst war nicht Darstellen, sondern Handeln und Tätigkeit, ein Hindrängen nach jener großen, alles umschließenden Sphäre: *Echtes Gesamtphilosophieren ist also ein gemeinschaftlicher Zug nach einer geliebten Welt – bei welchem man sich wechselseitig im vordersten Posten ablöst, auf dem die meiste Anstrengung gegen das antagonistische Element, worin man fliegt, vonnöten ist. Man folgt der Sonne und reißt sich von der Stelle los, die nach Gesetzen der Umschwingung*

Bergakademie Freiberg: das Hauptgebäude

unsers Weltkörpers auf eine Zeitlang in kalte Nacht und Nebel gehüllt wird. (Sterben ist ein echt-philosophischer Akt).[187] Novalis fügt allerdings hinzu: *von mir*, denn bei aller enthusiastischen Sehnsucht nach inniger Anteilnahme an diesem großen Universum war Hemsterhuis solch aktives Denken doch weitgehend fremd. Novalis aber gab so dem alten Todesentschluß aus der Zeit des Tagebuchs philosophische Würde und vollzog zugleich dessen Verwandlung von einer real ausführbaren Tat zu einer Art Sakrament eines philosophischen Glaubens. *Ich habe zu Söfchen Religion – nicht Liebe*, bekennt er auf einem Fragmentblatt aus dem Herbst 1797, also genau um diese Zeit, und er erläutert: *Absolute Liebe, vom Herzen unabhängige, auf Glauben gegründete, ist Religion.*[188]

Erst jetzt habe ich mich von Hemsterhuis trennen können, schreibt Novalis am 30. November 1797 aus Weißenfels an August Wilhelm Schlegel. *Morgen geh ich von hier ab – und gerade nach Freiberg.* Und er verspricht häufigere Korrespondenz, *nun da ich zur Ruhe komme* [189]. Anfang Dezember traf Novalis in Freiberg ein; auf der Durchreise hatte er Schelling in Leipzig zum erstenmal besucht und war mit ihm sogleich *sehr freund geworden. Wir haben einige köstliche Stunden symphilosophiert.*[190] Freiberg war damals eine Stadt von 9500 Einwohnern, unter denen ein Beamten- und Gelehrtenpatriziat tonangebend war. Die Glanzzeit der Stadt hatte im 16. Jahrhundert gelegen, als der schon seit dem Mittelalter betriebene Silberbergbau seine reichste Ausbeute brachte. Der allmähliche Rückgang dieser Reichtumsquelle der sächsischen Fürsten und die besonderen wirtschaftlichen Schwierigkeiten Sachsens nach dem Siebenjährigen Krieg hatten 1765 zur Gründung der Bergakademie geführt, durch die dem sächsischen Staat tüchtige Bergfachleute herangebildet werden sollten. Denn nur durch technische Verbesserungen und solide wissenschaftliche Fundierung war auf eine neuerliche Hebung des Freiberger Bergbaus zu hoffen. Die beiden Männer, von denen die Anregung zur Gründung der Bergakademie ausging, waren Friedrich Anton von Heynitz, ein Großonkel Friedrich von Hardenbergs, und Friedrich Wilhelm von Oppel, dessen Sohn Julius Wilhelm spä-

Abraham Gottlob Werner. Gemälde von Gerhard von Kügelgen

ter Hardenbergs Gönner in seiner Laufbahn als sächsischer Salinenbeamter wurde. Der Zweck des neuen Unternehmens wurde erreicht: Anfang der neunziger Jahre stieg die Freiberger Silberausbringung wieder beträchtlich an und übertraf sogar die Produktion des gesamten sächsischen Bergbaus in dem Jahrzehnt davor. Zugleich aber hatte sich die Bergakademie auch zu einer bedeutenden wissenschaftlichen Forschungsstätte entwickelt, die Schüler sowohl aus dem deutschen «Ausland» wie aus allen Weltteilen anzog. Zu Hardenbergs Zeit studierten ungefähr 50 bis 60 Studenten dort, unter ihnen der junge französische Mathematiker Jean-François d'Aubuisson, der südamerikanische Geologe und Mineraloge José Bonifácio de Andrada e Silva und schließlich auch August von Herder aus Weimar, der Sohn Johann Gottfried von Herders. Dazu kamen Studenten aus Rußland, Livland, Dänemark, der Schweiz und Polen.

Der wesentliche Anziehungspunkt für alle war Abraham Gottlob Werner. *Er war ein Mann aus der alten Zeit nach dem Herzen Gottes. Mit tiefen Einsichten war er begabt, und doch kindlich und demütig in seinem Tun. Durch ihn ist das Bergwerk in großen Flor gekommen, und hat dem Herzoge von Böhmen zu ungeheuren Schätzen verholfen. Die ganze Gegend ist dadurch bevölkert und wohlhabend, und ein blühendes Land geworden. Alle Bergleute verehrten ihren Vater in ihm, und solange Eula steht, wird auch sein Name mit Rührung und Dankbarkeit genannt werden. Er war seiner Geburt nach Lausitzer und hieß Werner.*[191] So läßt Novalis im *Heinrich von Ofterdingen* einen alten Bergmann über seinen Lehrmeister berichten. Das ist allerdings das stilisierte Bild einer Romangestalt, aber etwas von den gerühmten Eigenschaften muß auch dem Freiberger Professor zu eigen gewesen sein. Werner, damals 48 Jahre alt, aus der Oberlausitz stammend, war seit 1775 als Lehrer an der Bergakademie tätig, in einem Amt, das er sich durch sein Buch «Von den äußerlichen Kennzeichen der Foßilien» (1774) erworben hatte. Was ihn auszeichnete, war eine eigentümliche Verbindung von wissenschaftlichem, streng analysierendem Forschergeist mit äußerster Sensitivität und einer fast kindlichen Hingabe an die Naturerscheinungen, die Novalis schon in seiner Romangestalt andeutete. Hinzu kam noch, was er später Werners *divinatorischen Blick*[192] nannte, die Fähigkeit, die Fülle der Erscheinungen zu einem Ganzen zusammenzusehen. Durch Werner erhielt er, wie er später bekannte, *eine neue Lebhaftigkeit und Richtung*[193] und empfand durch ihn eine *Erhöhung* seines *Lebensgenusses*[194].

Neben Werner war es der mit Novalis gleichaltrige Professor für Chemie, Wilhelm August Lampadius, durch den Freiberg in den Naturwissenschaften auf der Höhe der Zeit stand. 1796 hatte er den Schwefelkohlenstoff entdeckt, und er gehörte zu den entschiedenen Verfechtern der von Lavoisier begründeten neuen Chemie, die die alte Theorie von einem Verbrennungsstoff, dem «Feuergeist» Phlogiston, über Bord warf und in sorgfältigen, exakten Untersuchungen die Rolle des Sauerstoffs bei der Verbrennung erkannte, wohl die folgenreichste Entdeckung für die Entwicklung der Chemie in den nächsten Jahrzehnten.

Stand also Freiberg mit seiner Bergakademie im Zentrum der Auseinandersetzungen der zeitgenössischen Wissenschaft, so hatte es gesellschaftlich wenig zu bieten. Am reizvollsten war die Nähe zur Residenzstadt Dresden mit ihren bedeutenden Galerien und Kunstsammlungen. In den folgenden Monaten fuhr oder ritt Novalis des öfteren die rund 40 Kilometer in das Elbtal hinab, besonders da er in Dresden auch Anschluß an einige gesellschaftliche Kreise fand, zu denen die von Wagners und von Manteuffels zählten, ebenso wie das Haus des Hofwirtschaftssekretarius Ernst, der mit einer Schwester der Brüder Schlegel verheiratet war. Auch zu einigen Adelsfamilien in der Gegend wurden Beziehungen geknüpft. Auf Gut Oberschöna bei Freiberg lebte ein ehemaliger Leipziger Studiengefährte, Hans Georg von Carlowitz,
und auf Siebeneichen bei Meißen waren die Miltitzens zu Hause. Novalis' Vater war einer der Vormünder des inzwischen achtundzwanzigjährigen Dietrich von Miltitz, der 1796 mit einigem gesellschaftlichen Eklat eine bürgerliche Engländerin geheiratet hatte. Sowohl Miltitz wie Carlowitz gehörten einer Fronde junger sächsischer Adliger an, die sich eine Reform der überlebten sächsischen Ständeverfassung zum Ziel gesetzt hatten und bald ihre Hoffnungen auf Friedrich von Hardenberg als einen ihrer geistigen Führer richteten.

Auf Siebeneichen verbrachte Novalis das Weihnachtsfest 1797. Die Rückreise nach Freiberg nahm er über Dresden. «Wir haben Deinen Hardenberg zweimal gesehen», schreibt Johanna von Manteuffel, geborene von Wagner, an ihre Freundin Rahel Just nach Tennstedt. «Du kannst Dir denken, mit welchen Erwartungen. Er hat sie alle übertroffen. In das Bild, das wir uns von ihm machten, mischten sich einige Züge jener Lebhaftigkeit, die sich durch seinen letzten Kummer zum schönsten Feuer gemildert hat. Wir hatten uns ihn nicht so einfach – nicht so ruhig im Äußern – und weit absprechender gedacht. Aber es ist unter uns allen e i n e Stimme – und jeder rühmt ihn in seiner Manier. Mein Vater ist von den Zügen seines wohlwollenden Herzens recht väterlich gerührt. Mein Mann freut sich seiner so äußerst feinen Urteile, mein Bruder rühmt seine Gelehrsamkeit –

Dresden. Gemälde von Bernardo Belotto, gen. Canaletto

und Deine alte Wagnern fragst Du noch, was sie täglich von ihm genießt? Ach, diese Offenheit, diese köstliche Gradheit, die mich nun in der ersten Viertelstunde in Dein häusliches Leben einführte – anstatt daß ich bei den meisten Bekanntschaften Stunden verliere, ohne zu wissen, was die Menschen nur vom Wetter denken... Von der Fülle und Eigentümlichkeit seines Geistes sage ich nichts, wir waren auf diese vorbereitet.»[195]

Auch in Freiberg blieb Novalis schließlich nicht allein. Wie die 1791 veröffentlichte «Nachricht von der Verfassung und Einrichtung bey der chursächsischen Bergacademie in Freyberg für Fremde und Einheimische» versicherte, schützte dort «der Zutritt, welchen gesittete Fremde, selbst ohne Empfehlung, in die ersten Familien hiesigen Orts haben, sie oft für Ausschweifungen, denen sie an größern Orten leicht ausgesetzt sind»[196]. In eine dieser Familien fand Novalis, allerdings mit Empfehlung, freundliche Aufnahme. Durch Johann Adolf von Thielmann, den Hardenberg aus Artern kannte, wo Thielmann eine Zeitlang als Offizier stationiert gewesen war, hatte er eine Einführung in das Haus des Berghauptmanns von Charpentier erhalten. Thielmann war mit Wilhelmine, der ältesten Tochter der Charpentiers, verheiratet. Eine andere Tochter wohnte in Dresden als Frau des Hofpredigers Franz Volkmar Reinhard, zwei Töchter und

Schloß Siebeneichen

drei Söhne lebten im Freiberger Haus. Johann Friedrich Wilhelm von Charpentier war zunächst Professor für Mathematik und Physik an der Bergakademie gewesen, hatte aber den Posten zugunsten seines Bergamtes aufgegeben, denn auch als Geologe hatte er sich bedeutende Verdienste erworben, war in diesem Feld allerdings ein entschiedener Gegner Werners.

Der Familienkreis galt als einer der harmonischsten und gastfreisten. Zum 22. Januar 1798, dem Geburtstag der *Frau Bergrätin von Charpentier*, schrieb Novalis ein Gedicht in asklepiadeischen Strophen, dem er den Titel *Der Fremdling* gab. Fremdlinge – das waren für ihn jene, die mit der Erinnerung an eine wärmere, friedvollere Heimat in diese kalte Welt verstoßen worden waren, gestärkt nur von der festen Hoffnung auf einstige Einkehr in ein größeres, himmlisches Vaterland.

> *O! du suchest umsonst – untergegangen ist*
> *Jenes himmlische Land – keiner der Sterblichen*
> *   Weiß den Pfad, den auf immer*
> *   Unzugängliches Meer verhüllt.*
>
> *Wenig haben sich nur deines verwandten Volks*
> *Noch entrissen der Flut – hierhin und dorthin sind*
> *   Sie gesäet und erwarten*
> *   Beßre Zeiten des Wiedersehns.*[197]

Die Verse sind mehr als nur bewegte Klage. Gedanken von einer dialektischen Entwicklung der Geschichte im Dreischritt von glücklicher Vergangenheit über eine tragisch zerrüttete Gegenwart zu goldener Zukunft stehen dahinter. Die Spuren der geistigen Auseinandersetzungen der vorausgehenden Zeit sind erkennbar, und wenn sich Novalis auch noch als Fremdling empfand, so begannen doch gerade in solchen Versuchen, das eigene Dasein in einen größeren Zusammenhang einzuordnen, die Wissenschaften ihre *wunderbaren Heilkräfte* zu entfalten.

Trost und Kraft fand der Fremdling bei Gleichgesinnten:

> *Seht – der Fremdling ist hier – der aus demselben Land*
> *Sich verbannt fühlt, wie Ihr; traurige Stunden sind*
> *Ihm geworden – es neigte*
> *Früh der fröhliche Tag sich ihm.*
>
> *Doch er weilet noch gern, wo er Genossen trifft,*
> *Feiert munter das Fest häuslicher Freuden mit;*
> *Ihn entzücket der Frühling,*
> *Der so frisch um die Eltern blüht.*[198]

Und zum Schluß bittet er:

> *Bleibt dem Fremdlinge hold – spärliche Freuden sind*
> *Ihm hienieden gezählt – doch bei so freundlichen*
> *Menschen sieht er geduldig*
> *Nach dem großen Geburtstag hin.*[199]

Knapp ein Jahr später verlobte er sich mit Julie, der jüngsten Tochter.

LITERARISCHE SÄMEREIEN

Am 24. Februar, also etwas mehr als einen Monat nach der Geburtstagsfeier im Hause Charpentier, schickte Friedrich von Hardenberg ein Bündel Manuskripte an August Wilhelm Schlegel nach Jena. Schon seit einiger Zeit hatten die Brüder Schlegel erwogen, sich ein eigenes Publikationsorgan zu schaffen. Schillers «Horen» waren Friedrich Schlegel nicht geöffnet worden, und mit Johann Friedrich Reichardt, dem Komponisten und Herausgeber der Zeitschrift «Deutschland» und des «Lyceums der schönen Künste» war er in Schwierigkeiten geraten. So entstand der Plan zum «Athenaeum», das in der Hauptsache eine Zeitschrift der Brüder selbst werden sollte und für die auch schon der Titel «Schlegeleum»[200] erwogen worden war. Nur die engsten Freunde, vorzüglich Hardenberg und Schleiermacher, wurden zur Mitarbeit eingeladen. Man wollte ledig-

Johann Friedrich Wilhelm von Charpentier. Gemälde von Anton Graff

lich mit Initialen oder Pseudonymen zeichnen, um das Persönliche hinter dem Geschriebenen zurücktreten zu lassen und damit die Idee der «Symphilosophie» stärker zum Ausdruck zu bringen. So bat Hardenberg *um die Unterschrift N o v a l i s — welcher Name ein alter Geschlechtsnamen von mir ist, und nicht ganz unpassend* [201]. Bei der Entscheidung für einen Schriftstellernamen mag allerdings gerade bei ihm nicht allein der Schlegelsche Wunsch bestimmend gewesen sein. Als 1791 der damalige Leutnant Karl Wilhelm Ferdinand von Funck, den Hardenberg aus Artern gut kannte, seine Biographie von Kaiser Friedrich II. veröffentlichen wollte, schrieb der sächsische Appellationsgerichtsrat Christian Gottfried Körner an Schiller in Jena: «Seinen Namen halte geheim; Schriftstellerei ist bei uns im Zivil und Militär verrufen, und er muß jetzt aufs Avancement denken.» [202] Das Buch erschien anonym. Auch für den sächsischen Staatsdiener Friedrich von Hardenberg war es wohl geraten, sich nicht öffentlich zu seiner Schriftstellerei zu bekennen, empfand er sich doch eben als ein «Novalis», ein Neuland Bestellender, der

Haus des Berghauptmanns von Charpentier in der Burgstraße, Freiberg i. Sa.

nicht ohne weiteres mit dem Verständnis seiner Vorgesetzten rechnen konnte.

Der Name hatte Beziehungen gerade zu dem, was er August Wilhelm Schlegel anbot. Es war eine Sammlung verstreuter Gedanken, die ein paar Monate später unter dem klangvollen Titel *Blütenstaub* im «Athenaeum» an die Öffentlichkeit trat. Schon zu Weihnachten hatte Novalis an Friedrich Schlegel geschrieben, es sei ihm in den letzten drei Monaten mancherlei durch den Kopf gegangen. *Erst Poesie – dann Politik, dann Physik en masse. In der Poesie habe er festen Fuß gefaßt. Auch in der Politik glaub ich nicht ohne Grund au fait zu sein – allen, denen ich noch davon gesagt – hat die Wahrheit meiner Sätze einzuleuchten geschienen. In der Physik bin ich noch in der Gärung. Hauptideen glaub ich gefaßt zu haben –* Und schließlich: *Die Philosophie verstehe ich immer besser, je tiefer ich in die übrigen Wissenschaften eindringe.*[203]

Das Wichtigste von dem, was hier an Eigenem entstanden war, hatte er auf Blättern zusammengetragen, die er zunächst bescheiden *Vermischte Bemerkungen* nannte. Es war die Urfassung des *Blütenstaub*. «Bemerkungen» waren es in der Tat, denn alle diese Gedanken erschienen in einer Form, die in die Literaturgeschichte als «romantisches Fragment» eingegangen ist. Friedrich Schlegel hatte sie die «Chamfortsche Form» nach dem französischen Moralphilosophen Nicolas-Sébastien Roch de Chamfort genannt, dessen «Maximes et pensées, caractères et anecdotes» eben in deutscher Übersetzung erschienen waren. Aber die Genealogie dieser Form hilft wenig zu ihrem Verständnis, besonders da Friedrich Schlegel andere Vorstellungen von ihr hatte als Novalis. Schlegel arbeitete selbst an einer «kritischen Chamfortade»[204], und sein Ideal war das Fragment als «Igel»[205]: ein kleines, in sich gerundetes Kunstwerk, das seine kritischen, provozierenden Spitzen in alle Richtungen streckte. Für Novalis dagegen waren Fragmente eher *Bruchstücke des fortlaufenden Selbstgesprächs in mir – Senker*[206]. Sie sollten jene Denkanstöße und *Anfangssätze* zum *echten Gesamtphilosophieren* bilden, wie es ihm als Ziel zum erstenmal in der Beschäftigung mit Hemsterhuis aufgegangen war.

Das romantische Fragment schlechthin gibt es also nicht, und wenn der Begriff im Sinne eines scharf geschliffenen Aphorismus oder eines funkelnden Gedankenblitzes bedenkenlos auf Novalis' theoretische Schriften angewandt wird, übersieht man die ihnen vom Autor zugedachte Funktion. Überdies ist vieles, besonders in seinen späteren Aufzeichnungen, eher Notat oder Abhandlung und nicht einmal mit dem Begriff «Fragment» in Novalis' eigenem Sinne richtig zu bezeichnen.

Um Ostern 1798 erschien die erste Nummer des «Athenaeums» mit dem *Blütenstaub* als zweitem Beitrag. Friedrich Schlegel hatte noch Redaktionsdienste geleistet und zur Verstärkung des symphilosophischen Charakters einige Fragmente von sich und dem Berliner Pastor Friedrich Schleiermacher daruntergemengt, auch dies und je-

II. Blüthenstaub.

Freunde, der Boden ist arm, wir müßen reichlichen Samen
Ausstreun, daß uns doch nur mäßige Erndten gedeihn.

Wir suchen überall das Unbedingte, und finden
immer nur Dinge.

Die Bezeichnung durch Töne und Striche ist eine
bewundernswürdige Abstrakzion. Vier Buchstaben bezeichnen mir Gott; einige Striche eine Million Dinge.
Wie leicht wird hier die Handhabung des Universums,
wie anschaulich die Konzentrizität der Geisterwelt!
Die Sprachlehre ist die Dynamik des Geisterreichs.
Ein Kommandowort bewegt Armeen; das Wort Frey-
heit Nazionen.

Der Weltstaat ist der Körper, den die schöne
Welt, die gesellige Welt, beseelt. Er ist ihr nothwen-
diges Organ.

nes von Novalis' Gedanken für eine eigene Fragmentpublikation im nächsten Heft aufbehalten oder in seinem Sinne zerstückt.

Der *Blütenstaub* hat Novalis' Ruf als Schriftsteller begründet. Die Reaktion der Zeitgenossen, abgesehen vom Freundeskreis um das «Athenaeum», war allerdings eher Gleichgültigkeit und Unverständnis. Wieland zum Beispiel, der vermutete, daß der «Blütenstaub... durch die schönen Finger einer Dame auf uns arme Sterbliche herabgesiebt oder -gebeutelt worden ist»[207], fand darin neben einigen «prächtigen Dingen» doch auch eine ganze Reihe von «possierlichen Fratzen, Kontorsionen und Affensprüngen des verschrobensten, poetisch philosophischen Aftergenies»[208]. Und der Amtmann Just gestand dem Autor, er habe «manches halb, manches nicht und manches ganz verstanden»[209].

Solche Reaktion ist wenig verwunderlich, denn bis zum heutigen Tage müssen die scheinbar verbindungslos nebeneinanderliegenden Gedankenbrocken dieser Sammlung den Leser befremden und irritieren, wenn er sie nicht im Zusammenhang mit der ganzen inneren Entwicklung ihres Verfassers sieht. Zudem hatte natürlich auch der *Mystizismus* in diesen *Vermischten Bemerkungen* noch ein *sehr unreifes Wesen*[210], wie Hardenberg selbst August Wilhelm Schlegel gegenüber zugab. *Viele sind nur Spielmarken und haben nur einen transitorischen Wert*[211], schrieb er später an Just. Aber dennoch finden sich darin einige für Hardenbergs gesamte weitere Entfaltung entscheidende Hauptideen, die Kristallisationskerne der ganzen Sammlung bilden.

Dazu gehört in erster Linie die Frage nach der Beziehung zwischen Innenwelt und Außenwelt, zwischen dem transzendentalen Bewußtsein und den Dingen und Wesen, die den Menschen umgeben. Es war eine Frage, die ihm seit Sophies Tod eine Existenzfrage geworden war: würde der immer wieder in der Welt Verlorene in sich selbst und im Bezug seines Innern auf eine höhere, von Zufällen nicht mehr anfechtbare Welt neue Bestimmung für dieses Leben finden können? Daraus entstand der berühmte Gedanke: *Wir träumen von Reisen durch das Weltall: ist denn das Weltall nicht in uns? Die Tiefen unsers Geistes kennen wir nicht. – Nach Innen geht der geheimnisvolle Weg. In uns oder nirgends ist die Ewigkeit mit ihren Welten, die Vergangenheit und Zukunft.*[212] Aber Novalis ergänzt gleich darauf: *Der erste Schritt wird Blick nach Innen, absondernde Beschauung unsers Selbst. Wer hier stehn bleibt, gerät nur halb. Der zweite Schritt muß wirksamer Blick nach Außen, selbsttätige, gehaltne Beobachtung der Außenwelt sein.*[213] Nicht quietistische Nabelschau war also hier gemeint, sondern eine Erkenntnis höchst aktiver Art. *Das erste Genie, das sich selbst durchdrang, fand hier den typischen Keim einer unermeßlichen Welt* und begann damit *eine ganz neue Epoche der Menschheit*[214]. Erst die Erfahrung, daß er ein Bürger beider Welten war, einer inneren und einer äußeren, das *echte Gesamtphilosophieren* also machte den Menschen wirklich zu dem, was er sein sollte: *Der Mensch vermag in jedem Augenblicke ein übersinnliches Wesen zu sein. Ohne dies wäre er nicht Weltbürger, er wäre ein Tier.*[215]

Es war Hardenbergs Grunderfahrung, besonders des voraufgegangenen Jahres, der er hier Ausdruck gab, und sie spiegelte sich auch in der Folgerung, daß der Mensch allerdings eines Mittlers zu jener höheren Welt bedürfe, wobei dem Menschen durchaus die Wahl des Mittelgliedes freiblieb, nur daß sich bei zunehmender Geistigkeit auch dessen *Qualität* in aufsteigender Linie *verfeinerte: Fetische, Gestirne, Tiere, Helden, Götzen, Götter, Ein Gottmensch.*[216] Der alte Gedanke aus dem Tagebuch, die Verbindung von *Christus und S o p h i e*, erhielt hier seine öffentliche Sanktionierung als Religion. Man muß den Affront sehen, der darin gegen das täglich praktizierte bürgerliche Kirchenchristentum gerichtet war, um solcher Ansicht gerecht zu werden, denn *Philister leben nur ein Alltagsleben... Ihre sogenannte Religion wirkt bloß wie ein Opiat: reizend, betäubend, Schmerzen aus Schwäche stillend. Ihre Früh- und Abendgebete sind ihnen, wie Frühstück und Abendbrot, notwendig. Sie können's nicht mehr lassen. Der derbe Philister stellt sich die Freuden des Himmels unter dem Bilde einer Kirmes, einer Hochzeit, einer Reise oder eines Balls vor: der sublimierte macht aus dem Himmel eine prächtige Kirche mit schöner Musik, vielem Gepränge, mit Stühlen für das gemeine Volk parterre, und Kapellen und Emporkirchen für die Vornehmern.*[217] Novalis aber ging es im Unterschied zu solcher sentimentalen Verflachung darum, seine als exemplarisch empfundene Erfahrung einer höheren Existenz fruchtbar zu machen für die Welt, in der er lebte. Was hier im weitesten Sinne Religion genannt wurde, war der Versuch, die Welt durch die Kraft des Geistes zu verändern und aus ihrer Misere zu erheben. *Wir sind auf einer Mission: zur Bildung der Erde sind wir berufen*[218], heißt es im *Blütenstaub*.

Die Missionare dieser Religion erscheinen allerdings nicht nur als Priester, sondern auch als Dichter: *Der echte Dichter ist aber immer Priester, so wie der echte Priester immer Dichter geblieben.*[219] Die herkömmlichen Bezeichnungen für das der *Selbstdurchdringung* fähige Genie, den echten *Künstler*[220] mußten ohnehin in ihren Bedeutungsbereichen angesichts so neuer, epochemachender Erfahrungen verschwimmen. Und deshalb umkreisen schließlich auch die Gedanken des *Blütenstaub* noch die beiden großen Zentren «Poesie» und «Staat» und setzen sie in Beziehung zueinander. Poesie wird zum Ausdruck für alles Vereinigende, Verbindende. Sie steht höher als die Ausdrucksformen der Philosophie und der Wissenschaften, kann doch in ihr allein, in der «Sprache der Götter», auch der andere, transzendente Teil unseres Daseins zur Anschauung gebracht werden. So bildet sie, wie Novalis schon in den Studien zu Hemsterhuis geschrieben hatte, *die s c h ö n e Gesellschaft oder das i n n e r e G a n z e – die Weltfamilie – die schöne Haushaltung des Universi.*[221]

Der ideale Staat sollte deshalb auch ein *poetischer Staat* sein. *Ein sehr geistvoller Staat wird von selbst poetisch sein – je mehr Geist*

Goethe. Kreidezeichnung von Friedrich Bury, 1800

und geistiges Verkehr im Staat ist, desto mehr wird er sich dem poetischen nähern.²²² Gerade das Aschenbrödel der Weltgeschichte aber, das arme, zurückgebliebene Deutschland trug den Keim zu solcher Erneuerung vor allen anderen in sich: *Der Deutsche ist lange das Hänschen gewesen. Er dürfte aber wohl bald der Hans aller Hänse werden.*²²³ Vom Geiste sollte die Erneuerung ausgehen, und da bahnten sich allerdings im Lande der Mitte die schönsten Hoffnungen an. Hier konnte eine durchdringendere Revolution beginnen als sie die Ereignisse in Frankreich darstellten, die nur die *Krise der eintretenden Pubertät* ²²⁴ gewesen waren. Bei den Deutschen lagen größere Versprechungen für eine harmonisch-poetische Zeit der Reife. Vor allen anderen lebte *ein großer Mann* unter ihnen, von ihnen selbst noch schnöde angesehen; aber die Tatsache blieb: Goethe ist *jetzt der wahre Statthalter des poetischen Geistes auf Erden* ²²⁵.

Am Schluß des *Blütenstaub* steht der Satz: *Fragmente dieser Art sind literarische Sämereien. Es mag freilich manches taube Körnchen darunter sein: indessen, wenn nur einiges aufgeht!*[226] Manches trifft in Novalis' Sätzen und Postulaten aufeinander, ganz persönlich Erlebtes und zugleich vieles, das von Zeitgenossen ähnlich gesehen und empfunden wurde. Die Lebensproblematik Friedrich von Hardenbergs war hier tastend in Religion und Philosophie verwandelt worden, aber zugleich trugen seine Hoffnungen auf eine schöne Gesellschaft und Weltfamilie doch allgemeineren Charakter. Seine Überzeugung, daß eine Erneuerung geistiger und nicht praktisch-revolutionärer Natur sein mußte, beruhte auf einer richtigen Beurteilung des gesellschaftlichen Kräfteverhältnisses in Deutschland. Bei den «Priestern» und «Dichtern», bei den Gelehrten und Philosophen der Zeit lag tatsächlich die größte auf Veränderung drängende Kraft. Nur wenige Jahre später prägte Madame de Staël das Wort von den Deutschen als dem Volke der Dichter und Denker. Und daß eine allgemeine Welterneuerung gerade von Deutschland ihren Ausgang nehmen sollte, war zudem eine Überzeugung, die sich vielfach auch in anderen Schriften der Zeit spiegelte, in Schillers Gedichtentwurf «Deutsche Größe» zum Beispiel, und später in der Literatur der Befreiungskriege. Als sich die Umstände änderten, nahm der Gedanke freilich immer trübere Farben an.

Nicht ungetrübt blieb übrigens schon für Novalis selbst die Hoffnung auf den *Statthalter des poetischen Geistes auf Erden*, den er bald nach der Absendung des *Blütenstaub*-Manuskripts zum erstenmal persönlich in Begleitung August Wilhelm Schlegels traf. Am 29. März 1798 trug Goethe in sein Tagebuch ein: «Rat Schlegel und von Hardenberg kamen zu mir. Mittag zu Hause. Gegen Abend zu Schiller, wo Niethammers und von Hardenberg waren.»[227] Wie die erste Begegnung verlief, ist im einzelnen nicht bekannt. Goethe vermochte zuweilen recht souverän aufzutreten und nur das zu beachten, was ihn im Augenblick interessierte. Henrik Steffens berichtete über seine erste Bekanntschaft mit ihm: «Die vornehme Ruhe, mit welcher er sich bewegte, fing an, mir beschwerlich zu fallen, ja mich zu erbittern; ich war stumm, verlegen und fühlte mich verletzt.»[228] Und Novalis schrieb einige Zeit nach seiner eigenen Begegnung mit Goethe an Schiller, in der Hoffnung auf ein neues Treffen: *Mein Glück würde vollkommen sein, wenn es bei dieser Gelegenheit dem Manne, dem ich so viel verdanke, den ich so unaussprechlich verehre, Ihrem Freunde Goethe, gefiele, einmal offen und mitteilend zu sein, wenn ich dabei wäre, daß ich ein Bild von seinem persönlichen Umgang hätte, das dem Bilde vom Schriftsteller entspräche. Verzeihn Sie diesen frei geäußerten Wunsch – er fiel mir, indem ich schrieb, ein, bei der Erinnerung an den Abend, wo ich letzthin bei Ihnen war, und mein Unstern wollte, daß ich Ihren Freund nicht in der Stimmung fand, wie ich ihn mir so sehnlich gewünscht hätte.*[229]

Dabei hätte der junge Schriftsteller Friedrich von Hardenberg nicht nur von seiner Verehrung zu berichten gehabt, sondern auch davon,

daß er gerade begonnen hatte, dem Wilhelm Meister in seinen Lehrjahren einen Bruder beizugesellen – er hatte einen mystischen Naturroman unter dem Titel *Der Lehrling zu Sais* angefangen, der allerdings vor der Hand nur langsam gedieh. Schließlich hatte er sich auch in Goethes naturwissenschaftliche Schriften vertieft und war wohl einer der ersten, die dessen *divinatorischen Blick* auf diesem Gebiet erkannten. Man könne mit Recht behaupten, schrieb Novalis um diese Zeit, daß Goethe *der erste Physiker seiner Zeit sei* [230], betrachte er doch die Natur nicht nur wie ein Forscher, sondern auch wie ein Künstler.

Huldigungen anderer Art enthielt die Sammlung *Glauben und Liebe oder Der König und die Königin*, die im gleichen Frühjahr 1798 heranreifte. Am 16. November 1797 war der preußische König Friedrich Wilhelm II. gestorben, dem einst der junge Hardenberg in der Zeit seines lyrischen Sturmes und Dranges eine panegyrische Ode zugesungen hatte. Die Hoffnungen, die er darin aussprach, hatten sich allerdings nicht erfüllt. Innen- und Außenpolitik des Nachfolgers Friedrichs des Großen blieben im wesentlichen glücklos. Im Lande herrschte der strenge Geist des Wöllnerschen Religionsedikts, der bigott war angesichts der Mätressenwirtschaft am königlichen Hof und eines von solchem Vorbild ausgehenden allgemeinen Verfalls der öffentlichen Moral in Preußen. Auf hundert Häuser kam in Berlin ein Bordell. Friedrich Wilhelm III., der nach dem Tode seines Vaters den Thron bestieg, war dagegen ein nüchterner, für seine Familie lebender Mann. Seit 1793 war er mit Luise, einer Tochter des Herzogs von Mecklenburg-Strelitz, verheiratet. Im Jahre des Regierungsantritts wurde ihnen ein zweiter Sohn, Wilhelm, geboren, dem vorbehalten blieb, 1871 deutscher Kaiser zu werden. Insgesamt gingen fünf Söhne und drei Töchter aus dieser Ehe hervor.

Die Krönung des jungen Preußenkönigs wurde allgemein freudig begrüßt, denn manche Hoffnungen knüpften sich an ihn. Er ließ der Mätresse seines Vaters den Prozeß machen und entließ dessen ein-

König Friedrich Wilhelm III. mit Königin Luise. Stich von Nettling nach Hampe. Um 1798

flußreiche Berater Wöllner und Bischoffwerder. Eine liberalere und zugleich sauberere Atmosphäre entstand. Viel trug dazu der Charme der Königin Luise bei. Henrik Steffens reiste in diesen Tagen durch Preußen und berichtete: «Die schöne hohe Frau, deren Geist geschätzt, deren reine Sittlichkeit geachtet wurde, war Gegenstand der Bewunderung, ja der Anbetung. Wo ich hinkam, ertönte das Lob des hohen Paares.»[231]

Zu dieser Zeit entstanden die Fragmente, die Novalis am 11. Mai 1798 an Friedrich Schlegel nach Berlin sandte, allerdings nicht für das «Athenaeum»: *Am besten s c h i c k t' es sich in die Jahrbücher der preußischen Monarchie.*[232] Diese waren vor kurzem gegründet worden, um dem jungen Königspaar zu huldigen, und in ihnen erschien auch bald darauf Novalis' Werk in zwei aufeinanderfolgenden Heften – eine kleine Gedichtsammlung *Blumen* zuerst, dann die Fragmente von *Glauben und Liebe*. Die Veröffentlichung eines dritten Teils, politischer Aphorismen, verhinderte die Zensur.

Ohne Glauben und Liebe ist es nicht zu lesen [233], hatte Novalis an Schlegel geschrieben. Daß die Mehrzahl seiner Zeitgenossen einschließlich des preußischen Hofes dergleichen nicht aufbrachten und Novalis deshalb gar nicht oder falsch verstanden, blieb allerdings zu erwarten. Denn was hier verlangt wurde, war eine Betrachtungsweise, die das Wirkliche von einem höheren Standpunkt anschaute, es nur soweit sah, als es Manifestation eines Ideals oder einer Mythe war, so wie Novalis es selbst im Wandel seiner inneren Beziehungen zu der verstorbenen Braut erfahren hatte. Seine Sprache war, wie er in der Vorrede sagte, *eine Tropen- und Rätselsprache* [234], die man nicht verstand, wenn man ihr nicht mit solcher Kenntnis und inneren Bereitschaft entgegenkam.

Für Novalis waren König und Königin Repräsentanten seines Ideals vom kommenden poetischen Staat geworden. *Kein Staat* sei bisher *mehr als Fabrik verwaltet worden als Preußen seit Friedrich Wilhelm des Ersten Tode* [235]. Roher Eigennutz und gemeiner Egoismus waren *der Keim der Revolution unserer Tage* [236]. Ihnen gegenüber wurde nun das Zukunftsbild aufgestellt von einem *Land, das Herz und Geist befriedigt* [237]. Das schönste Symbol für solche Synthese aber war das Königspaar – es *ist für den ganzen Menschen, was eine Konstitution für den bloßen Verstand ist* [238]. Denn Liebe war die festeste aller Bindungen, setzte sie den Menschen doch über seine Beschränkungen hinweg in Relation zu einer Sphäre ewigen Friedens und dauernder Harmonie. Diese Sphäre aber war nur durch Repräsentation, durch Mittlertum zugänglich.

So wurde für Novalis der König der freiwillig angenommene *Idealmensch*, im Grunde also ebenfalls eine Mittlergestalt, nur eben im politischen Bereich; letzten Endes sollten alle Menschen *thronfähig werden. Das Erziehungsmittel zu diesem fernen Ziel ist ein König.* [239] Der Grundgedanke des Jahrhunderts der Aufklärung von der prinzipiellen Gleichheit aller Menschen wurde also keineswegs geleugnet, sondern vielmehr zu der Überzeugung gesteigert, daß hinfort *kein König ohne Republik und keine Republik ohne König bestehn könne* [240]. Denn das ferne Ziel blieb die Erhebung aller Menschen, die *schöne Gesellschaft* und *Weltfamilie*. Allerdings stand das Interesse der Gemeinschaft vor dem Interesse der einzelnen; der ideale, poetische, harmonische Staat sollte die höhere Einheit sein, die alles Private in sich aufnahm. Eine neue Staatsauffassung deutete sich an, die auf dem Hintergrund des partikularistischen, ökonomisch und politisch zurückgebliebenen Deutschland nur zu verständlich war.

Novalis schwebte vor, seinem politischen Glauben schöne Altäre zu errichten. Die Marmorgruppe, die Johann Gottfried Schadow von der Königin und ihrer Schwester geschaffen hatte, *sollte die gute Gesellschaft in Berlin zu erhalten suchen, eine Loge der sittlichen Grazie stiften und sie in dem Versammlungssaale aufstellen* [241]. Sittliche Grazie aber war die vollendete Harmonie von Äußerem und Innerem, die reinste gegenseitige Repräsentation des einen durch das andere, wie Novalis sie einst schon in Sophie verkörpert gesehen hatte. Nun war sie auch in der Sphäre des Staatslebens angesiedelt worden: *Wer den ewigen Frieden jetzt sehn und lieb gewinnen will, der reise nach Berlin und sehe die Königin.* [242]

Die Mißverständnisse der Zeitgenossen waren verschiedener Art. Einmal konnte das, was Novalis hier vortrug, als Versuch am untauglichen Objekt erscheinen, denn Friedrich Wilhelm III. war nicht nur ein nüchterner, sondern auch ein beschränkter und passiver Charakter. «Von einem König wird mehr verlangt als er zu leisten fähig ist» [243], soll er im Hinblick auf *Glauben und Liebe* unwillig gesagt haben. Das Lob der Königin fand er «abgeschmackt und unsittlich» [244], so daß der Verleger Unger riet, Hardenberg möge sich ein neues Pseudonym zulegen, wenn er an fernere Publikationen in

Kronprinzessin Luise und Prinzessin Friederike. Marmorgruppe von Johann Gottfried Schadow. 1797

Preußen denke, besonders da sich herumgesprochen hatte, «ein Neveu des Minister v. Hardenberg sei der Verfasser»[245]. Andererseits bestand die Gefahr, die Fragmente als Ausdruck byzantinischer Gesinnung oder blinder Schwärmerei anzusehen. Ein «sehr interessantes und religiöses Mädchen» habe gemeint, schrieb Friedrich Schlegel, es sei «wie von einem betrunknen Gott»[246]. Was aber Novalis tatsächlich versucht hatte, war ein Experiment im Reiche des Geistes: Prinzipien eines *poetischen Staates* zu entwerfen, eines «Kunststaates», in dem der Fürst *der Künstler der Künstler* [247] war, der die Menschen nicht als Herrscher lenken, sondern als Mittler zu ihrer eigenen Thronfähigkeit führen sollte.

Dergleichen Manifeste tragen allerdings immer das Stigma des Unerfüllbaren an sich. Dennoch hat Novalis seine Gedanken zweifellos nicht ohne reale Hoffnungen niedergeschrieben. Wie schon im *Blütenstaub* verband sich auch hier privateste Erfahrung von Liebe und Familiensinn mit dem allgemeinen Glauben an die weltverändernde Macht des Geistes. Und worauf sonst hätten sich in Deutschland die Hoffnungen richten sollen? *Dort gibt es keine Monarchie mehr, wo der König und die Intelligenz des Staats nicht mehr identisch sind* [248], heißt es in *Glauben und Liebe*, und nimmt man den Begriff der Monarchie in dem weitesten «republikanischen» Sinne, in dem ihn Novalis meinte, so hat ein solches Wunschbild von der Verbindung zwischen Geist und Macht seine Aktualität nicht verloren.

ROMANTISCHE RELIGION

Die beiden Sammlungen *Blütenstaub* und *Glauben und Liebe* bildeten nur einen Teil von dem, was Hardenberg in den ersten Monaten seiner Freiberger Zeit zu Papier gebracht hatte. Einen *großen Vorrat* habe er bald wieder *zur Aufbereitung zusammen* [249], berichtete er im Mai Friedrich Schlegel, *Dialogen* und *Anekdoten* seien darunter. Hauptsächlich war es aber eine Fülle von Fragmenten, in denen Gedanken variiert, ausgesponnen, vertieft oder präzisiert wurden, die in den veröffentlichten Sammlungen nur eben erst als *literarische Sämereien* enthalten waren.

Von besonderer literarhistorischer Bedeutung ist, daß in diesen, zu Hardenbergs Lebzeiten nicht veröffentlichten Fragmenten zum erstenmal seine Äußeres und Inneres, Endliches und Unendliches verbindende mystische Betrachtungsweise mit dem Begriff «romantisch» bezeichnet wird. *Die Welt muß romantisiert werden. So findet man den ursprünglichen Sinn wieder*, beginnt eine dieser Aufzeichnungen. Um den Begriff näher zu fassen, verwendet dann der Freiberger Student mathematische Ausdrücke und nennt Romantisieren nichts als *eine qualitative Potenzierung. Das niedre Selbst wird mit einem bessern Selbst in dieser Operation identifiziert*. Das eigentliche Romantisierungsverfahren war aber das, was er, von dem Erlebnis der

Transzendenz bestimmt, schon in seinen Bemerkungen zu Religion und Staat angewendet hatte: *Indem ich dem Gemeinen einen hohen Sinn, dem Gewöhnlichen ein geheimnisvolles Ansehn, dem Bekannten die Würde des Unbekannten, dem Endlichen einen unendlichen Schein gebe, so romantisiere ich es – Umgekehrt ist die Operation für das Höhere, Unbekannte, Mystische, Unendliche – dies wird durch die Verknüpfung logarithmisiert – Es bekommt einen geläufigen Ausdruck.*[250]

Der Freund Friedrich Schlegel umkreiste in seinen Studienheften aus dieser Zeit den gleichen Begriff und veröffentlichte dann im Juli 1798 im «Athenaeum» seine berühmt gewordene Definition der romantischen Poesie als einer «progressiven Universalpoesie», die das Ziel hatte, zu mischen und zu verbinden, «die Poesie lebendig und gesellig und das Leben und die Gesellschaft poetisch»[251] zu machen. Hier erst wird die «romantische Poesie» wirklich aus der Taufe gehoben und dem Begriff «Romantik» ein bestimmter Inhalt gegeben, der ihn um ein beträchtliches von dem Alltagsgebrauch des Wortes entfernt und allenfalls mit ihm das freie Schalten und Walten der Phantasie gemeinsam hat, das für eine solche «Operation» nötig war. Aber sowohl bei Schlegel wie bei Novalis wird deutlich, daß diesem freien Schalten der Phantasie doch eine ganz bestimmte Verbindlichkeit unterlegt wurde. Die Poesie, schreibt Novalis, *mischt alles zu ihrem großen Zweck der Zwecke – d e r   E r h e b u n g   d e s   M e n s c h e n   ü b e r   s i c h   s e l b s t*[252]. Die Parallelen zu seinen politischen Idealen sind klar zu erkennen.

In dieser, für seine Entwicklung zu geistiger Selbständigkeit so außerordentlich fruchtbaren Zeit war Friedrich von Hardenberg zugleich Student an der Bergakademie in Freiberg. Abgesehen von einer Reise nach Thüringen, bei der er Sophies Grab an ihrem Todestag besucht und später Goethe zum erstenmal in Jena gesehen hatte, war er zumeist in Freiberg gewesen. Zwar hatte er August Wilhelm Schlegel versichert, er werde gewiß dort nicht zu *lauter a + b*[253] werden, aber sowohl die in seinen Studienblättern aus dieser Zeit erkennbare Fülle des Wissens wie insbesondere das Zeugnis Werners erweisen, daß er es mit seinem Studium der «Wissenschaften» ernst und gewissenhaft nahm.

Es entsteht die Frage, wieweit Novalis tatsächlich eine Art Doppelleben zwischen romantischem Dichtertum und bürgerlichem Beruf geführt hat. Seine Definition des *Romantisierens* läßt daran zweifeln, und überall in seinen Schriften zeigt sich, daß sein Denken auf Vereinigung und Synthese des scheinbar Heterogensten angelegt war. Die wechselseitige Durchdringung von Ideal und Wirklichkeit, von Innerem und Äußerem wurde sehnlichst erstrebt. Zudem war ein solches Einheitsstreben den Naturwissenschaften der Zeit allgemein nicht fremd. Das wurde schon bei Werner erkennbar, und es zeigte sich vor allem in den naturphilosophischen Schriften Schellings, Franz Baaders wie des jungen Jenaer Physikers Johann Wilhelm Ritter, dessen gerade erschienener «Beweis, dass ein beständiger Galvanismus den Lebensprocess in dem Thierreich begleite» in eine enthusiastisch-hymnische Verkündung der großen Einheit in der Natur, des «organischen Alls, lebend in keiner Zeit, jede Zeit fassend in sich» ausklang: «Wo bleibt denn der Unterschied zwischen den Teilen des Tieres, der Pflanze, dem Metall und dem Steine? – Sind sie nicht sämtlich Teile des großen All-Tiers, der Natur?»[254]

Mit der Entdeckung solcher polarer Phänomene wie Oxydation und Desoxydation oder der Elektrizität glaubte man, mehr und mehr zu einem alles bestimmenden Mittelpunkt des Lebens vorzustoßen und aus dem dialektischen Gegeneinander zu einer höheren Synthese oder «Weltseele» vorzudringen. Auch Schellings in die gleiche Richtung führende Schrift «Von der Weltseele, eine Hypothese der höhern Physik zur Erklärung des allgemeinen Organismus» erschien 1798, und Novalis setzte sich mit ihr kritisch auseinander.

Der Zug zur Synthese lag in seiner Zeit, nicht nur in Novalis selbst. Die Doppelexistenz eines Dachstubenpoeten, der sich nach demütigendem Tagewerk nachts in die freien Höhen des Geistes emporschwang, war keineswegs in seinem Sinne. Nur fragt sich allerdings, wieweit es ihm tatsächlich gelang, sich ein solches höheres Dasein über den getrennten Sphären abzutrotzen. Denn daß die Widerstände sowohl seines Körpers wie auch seines unruhigen, schwer zu zügelnden Geistes groß waren, wird aus den seine wechselnden Stimmungen spiegelnden biographischen Dokumenten eigentlich bis an sein Lebensende deutlich. Dabei könnte sein dichterisches Werk, vor allem bei voreingenommener oder oberflächlicher Betrachtung, leicht eine ganz unproblematische, ja naive Harmonie vortäuschen, die Novalis keineswegs besaß, so sehr er sie auch erstrebt haben mag.

Als besonders wesentlich für die Lösung seiner Lebensproblematik erschien ihm immer wieder die alte Inschrift im Vorraum des Apollo-Tempels zu Delphi, das «Kenne dich selbst». In Freiberg war es ihm durch das Studium alchimistischer Literatur wieder besonders nahegekommen. Wollten die Adepten der Alchimie das Gold, den König der Metalle, in der Retorte, dem Kolben, mit Hilfe von Elixieren erzeugen, so war für Novalis Selbsterkenntnis das die Welt verwandelnde Elixier:

Glücklich, wer weise geworden und nicht die Welt mehr durchgrübelt,
  Wer von sich selber den Stein ewiger Weisheit begehrt.
Nur der vernünftige Mensch ist der echte Adept – er verwandelt
  Alles in Leben und Gold – braucht Elixiere nicht mehr.
In ihm dampfet der heilige Kolben – der König ist in ihm –
  Delphos auch und er faßt endlich das: Kenne dich selbst.[255]

Wie in der Alchimie, so fand Novalis in alten Mythen Verwandtes. Den Schlüssel seines unvollendet gebliebenen Romans *Die Lehrlinge zu Sais*, an dem er in diesen Tagen weiterarbeitete, bezeichnet ein anderes Distichon:

Einem gelang es – er hob den Schleier der Göttin zu Sais –
Aber was sah er? Er sah – Wunder des Wunders – Sich Selbst.[256]

In dem Märchen von Hyazinth und Rosenblütchen, das, wohl um diese Zeit geschrieben, den Kern dieses fragmentarischen Naturromans bildet, ist es allerdings die eigene Geliebte, die dem «Lehrling», der den Schleier lüftet, in die Arme fällt. Aber Liebe und liebende Vereinigung waren, wie Novalis selbst erfahren hatte, eigentlich nur noch eine höhere, ja die höchste Stufe der Selbsterkenntnis und Selbsterfüllung.

Am 11. Mai 1798 hatte Novalis das Manuskript von *Glauben und Liebe* an Friedrich Schlegel gesandt. Im Begleitbrief stehen noch die folgenden Worte: *Eine Idee such ich jetzt zu bearbeiten, auf deren Fund ich beinah stolz bin. Sobald etwas davon verständlich ist, so sollst Du gleich Nachricht davon erhalten. Mir scheint es eine sehr große, sehr fruchtbare Idee, die einen Lichtstrahl der höchsten Intensität auf das Fichtische System wirft – eine p r a k t i s c h e I d e e∞. Du verzeihst, daß ich Deine Neugierde spanne, ohne sie zu befriedigen – Wahrhaft befriedigen kann ich sie noch nicht, und doch muß ich Dir meine Freude mitteilen – da es nichts minder betrifft als die mögliche, evidente Realisierung der k ü h n s t e n Wünsche und Ahndungen jeder Zeit – auf die analogste, begreiflichste Art von der Welt.*[257] Novalis deutete damit zum erstenmal auf seinen Entwurf eines über Fichtes subjektiven Idealismus hinausführenden «magischen Idealismus», durch den die verstreuten Gedanken über den Bezug zwischen Mensch und Universum, dem *Mikrokosmos*[258] und dem *Makroanthropos*[259], in ein großes System gebracht werden sollten. *Zur Welt suchen wir den E n t w u r f – dieser Entwurf sind wir selbst.*[260] Und: *Wir werden die Welt verstehn, wenn wir uns selbst verstehn, weil wir und sie integrante H ä l f t e n sind.*[261] Nur galt es, die Kunst zu solch synthetischer Betrachtungsweise zu erlernen. Diese Kunst aber, die menschlichen Sinne, Körper und Seele, *willkürlich zu gebrauchen*, war nichts anderes als *Magie*[262], so wie sie alte *Schwärmer und Mystiker, Poeten, Wahnsinnige, Heilige, Propheten*[263] schon zu meistern versucht hatten: *In der Periode der Magie dient der Körper der Seele, oder der Geisterwelt.*[264]

In Novalis' großem Projekt verbanden sich alte eigene Wünsche zur Beherrschung und Erziehung seiner selbst mit seinem *Beruf zur unsichtbaren Welt*, und beides fiel zusammen mit dem naturphilosophischen Einheitsstreben der Zeit. Um Ostern begannen jeweils die Vorlesungen für das akademische Jahr an der Bergakademie. Werner las diesmal außer in den üblichen Fächern Geognosie, Oryktognosie und Bergbaukunst auch über «Enzyklopädie der Bergwerkskunde». Diese durchaus auf Klassifizierung des Empirischen gerichtete Unterweisung wurde für Hardenberg der Anstoß zu einem monumentalen

«Magie ist = Kunst, die Sinnenwelt willkührlich zu gebrauchen».
Aus den Fragmentheften 1798

In allen untersuchten Chronicken und Mythen
finden sich... ... ... 10. — frey-
lich sind seltsamere Mischungen und Gestalten ...
... ... je roher und kindlicher ihr Volck, je ge-
schmackloser, ... je ... ... je ge-
fälliger das Mensch war, desto sonderbarer ...
Gebräuchen ... künstl. ... ... Mischungen ... grotesken Gestalten zu finden, zu ...
und zu ... — wenigstens ist jetzt die Zeit
auch nicht da, wo sich dergleichen ... viel
leichter Mühe verrichten ließen. ... bleibt den
künftigen Historikern als Magie ...
behalten. Als sehr wichtige ... ...
der allmälichen Entwickelung der magischen
... sind sie sorgfältiger Auseinandersetzung
und Sammlung werth.

Magie ist Kunst, die Sinnenwelt ... ... zu ...
brauchen:

sie ist Mittel und ... der ... individueller ...
... oder ... ... ist, wie Brown zu ...
... ...

Projekt. Wenn tatsächlich allem Sein eine höhere Einheit und eine letzte Wahrheit zugrunde lag, zu der unser Ich wie zu dem geheimnisvollen Bild zu Sais in unmittelbarer Beziehung stand, warum sollte es dann nicht möglich sein, dieser Einheit durch eine vergleichende und enzyklopädische Untersuchung aller möglichen Wissensbereiche auf die Spur zu kommen und sie zur Darstellung zu bringen? Was Novalis also vorschwebte, war der Versuch, Analogien zwischen den einzelnen Wissenschaften herzustellen und daraus auf ihr dahinterliegendes Gemeinsames zu schließen. Mit einer Enzyklopädie im Sinne einer sorgfältigen, ordnenden Sammlung zeitgenössischen Wissensgutes hatte ein solches Projekt nichts gemein. Novalis kam es vielmehr darauf an, die von den Fachwissenschaften gesetzten Grenzen zu durchbrechen und aufzuheben, Chemie und Philosophie, Mathematik und Poetik, Geologie und Geschichte in Beziehung zu setzen und zu verbinden. Er verfuhr dabei so, daß er alles, was ihm während des Studiums der einzelnen Wissenschaften in seiner Freiberger Zeit an Analogien einfiel und als verwertbar für sein Projekt erschien, in ein *Allgemeines Brouillon* eintrug, das nach und nach auf rund 350 Seiten anschwoll. Dort ist die Rede von *geistiger Physik, chemischer Musik, poetischer Physiologie* oder *physikalischer Geschichte*, um nur einige der vielen Versuche zu Analogiebildungen zu nennen. Denken wird in Beziehung zum Galvanismus gesetzt, Astronomie zur Heilkunde. Von der Physik fragt sich Novalis, ob sie *in strengerm Sinn die P o l i t i k unter den Naturwissenschaften* sei.[265] Und weiter vergleicht er: *Die niedre Physik betrachtet den Stein unter Steinen – wie die gemeine Politik den Menschen unter Menschen – Jene die Felsenbildung – Gebürgsbildung – diese die Staatenbildung.*[266] Oder es heißt unter der Überschrift *Analogische Poetik: Die Nahrung ist prosaisch – i n d i f f e r e n t. Arzeneimittel sind poetisch. Rohe Nahrung – gebildete Nahrung.*[267] *Die absolute Vereinigung des Basses und des Diskants* erscheint als *die Systole und Diastole des göttlichen Lebens*[268], und für den Begriff «Gott» selbst liefert die Mathematik Definitionsformeln: *G o t t ist bald $1 \cdot \infty$ – bald $\frac{1}{\infty}$ – bald 0.*[269] So werden in immer kühneren Gleichungen und Hypothesen Möglichkeiten ausprobiert, um hinter der äußeren Vielfalt der Erscheinung das einheitliche Wesen sichtbar werden zu lassen, die Ideen aber erneut mit den *äußern Dingen* in Relation zu setzen, denn beide Operationen gehörten zusammen, wie er schon im *Blütenstaub* geschrieben hatte, und nur *wer sie beide vollkommen in seiner Gewalt hat, ist der m a g i s c h e I d e a l i s t*[270].

Während eines Kuraufenthalts in Teplitz im Sommer 1798 hatte er an Friedrich Schlegel geschrieben: *In meiner Philosophie des täglichen Lebens bin ich auf die Idee einer m o r a l i s c h e n (im Hemsterhuisischen Sinn) Astronomie gekommen und habe die interessante Entdeckung der Religion des sichtbaren Weltalls gemacht. Du glaubst nicht, wie weit das greift. Ich denke hier Schelling weit zu überfliegen.*[271] Aber die Konstruktion einer solchen *Religion des sichtbaren Weltalls* mußte doch, wenn sie überhaupt möglich war,

Novalis. Gemälde eines unbekannten Künstlers (Ausschnitt).
Weißenfels, Museum

Die Sixtinische Madonna. Gemälde von Raffael, 1512–15.
Dresden, Gemäldegalerie

die Kraft eines einzelnen bei weitem übersteigen. So beschränkte sich
Novalis nach und nach darauf, nur eine Art Methodenlehre für das
zu schaffen, was ihm als große Idee am Horizont erschienen war.
Hier kam er nun in echter *Symorganisation* und *Symevolution* gleichzeitig mit Friedrich Schlegel auf das Projekt einer neuen «Bibel»
als des I d e a l s   j e d w e d e n Buchs. Die Theorie der Bibel, ent-
wickelt, gibt die Theorie der Schriftstellerei oder der Wortbild-
nerei überhaupt – die zugleich die symbolische, indirekte Konstruk-
tionslehre des schaffenden Geistes abgibt [272], schrieb er am 7. November dem Freund. Es war die knappste Bezeichnung für seinen

Entwurf des «magischen Idealismus», einer romantischen Religion sozusagen, in der Physik und Poesie, Mathematik und Gott eine recht unorthodoxe Bindung eingehen sollten. Nur mußte auch ein derartiger Plan in Ansätzen steckenbleiben.

Novalis hatte sich hier eine Aufgabe gestellt, die sowohl seinem alles leicht und rasch aufnehmenden Geist wie auch seinem Drang, sich über vieles zu verbreiten, sehr entsprach, und darin waren zweifellos die Gefahren des Sich-Verlierens und intellektuellen Ausschweifens mit enthalten. Aber intellektuelle Spielerei war sein Vorhaben trotz alledem nicht. Sätze wie diesen, der auf den letzten Seiten des *Allgemeinen Brouillons* steht, hat er nicht leichthin niedergeschrieben: *Je inniger die gesamten Wissenschaften zur Beförderung ihres gemeinschaftlichen Interesse, des Wohls der Menschheit, zusammentreten und die Philosophie zur Vorsitzerin und Leiterin ihrer Beschlüsse nehmen werden — desto leichter wird jener Druck, desto freier die Brust des Menschengeschlechts werden.*[273]

Dennoch lag in solch einem Unternehmen auch etwas, was Schelling später «Frivolität gegen die Gegenstände»[274] genannt hat. Und Friedrich Schlegel schrieb damals an Friedrich Schleiermacher: «Hardenberg ist einige Tage bei uns gewesen... Er hat sich merklich geändert, sein Gesicht selbst ist länger geworden und windet sich gleichsam von dem Lager des Irdischen empor wie die Braut zu Korinth. Dabei hat er ganz die Augen eines Geistersehers, die farblos geradeaus leuchten. Er sucht auch auf dem chemischen Wege ein Medikament gegen die Körperlichkeit (mittelst der Ekstase), die er denn doch für eine Sommersprosse in dem schönen Geheimnis der geistigen Berührung hält.»[275] Und an anderer Stelle noch etwas drastischer: «Hardenberg ist dran, die Religion und die Physik durcheinander zu kneten. Das wird ein interessantes Rührei werden!»[276]

BÜRGERLICHE BAUKUNST

Während der Geist weittragende Projekte entwarf, versagte der Körper zuweilen seinen Dienst. Gegen Ende Mai erkrankte Friedrich von Hardenberg, und eine Kur im böhmischen Badeort Teplitz schien angeraten. Etwa vier Wochen des Sommers 1798 verbrachte er dort. *Der Ort ist sehr angenehm. Die Gegend ist die schönste, die ich sah.* Vieles ging ihm durch den Kopf, und manches brachte er auch zu Papier: *die Frauen, die christliche Religion und das gewöhnliche Leben* seien die *Zentralmonaden* seiner *Meditationen*. Dennoch: *Es fehlt an Muße, Büchern und Erlaubnis, den Kopf anzustrengen.*[277] Novalis, der am liebsten im Gespräch produzierte, fand einen verständnisvollen Kreis dann erst in Dresden versammelt, wo er sich an einem Wochenende im August mit Schelling, Caroline und den Brüdern Schlegel traf. Bei Fackelschein wurde die Antikensammlung betrachtet, und von dem Besuch der Gemäldegalerie, insbesondere aber von deren Glanzstück, Raffaels «Sixtinischer Madonna», gingen tiefe Eindrücke auf den ganzen Freundeskreis aus. Novalis erwog sogleich einen *Brief über die Antiken*, dann *ein romantisches Fragment – der Antikenbesuch* [278], wie er Caroline Schlegel mitteilte, die ihrerseits mit August Wilhelm zusammen gerade das für die romantische Kunstauffassung grundlegende Gespräch «Die Gemälde» verfaßt hatte, das mit einem Preisgedicht auf Raffaels Madonna ausklang und im dritten Heft des «Athenaeums» erschien.

Unmittelbar nach der Rückkehr aus Dresden begann Novalis sein *Allgemeines Brouillon*, das die Materialsammlung für sein Enzyklopädieprojekt werden sollte, und setzte die Aufzeichnungen bis an das Ende seiner Freiberger Zeit fort. Dabei war das *Brouillon* nur Nebenarbeit neben seinen eigentlichen Studien, die insbesondere Mathematik, Chemie und Physik umfaßten. Auch mit Werners erster Schrift «Von den äußerlichen Kennzeichen der Foßilien» setzte er sich sehr kritisch auseinander, denn gerade hier war ein wissenschaftlicher Ansatzpunkt für die Untersuchung des Verhältnisses zwischen Äußerem und Innerem gegeben worden, dessen eigentliche Bedeutung, wie ihm schien, Werner letzthin als reiner Empiriker doch nicht erkannt hatte. Überhaupt bewältigte Novalis in diesen Wochen und Monaten eine erstaunliche Fülle wissenschaftlicher Literatur. Ausführliche Studien widmete er Schellings Schrift «Von der Weltseele». Er exzerpierte Schriften Alexander von Humboldts und Werke von Mathematikern wie Friedrich Murhard und Charles Bossut, er las mit Begeisterung Franz von Baader –

> *Seine Zauber binden wieder,*
> *Was des Blödsinns Schwert geteilt –* [279]

und drang auch in das auf dem Gedanken einer Polarität zwischen starker und schwacher Reizbarkeit, Sthenie und Asthenie aufbauende System der Heilkunde des schottischen Arztes John Brown ein. In der Philosophie erhoffte er von dem Studium des «Neuen Organons» Johann Heinrich Lamberts Aufschlüsse über die Methodologie seines Enzyklopädie-Vorhabens, und durch Dietrich Tiedemanns «Geist der spekulativen Philosophie» wurde ihm die Gedankenwelt seines lieben Plotin [280] aufgeschlossen.

Daneben lief das Anhören der verschiedenen Vorlesungen einher. Zum Lehrprogramm gehörten außer den Naturwissenschaften Geologie und Mineralogie, Bergbaukunde, Markscheidekunst und Bergrecht. Dazu kam die praktische Tätigkeit in den Gruben «wenigstens 3 bis 4 Tage in der Woche», wie es die Verfassung der Bergakademie verlangte. Alles in allem war es ein erstaunliches Arbeitspensum, das Hardenberg in dieser Zeit bewältigte, besonders da diese Leistung einem doch immer wieder zu «Zufällen» neigenden Körper abgerungen werden mußte. Das war nur möglich durch straffste Lebensplanung, wozu sich Novalis sein Leben hindurch beständig zwang. In das *Brouillon* notierte er sich zum Beispiel genau die Stundenzahl, die

er pro Tag den einzelnen Diszi-
plinen, der *Gravitationslehre*,
der *Arithmetika universalis*,
den *chymischen Bereitungen*
oder der *Enzyklopädistik überhaupt* widmen wollte. *Früh von
6–12 folgen sich diese Stunden.
Nachmittags ist, wenn früh keine Stunde verloren gegangen
ist, Roman und Lektüre. Briefe
unterbrechen alle Stunden. Die
übrige Stunde früh kann der
Motion und den Pausen gewidmet sein. Von 9–10 z. B. wird
spazieren geritten oder von 11
bis 12. Wird f r ü h von 6–7
e t w a g e l e s e n so wird n a c h-
m i t t a g s eingeholt.*²⁸¹ Reiten
sah die Medizin der Zeit bei der
Neigung zu tuberkulösen Erkrankungen als besonders heilsam an, und Heinrich Ulrich
Erasmus von Hardenberg hatte
seinem Sohn deshalb auch ein
Pferd geschenkt. *Für das Pferd
dank ich Dir herzlich, denn
schon der Glaube an die Heilsamkeit des Reitens ist mir zuträglich.
Schon einigemal hab ich den Zufall durch das Reiten beinah ganz
aufgehoben.*²⁸² Gesundheit wünschte er sich jetzt vor allem, nicht nur
um Kraft zu haben zur Ausführung seiner großen Pläne und Entwürfe, sondern auch, weil er dabei war, wieder fest ins bürgerliche
Leben einzutreten.

Im Laufe der Zeit waren die Bindungen zum Hause Charpentier
enger geworden. Schon bei den ersten Besuchen war ihm *Julchen* als
schleichendes Gift erschienen. *Man findet sie, eh man sich versieht,
überall in sich, und es ist um so gefährlicher, je angenehmer es uns
deucht.* Aber damals war er noch der Fremdling. *Als ein junger Wa-
gehals würde ich einmal eine solche Vergiftung probieren – So aber,
abgestumpft, wie ich bin, reizt es meine alten Nerven nur so eben zu
leichten, fröhlichen Vibrationen und erwärmt stundenlang mein star-
res Blut. In zarten, kaum vernehmbaren Empfindungen begegnet man
ihr und ist gewiß, daß das Schönste von ihr zuerst bemerkt, getan
und bewährt wird. Sie spielt nur die Harmonika, indes ihre Schwester alle übrigen Künste mit gleichem Glück treibt.*²⁸³ Seit dem Som-

mer hatte sich dann eine ständige Annäherung vollzogen, und zu Weihnachten verlobte sich Friedrich von Hardenberg mit Julie von Charpentier.

Die Entwicklung seines Verhältnisses zu ihr hat Novalis später in einem Brief an Julius Wilhelm von Oppel dargestellt: *Sie kennen Julien Charpentier, und es wird Sie gewiß nicht wundern, daß das sanfte, bescheidne Wesen dieses liebenswürdigen Mädchens mich bald vorzüglich in meiner Stimmung anziehn und mir Zutraun zu ihr einflößen mußte. Sie ward mir nach und nach unentbehrlich, ohne daß ich ahndete, daß ich mit ihr in festere Verhältnisse kommen solle. Die Krankheit ihres Vaters zeigte mir die glänzende Seite ihres Herzens in vollem Lichte – Die zärtliche Sorgfalt, die vielen Nachtwachen schadeten ihr und im Sommer 98 wurde sie selbst von einem fürchterlichen Übel, dem Gesichtsschmerz, befallen. Bei seiner Rückkehr aus Teplitz fand er sie in diesem peinlichen Zustande. Jetzt erst fiel mir der Gedanke, ihr mein Leben zu widmen, lebhaft ein. Ich sah, daß ohne eine liebende Gehülfin das Leben und jede Teilnahme an weltlichen Angelegenheiten mir eine drückende Last sein und bleiben würde – Juliens ganze Lage stellte sich mir lebhaft vor Augen – ich wußte, daß ich nie eine treuere, zuverlässigere und zärtlichere Gattin finden könnte – fühlte, daß eine beschränkte, meinen Fleiß aufregende Lage mir vorteilhaft sein und kein Mädchen mir dieselbe leichter ertragen helfen würde – war überzeugt, daß ich ihrentwillen keine Aufopferung scheuen und ihr vielleicht durch meinen Entschluß eine unangenehme Zukunft ersparen würde.*[284]

Auf den *feierlichen Schritt*[285] einer offiziellen Verlobung verzichtete Hardenberg, schon weil der eigene Vater wiederum in Opposition stand, was nicht zuletzt auf die bescheidenen Vermögensverhältnisse im Hause Charpentier zurückzuführen war, die Julie unter Umständen eine *unangenehme Zukunft* bereitet hätten. Aber überhaupt klingt die Begründung für das neue Bündnis etwas halbherzig, selbst wenn zu bedenken ist, daß er hier einem Vorgesetzten und Gönner aus sehr praktischen Erwägungen seine Lebensgeschichte als Charakterentwicklung darstellen wollte. Noch sehr viel merkwürdigere Äußerungen finden sich in Briefen an Friedrich Schlegel aus der Zeit seiner neuen Bindung. Am 10. Dezember schrieb er ihm: *Ich fühle, wie nützlich ich noch vielen sein kann, wie Kameradschaft mich zwingt, meine Lieben in diesem verwirrenden Zustande nicht zu verlassen und jede Not dieses Lebens mit ihnen zu teilen. Wenn ihr alle glücklich wärt, so könnt ich getrost von dannen gehn – So aber darf ich mir ein so glückliches Schicksal nicht allein anmaßen. Dringt dies durch, so muß ich bald ein neues Leben anfangen – wo nicht – ein h ö h e r e s. Der frühe Tod ist jetzt mein großes Los – das Fortleben der zweite Gewinn.*[286] Und am 20. Januar 1799: *Ich habe Dir viel zu sagen – die Erde scheint mich noch viele Zeiten hindurch festhalten zu wollen. Das Verhältnis, von dem ich Dir sagte, ist inniger und fesselnder geworden. Ich sehe mich auf eine Art geliebt, wie ich noch nicht geliebt worden bin. Das Schicksal eines s e h r*

Julie von Charpentier.
Silberstiftzeichnung von Dora Stock

Rahel Just.
Gemälde von Traugott Georgi, 1820

liebenswerten Mädchens hängt an meinem Entschlusse – und meine Freunde, meine Eltern, meine Geschwister bedürfen meiner mehr als je. Ein sehr interessantes Leben scheint auf mich zu warten – indes aufrichtig wär ich doch lieber tot.

Ich belausche den Gang der Umstände – Seh ich eine Möglichkeit, mich entbehrlich zu machen – stoß ich auf Hindernisse – so sind es mir Winke, den ersten Plan auszuführen ... Wäre meine Gesundheit im Stande, so lebt ich jetzt glückliche, wunderbare Tage. J u l i e n war ein halb Jahr hindurch mit fürchterlichen Schmerzen gequält – man mußte das Ärgste fürchten – Gerade in der schrecklichsten Zeit riß das Übel plötzlich ab, und sie ist seit dem Heiligen Abend gesund und heiter. Seit 2 Monaten hab ich wenig tun können. Angst, Zerstreuung, Geschäfte, Reisen und nun wieder Freude und Liebe haben mich außer Krankheitszufällen ganz von der Feder entfernt.[287] Dunkle Andeutungen vom Tode stehen auch später in Briefen, als schon die Heiratspläne feste Gestalt angenommen hatten. Julie galt als Virtuosin auf der damals sehr beliebten Glasharmonika, und Caroline Schlegel benutzte solche Kenntnis mehrfach zu einem kleinen Wortspiel. Am 4. Februar 1799 fragte sie Hardenberg in ihrer Weltklugheit: «Sehn Sie, man weiß sich das nicht ausdrücklich zu erklären aus Ihren Reden, wenn Sie ein Werk unternehmen, ob es soll ein Buch werden, und wenn Sie lieben, ob es die Harmonie der Welten oder eine Harmonika ist.»[288] Wußte es Hardenberg selbst?

Wie die Frage nach einem Doppelleben zwischen Beruf und Dichtertum, so ist auch die Frage nach einer Doppelliebe bei Novalis häufig erörtert und zugunsten der Anhänglichkeit an die tote Sophie und den alten *Entschluß* entschieden worden, während Julie eher als stützende Begleiterin für dieses Leben galt. Zweifellos läßt sich etwas Derartiges aus den Bekenntnissen an Friedrich Schlegel und an Oppel ablesen. Aber zugleich müßten dann doch Hardenbergs resignierte Gedanken, so ehrlich sie ausgesprochen wurden, angesichts des *sehr liebenswerten Mädchens* und der gerade erfolgten Verlobung mit ihr als einigermaßen taktlos, ja geradezu roh erscheinen, wenn sie tatsächlich im Sinne einer solchen Doppelliebe gemeint waren.

Daß die *heilige Asche* Sophies *ewig die Glut meines Herzens und meine Sehnsucht nach Frieden und Liebe erhalten* [289] wird, hat Novalis Julius Wilhelm von Oppel gegenüber erklärt, und Rahel Just versicherte er im Dezember 1798, daß Grüningen ihm der *liebste Ort in der Welt ewig bleiben wird.* Aber er fügte doch hinzu: *Der Ort selbst tut eine wohltätige, die Erinnerung eine erweichende, schädliche Wirkung auf mich.*[290] Beide Äußerungen bestätigen, wie stark Sophie für ihn mythische Züge angenommen hatte und Sinnbild für seine eigene Transzendenzerfahrung geworden war. Die Vorstellungen von ihrer irdischen Gestalt sollten jetzt nicht einmal mehr in der Erinnerung beschworen werden.

Das seltsame Hin und Her zwischen Lebenswunsch und Todesentschluß in den Briefen aus der Zeit der Verlobung mit Julie von Charpentier läßt sich deshalb wohl nur erklären, wenn man Novalis' gesamte Persönlichkeit ins Auge faßt und bedenkt, daß es Äußerungen eines kranken Menschen sind. Seit Mai 1798 war in Briefen und Aufzeichnungen immer wieder die Rede von Wechselfällen seiner Gesundheit. Was sich also zunächst in den Bekenntnissen Schlegel gegenüber ausdrückt, sind Depressionssymptome. Latente Schwächezustände mochten sogar Zweifel hinsichtlich der Eignung für die Ehe aufkommen lassen. Im Herbst 1799 exzerpierte sich Hardenberg aus medizinischen Zeitschriften eine ganze Reihe von Rezepten für Mittel gegen *Schwäche der Schamteile,* «Impotentia virilis» und Geschlechtskrankheiten.[291]

Gerade die Schwäche seines Körpers aber ließ ihn auch viel feiner auf die Welt in sich und außer sich reagieren. *Angst, Zerstreuung,* die alte Unruhe also suchte ihn immer wieder besonders in Zeiten körperlicher und seelischer Krisen heim, und mit allen Anstrengungen seines Geistes vermochte er ihrer nicht Herr zu werden. So entging ihm auch bis zu seinem Tode nicht die fortdauernde Widersprüchlichkeit zwischen der höheren Welt, die er in seinem Geiste konstruierte, und der Realität seines Zeitalters, die ihn in den Freiberger Gruben und den Weißenfelser Salinen, den Landgütern des sächsischen Adels oder der Residenz deutscher Fürsten umgab. Gewiß war es sein fernes, großes Ziel, jene Widersprüchlichkeit in sich und um sich aufzuheben und in Harmonie, in *Frieden und Liebe* aufzulösen, aber sein klarer und wacher Verstand mußte ihm doch auch immer erneut deutlich machen, daß sich bei einem Versuch der Umgestaltung der Wirklichkeit durch den Geist die Wirklichkeit als ein recht sprödes Material erwies. Friedrich von Hardenberg war kein unbeschwert-heiterer Träumer, und er hat trotz der Hoffnung, sie besiegen zu können, unter den Widersprüchen seines Charakters wie der Welt, in der er lebte, stark gelitten. Es wundert also nicht, daß ihm bei der Voraussetzung seiner besonderen Entwicklung der Tod zuweilen als die tatsächlich einzige feste und unumstößliche Macht erscheinen mußte, die die Pforten zu einer widerspruchsfreien Existenz aufriß. Gerade dort, wo die Wirklichkeit mit Ansprüchen auf ihn zutrat, denen er sich vielleicht nicht gewachsen fühlte, bot sich ihm eine solche Erlösung mit besonderer Stärke an.

Dietrich von Miltitz.
Zeitgenössisches Bildnis

Daraus läßt sich keine hemmungslose Todesträumerei ableiten und ebensowenig eine stille Doppelexistenz zwischen himmlischer und irdischer Braut. Es wäre eine seelische Untreue gewesen, deren Novalis nicht fähig war. Sophie war in seinen Vorstellungen entkörperlicht, ein mythisches Mittlerwesen geworden, und sie hatte ihm in ihrer Kindhaftigkeit auch noch gar nicht jene Gefährtin sein können, an die ihn eine Liebe aus tiefem gegenseitigem Erkennen band, die deshalb auch unverlierbar geblieben wäre. In Julie aber trat ihm ein Mädchen von 22 Jahren gegenüber, das mit Bildung, Reife, Menschlichkeit und Verständnisbereitschaft jene Qualitäten besaß, die überhaupt erst die Voraussetzung für eine echte Gemeinschaft sind. Sicher mag auch Mitgefühl mit der Kranken, ähnlich wie im Falle von Sophie, eine gewisse Rolle bei der Entstehung einer tieferen Neigung zu Julie gespielt haben, aber im Grunde war es Novalis' starkes – körperliches und geistiges – Bedürfnis nach *Brautnacht, Ehe und Nachkommenschaft*, das ihn zu seinem neuen Verlöbnis führte. Man wird nur nicht umhin können, letztlich innere Gegensätze in ihm als gegeben anzunehmen, trotz aller seiner Versuche, sie zu überwinden. Die Vorstellung vom Dichter jedoch, der zwischen himmlischer und irdischer Liebe pendelt, und der bei der irdischen mehr an eine Art Versorgungsehe denkt, wird solchen Konflikten nicht gerecht.

Im gleichen Brief, in dem Novalis Friedrich Schlegel zum erstenmal von seiner neuen Verbindung berichtete, klagte er zwar, daß er in letzter Zeit wenig zu schriftstellerischen Arbeiten gekommen sei, aber zugleich hatte er doch wiederum einen Plan gefaßt, der sehr ins Weite ging: *die Errichtung eines literärischen, republikanischen Ordens – der durchaus merkantilisch politisch ist – einer echten Kosmopolitenloge*[292]. Eine eigene Druckerei war geplant, und Jena, Hamburg oder die Schweiz sollten Sitz des Büros werden. Vorbilder für solche überstaatliche Assoziationen gab es durchaus in den Freimaurerlogen und philanthropischen Gesellschaften des Jahrhunderts der Aufklärung, und auch die Turmgesellschaft in Goethes «Wilhelm Meister» mag bei einem solchen Plan Pate gestanden haben. Aber zugleich existierten doch sehr viel realere Anlässe. Einmal hatte der bisherige Verleger des «Athenaeums», Vieweg in Berlin, seine Unterstützung aufgekündigt, so daß eine Zeitlang die Gefahr bestand, dieses wichtige Sprachrohr würde verstummen, noch ehe die Gelegenheit gekommen war, die *literarischen Sämereien* der romantischen Poesie und Philosophie sich entfalten zu lassen und sie vor einer breiteren Öffentlichkeit, die großenteils kopfschüttelnd davorstand, zu erläutern und zu rechtfertigen. Denn immerhin fühlte man sich doch, wie Novalis schrieb, als säße man *im Comité du Salut public universel* und bereite etwas vor, das mehr sei *als eine Lavoisiersche Revolution* [293].

Noch etwas anderes kam hinzu, was den Wunsch nach Unabhängigkeit und Freiheit von staatlicher Bevormundung verstärkte. Auf eine Schrift Fichtes «Über den Grund unsers Glaubens an eine göttliche Weltregierung», die zusammen mit einem Aufsatz von Friedrich Karl Forberg über die «Entwicklung des Begriffs der Religion» 1798 im Niethammerschen Journal in Jena erschienen war, reagierte der sächsische Kurfürst mit einem Reskript vom 19. November 1798, in dem die Konfiskation dieser Zeitschrift wegen «atheistischer Äußerungen» angeordnet wurde. Es entbrannte der sogenannte «Atheismusstreit» um Fichte, der schließlich zu dem «Rat des Wanderns» an ihn führte, wie Caroline von Herder es in einem Brief ausdrückte. Im Juli 1799 siedelte er nach Berlin über.

In einer «Appellation an das Publikum» – «eine Schrift, die man erst zu lesen bittet, ehe man sie konfisziert» – hatte Fichte Anfang 1799 die Flucht an die Öffentlichkeit angetreten und mit allem Nachdruck die Freiheit des Selbstdenkens gefordert. Novalis empfahl damals seinem Freund Dietrich von Miltitz: *Fichtes «Appellation ans Publikum» bitt ich Dich aufmerksam zu lesen. Es ist ein vortreffliches Schriftchen und macht Dich mit einem so sonderbaren G e i s t e und P l a n e unserer R e g i e r u n g e n und Pfaffen bekannt, mit einem zum Teil in der Ausführung begriffenen Unterdrückungsplane der öffentlichen Meinung – daß es die Achtsamkeit jedes vernünftigen Menschen erfordert, diese Schritte zu verfolgen und einen bedeutenden Schluß aus diesen Prämissen zu ziehn.* [294] So wird verständlich, daß ihm die Gründung eines *intellektuellen Ritterordens* [295], wie er seinen Plan im *Allgemeinen Brouillon* nannte, sogar ein *Hauptgeschäft* [296] seines Lebens werden sollte. Denn die Vorgänge gerade um die Vertreibung Fichtes waren charakteristisch für eine ins Groteske gehende Engstirnigkeit und Intoleranz in der kursächsischen Regierung. Die freiherrliche Familie von Hardenberg hatte durch ihre Ansässigkeit in Kursachsen Sitz und Stimme im sächsischen Landtag, und Hans Georg von Carlowitz trat deshalb an Friedrich von Hardenberg heran, dort zu erscheinen und mit den Freunden gegen «das mächtige Banner der Ignoranz, der Brutalität und des Egoismus» aufzutreten, das sich unter den sächsischen Landständen entfaltet hatte. Ein Domherr hatte zum Beispiel die Abschaffung aller Lehrerbildung verlangt, «weil dergleichen Kerls doch nichts lernten und auch nichts zu wissen brauchten». Statt in gewissem Umfang als Korrektiv der Regierungspolitik zu wirken, waren

die Landstände lediglich darauf bedacht, alte Vorrechte zu wahren und, in Carlowitz' Worten, «mit der Schokoladentasse in der Hand wie aristokratische Sanskulotten» zu sprechen.[297]

Hardenberg war dergleichen Borniertheit und Rückständigkeit zutiefst verhaßt, und doch muß seine Antwort auf die Bitte des Freundes negativ ausgefallen sein, denn dieser erwiderte bald darauf auf einen nicht überlieferten Brief Hardenbergs: «Dein Bild von den Ständen ist leider sehr wahr, aber der Entschluß, nie auf dem Landtage zu erscheinen, ist nicht patriotisch. Jeder tut für die gute Sache was er kann, und gerade Du würdest viel können. Du bist der einzige mir bekannte Mensch, dem ich zutraue, daß er eine ganze Generation erheben und die verhaßte Stimme des Egoismus, der Dummheit und der Brutalität unterdrücken könnte; Du allein würdest uns von der Verachtung retten, die wir verdienen.»[298]

Apathie war es gewiß nicht, die ihn von einer solchen Teilnahme an der Politik seines Landes abhielt. Unterschiede zwischen seinen Ansichten und denen der adligen Freunde mögen schon eine größere Rolle gespielt haben, denn wie aus Aufzeichnungen im *Allgemeinen Brouillon* hervorgeht, beabsichtigte er die Abschaffung der Ständeverfassung überhaupt, an der die Freunde im Prinzip festhalten wollten. Ihm selbst ergab sich eine andere, sehr viel einfachere ständische Gliederung des Staates. Am 27. Februar 1799 schrieb er an Caroline Schlegel: *Naturmensch und Kunstmensch sind die eigentlichen ursprünglichen Stände. Stände sind die Bestandteile der Gesellschaft. Die Ehe ist die einfache Gesellschaft – wie der Hebel die einfache Maschine. In der Ehe trifft man die beiden Stände. Das Kind ist in der Ehe, was der Künstler in der Gesellschaft ist – ein Nichtstand – der die innige Vereinigung – den wahren Genuß beider Stände befördert.*[299] Es sind Gedanken, die teilweise an die Lektüre von Friedrich Schlegels Roman «Lucinde» anknüpfen, den er gerade erhalten hatte, teilweise auch auf eine Reihe früherer Vorstellungen von der zentralen Rolle der Familie als der natürlichsten symbolischen Vorzeichnung idealer Harmonie zurückgehen.

Von einer Reform der Ständeverfassung, die letzten Grundes auf feudalen Privilegien basierte, war nun in der Tat nichts zu hoffen

für größere Liberalität in Politik und Wirtschaft. Was Novalis dagegen vorschwebte, war seine alte Idee von einer Veränderung und Höherentwicklung der Gesellschaft durch die Kraft des Bewußtseins. Der *Kunstmensch* war jenes Ideal des allseitig gebildeten, sich selbst als Bewohner zweier Welten erkennenden Menschen, der einst auch zum *Messias der Natur* [300] werden würde. Der Ausdruck findet sich im *Allgemeinen Brouillon,* und dort steht auch der Satz: *Die höhere Philosophie behandelt die Ehe von Natur und Geist.* [301]

Die «höheren» Philosophen und romantischen Künstler also, die in der *Kosmopolitenloge* zusammengeschlossenen Ritter vom Geist, die mit ihrer Zauberkraft Endliches und Unendliches verbanden, sollten es schließlich sein, die eine *schöne Gesellschaft* und *Weltfamilie* und die große «Harmonie der Welten» herbeiführten.

Nun mußte allerdings jeder Staat, nicht nur der kursächsische, hinter solchen Erwartungen zurückbleiben. Aber dergleichen Gedanken, so utopisch sie sein mögen, haben doch wohl ihr festes Wohnrecht, wie alle Hoffnungen auf eine freie, humane Gesellschaft. Sie machen aber auch deutlich, daß Novalis Frondieren im sächsischen Landtag nutzlos erscheinen mußte. Man mag das tadeln, aber sein Entschluß, dort fern zu bleiben, drückte keine Verachtung gegenüber der Praxis aus. Im Gegenteil: seit Januar 1799 widmete er sich mit besonderer Intensität seinen Freiberger Studien. Er sei *jetzt viel unter der Erde,* und *über der Erde* sei er *mit so vielen mühsamen Studien geplagt* [302], schreibt er in Briefen aus dieser Zeit. Und an anderer Stelle: *Jetzt leb ich ganz in der T e c h n i k, weil meine Lehrjahre zu Ende gehn, und mir das bürgerliche Leben mit manchen Anforderungen immer näher tritt.* [303] Er überlegt, ob er in Freiberg vielleicht noch Vorlesungen halten könne und betont: *Bei mir war alles im Kirchenstil – oder im dorischen Tempelstil komponiert… Jetzt ist bei mir b ü r g e r l i c h e B a u k u n s t.* [304] Diese Hinwendung zur Praxis war nicht nur ein Gebot für den zukünftigen kursächsischen Salinenbeamten, der nun erneut die Gründung· einer Familie vorhatte, es war auch ein Ausdruck der Ungeduld angesichts der offensichtlichen Unveränderbarkeit der anachronistischen politischen Zustände durch Appelle wie *Glauben und Liebe* oder durch in

Jean Paul.
Lithographie von S. Bendixen
nach C. Vogel, 1822

ihrer Wirkung von vornherein begrenzte Proteste. In der engen Bindung an die Natur und den produktiven «Naturstand» der Bergleute und Salinenarbeiter, in der wenn auch beschränkten Tätigkeit für eine Gemeinschaft mochte er hoffen, eher Ansätze für sein Ziel einer graduellen Erhöhung und Befreiung des Menschen von dem Druck seiner vielfachen Gebundenheiten zu finden. Der rechte Sinn für *innere Empfängnis* eines höheren Daseins sei am ehesten *in den Werkstätten der Handwerker und Künstler, und da, wo die Menschen in vielfältigem Umgang und Streit mit der Natur sind, als da ist beim Ackerbau, bei der Schiffahrt, bei der Viehzucht, bei den Erzgruben, und so bei vielen andern Gewerben* [305] zu finden, heißt es am Schluß der *Lehrlinge zu Sais*, die um diese Zeit bis zu der uns heute vorliegenden Form fortgeführt wurden. Resignation lag also gewiß nicht in dem Entschluß zu praktischer Tätigkeit.

Zu gleicher Zeit wuchs in Novalis die Erkenntnis, daß die geeignetste Darstellungsform seiner Hoffnungen und Ideen doch letzten Endes die Poesie selbst war. Caroline Schlegel teilte er im Februar 1799 mit, daß er dabei sei, einen Roman zu schaffen, der aber im Unterschied zu Schlegels «Lucinde» und zum großen Vorbild, Goethes «Meister», *Lehrjahre einer Nation* enthalten sollte. Das heißt – *das Wort Lehrjahre ist falsch – es drückt ein bestimmtes Wohin aus. Bei mir soll es aber nichts als – Übergangsjahre vom Unendlichen zum Endlichen bedeuten. Ich hoffe damit zugleich meine historische und philosophische Sehnsucht zu befriedigen.* [306] Gedacht war hier wohl zunächst an eine Fortsetzung der *Lehrlinge zu Sais*, die aber liegenblieb; erst der *Heinrich von Ofterdingen* bot dann später den geeigneten Stoff für solche Pläne und Absichten.

Gegen Ende des Jahres 1798 hatte Novalis Jean Paul zum erstenmal in Leipzig persönlich kennengelernt. Er erschien ihm *ein geborner Voluptuoso*, und Gedanken zu dessen dichterischer Phantasie regten zu allgemeineren Betrachtungen an: *Ich weiß, daß die Phantasie das Unsittlichste – das Geistig-Tierische am liebsten mag – In-*

*des weiß ich auch, wie sehr alle Phantasie wie ein Traum ist – der
die Nacht, die Sinnlosigkeit und die Einsamkeit liebt – Der Traum
und die Phantasie sind das eigenste Eigentum – sie sind höchstens
für 2 – aber nicht für mehrere Menschen. Der Traum und die Phantasie sind zum Vergessen – Man darf sich nicht dabei aufhalten –
am wenigsten ihn v e r e w i g e n – Nur seine Flüchtigkeit macht
die Frechheit seines Daseins gut. Vielleicht gehört der Sinnenrausch
zur Liebe, wie der Schlaf zum Leben – der edelste Teil ist es nicht –
und der rüstige Mensch wird immer lieber wachen als schlafen. Auch
ich kann den S c h l a f nicht vermeiden – aber ich freue mich doch
des Wachens und wünsche h e i m l i c h, immer zu w a c h e n.*[307]
Denn die romantische Poesie konnte die Welt nur verwandeln, wenn
sie dieser Welt Rechnung trug. Im gleichen Brief an Caroline Schlegel heißt es: *Ich bin dem Mittage so nahe, daß die Schatten die Größe
der Gegenstände haben – und also die Bildungen meiner Phantasie
so ziemlich der wirklichen Welt entsprechen.* In solcher relativen
Harmonie ging Hardenbergs Freiberger Studienzeit zu Ende. Die
restlichen Wochen waren mit angestrengter fachlicher Arbeit angefüllt. Mitte Mai, zu Pfingsten, kehrte er endgültig nach Weißenfels
zurück.

ROMANTIKERFREUNDSCHAFTEN

In Weißenfels erwarteten Friedrich von Hardenberg sogleich umfas-
sende dienstliche Aufgaben. Am 20. Mai 1799 kam Julius Wilhelm
von Oppel, der als Mitglied des Geheimen Finanzkollegiums in Dresden für das Berg-, Hütten- und Salzwesen verantwortlich war, zu
einer Inspektion der kursächsischen Salinen nach Weißenfels. Ziel
der Inspektion war, eine Verbilligung und Erhöhung der Salzpro-
duktion zu erreichen und vor allem die stärkere Verwendung von
Braunkohle für das Salzsieden durchzusetzen, denn Brennholz erwies sich als zu teuer. Hardenberg senior hatte sich gerade in diesem
Punkt als äußerst konservativ gezeigt. Friedrich von Hardenberg begleitete Oppel in den folgenden Wochen auf die Salinen in Kösen,
Dürrenberg und Artern als Protokollant. Die tägliche Zusammenarbeit muß zu freundschaftlicher Annäherung zwischen den beiden
Männern geführt haben. Für Hardenberg war die Zuneigung des um
sechs Jahre älteren Oppel von besonderer Bedeutung. Er selbst war
27 Jahre alt, hatte Pläne zu seiner Heirat gefaßt und besaß doch noch
kein festes Einkommen. Er unterließ es aber, während der gemeinsa-
men Tätigkeit Oppel seine Lage vorzustellen. Nicht nur Takt hielt
ihn davon zurück, sondern auch Bedenken, von seinen Heiratsplänen
in der Nähe des Vaters zu sprechen. Erst nach Oppels Abreise trug
Novalis dem Vorgesetzten brieflich vor, daß er nun ernstlich eine
Anstellung bei den Salinen wünsche, und er versicherte ihn *im voraus* seiner *lebenslänglichen Dankbarkeit, Verpflichtung und Dienst-*

*Blick auf Weißenfels, von
Schloß Neuaugustenburg aus.
Kupferstich um 1800*

eifer[308]. Oppel tat sein Bestes, lobte an Hardenberg in einem Bericht «das große Maß seiner theoretischen Kenntnisse in den Hilfswissenschaften», den «guten Anfang, welchen er im Praktischen gemacht hat» und überhaupt «seine vortrefflichen Anlagen und seinen unermüdeten Fleiß»[309]. Er empfahl die Ernennung zum Salinen-Assessor, die dann auch nach langem Gang durch das Labyrinth der Dienstwege am 7. Dezember 1799 erfolgte. Das Gehalt betrug 400 Taler, eine Summe, die allerdings 100 Taler unter der erwarteten lag und etwa dem Einkommen des herzoglich-weimarischen Mundkochs entsprach.

Dennoch war damit, vor allem auf der Grundlage des wenn auch bescheidenen Familienbesitzes, für Hardenberg die Möglichkeit gegeben, selbständig ins bürgerliche Leben einzutreten. Einige zusätzliche Einnahmen mochten hinzukommen. *Ich will nicht besser als so viele rechtliche und brave Menschen leben*, schreibt er an Oppel, *ich habe mich mit Preisen und Bedürfnissen genau bekannt gemacht –*

und kann, *was ich Ihnen ganz allein vertraue, meine Nebenstunden zu einträglichen literärischen Arbeiten benutzen.*[310] Der Satz ist bezeichnend, denn der romantische Schriftsteller Novalis war der einzige in seinem Freundeskreis, der einen festen Beruf ausgeübt hat und dessen dichterisches und philosophisches Werk eigentlich nur als Nebenarbeit entstanden ist. *Die Schriftstellerei ist eine Nebensache,* schrieb er ausdrücklich an Rahel Just. *Sie beurteilen mich wohl billig nach der Hauptsache – dem praktischen Leben. Wenn ich gut, nützlich, tätig – liebevoll und treu bin – so lassen Sie mir einen unnützen, unguten und harten Satz passieren. Schriften unberühmter Menschen sind unschädlich – denn sie werden wenig gelesen und bald vergessen. Ich behandle meine Schriftstellerei als ein Bildungsmittel – ich lerne etwas mit Sorgfalt durchdenken und bearbeiten – das ist alles, was ich verlange. Kommt der Beifall eines klugen Freundes noch obendrein, so ist meine Erwartung übertroffen. Nach meiner Meinung muß man zur vollendeten Bildung manche Stufe über-*

Ludwig Tieck. Um 1799

steigen. *Hofmeister, Professor, Handwerker sollte man eine Zeitlang werden wie Schriftsteller. Sogar das Bedientenfach könnte nicht schaden – dafür möchte der Schauspieler wegbleiben, der manche Bedenklichkeiten erregt.*[311] Es ist ein erstaunliches Bekenntnis, das zudem erst auf dem Hintergrund von Hardenbergs beständigem Ringen um Selbsterkenntnis und Lebensbestimmung sein volles Gewicht erhält. Die hohe *Kunst, Mensch* zu *werden*[312] und ein exemplarisches Leben zu führen, war sein eigentliches Ziel. Daraus erklärt sich übrigens auch die Bemerkung über den Schauspielerberuf: die proteische

Verwandlungsfähigkeit, die dort verlangt wurde, mußte gerade ihm die Gefahren des Selbstverlustes wieder aufs stärkste vor Augen führen, und die tragische Vermischung von Rolle und Leben ist ja dann auch ein besonderes Thema deutscher romantischer Literatur geworden, so in den «Nachtwachen des Bonaventura» und in der Gestalt des Roquairol in Jean Pauls «Titan».

Es ist also auch hier bei Hardenberg gewiß von keinem Doppelleben zwischen Beruf und Berufung die Rede, denn erst durch die intensive Berührung mit den verschiedensten Sphären der wirklichen Welt konnten die *Bildungen der Phantasie die Größe der Gegenstände* behalten. Novalis' bedeutendste dichterische Werke entstanden jedenfalls in Zeiten großer beruflicher Beanspruchung, und so sehr ihm seine Tätigkeit im elterlichen Hause auch gewisse Freiheiten im kleinen gönnte, so sehr hat er doch im großen seine Arbeit ernst genommen und sie mit aller Gewissenhaftigkeit ausgeführt. Eine beträchtliche Anzahl von Berichten, Protokollen und anderen Akten von seiner Hand zeugen davon. Auch die Zusammenarbeit mit dem Vater scheint besser, als erwartet, vonstatten gegangen zu sein, wenngleich der Sohn offenbar des öfteren Gegensätzlichkeiten in dem aus insgesamt vier Personen bestehenden Direktorium ausgleichen mußte, besonders bei des Vaters beständiger Opposition *gegen neue Vorschläge*, und im Hinblick auf *seine Zögerung und Bedachtsamkeit bei Kommunikationen, Entschließungen und Berichten, seine ängstliche Achtsamkeit auf Genauigkeit im Haushalt und Rechnungswesen und seine asketische Strenge und Mißtrauen gegen die Subalternen* [313], wie Novalis in einer Denkschrift selbst schreibt.

Neue, für seine innere Entwicklung bestimmende Begegnungen standen ihm bevor. Im Juli 1799 lernte er in Jena Ludwig Tieck kennen, dessen «Volksmärchen» ebenso wie der Roman «Franz Sternbalds Wanderungen» und die «Phantasien über die Kunst für Freunde der Kunst» tiefen Eindruck auf ihn gemacht hatten. Das erste Zusammensein begründete einen enthusiastischen Freundschaftsbund, und eine einfache Beschreibung davon gäbe, wie Novalis meinte, ein *liebliches romantisches Bruchstück* [314].

In Weimar besuchten die beiden neuen Freunde Herder und, zusammen mit August Wilhelm Schlegel, am 21. Juli 1799 Goethe, der aber offenbar hauptsächlich von Tieck Notiz nahm. Tieck begleitete Hardenberg dann in das elterliche Haus nach Weißenfels, und Hardenberg wiederum reiste mit ihm nach Schloß Giebichenstein an der Saale, wo Tiecks Schwager, der Berliner Komponist, Kapellmeister und Zeitschriftenherausgeber Johann Friedrich Reichardt, seinen Landsitz hatte. Begeistert war Hardenbergs Freundschaftsbekenntnis gegenüber Tieck nach diesen harmonischen Sommertagen: *Deine Bekanntschaft hebt ein neues Buch in meinem Leben an – An Dir hab ich so manches vereinigt gefunden – was ich bisher nur vereinzelt unter meinen Bekannten fand – Wie meine Julie mir von allen das Beste zu besitzen scheint, so scheinst auch Du mir jeden in der Blüte zu berühren und verwandt zu sein. Du hast auf mich einen tiefen,*

Friedrich Schleiermacher. Stich von Heinrich Lips, um 1799

reizenden Eindruck gemacht – Noch hat mich keiner so leise und doch so überall angeregt wie Du. Jedes Wort von Dir versteh ich ganz. Nirgends stoß ich auch nur von weitem an. Nichts Menschliches ist Dir fremd – Du nimmst an allem teil – und breitest Dich, leicht wie ein Duft, gleich über alle Gegenstände und hängst am liebsten Dich an Blumen.[315] So bestärkte der neue Freundesbund das innere Gleichgewicht, das Novalis am *Mittage* seines Lebens in sich empfand und das nun auch wieder den Dichter in ihm hervorrief, denn nach dem Zeugnis Tiecks soll er damals schon einige seiner geistlichen Lieder gedichtet haben. Auch die «Lehrlinge zu Sais und manche seiner Fragmente» habe er ihm damals vorgelesen.[316]

Eine für Hardenbergs Religionsauffassung wesentliche Erfahrung trat hinzu. Im Herbst 1799 erschien Friedrich Daniel Ernst Schleiermachers Schrift «Über die Religion. Reden an die Gebildeten unter ihren Verächtern». Novalis kannte zwar den Verfasser nicht persönlich, aber

Friedrich Schlegel hatte schon in den *Blütenstaub* einige Fragmente des Berliner Predigers eingestreut, und Andeutungen in Briefen mußten ihn auf dieses Werk besonders gespannt machen. Mitte September ließ er sich das Buch, das damals noch nicht ausgeliefert war, durch einen Expressboten vom Verleger Unger in Berlin besorgen und studierte es unverzüglich. Schlegel, der um diese Zeit Hardenberg sah, berichtete Schleiermacher, dieser sei von ihm «ganz eingenommen, durchdrungen, begeistert und entzündet» und wolle selbst etwas über das Buch aufschreiben, auch einen «Aufsatz über Katholizismus» verfassen.³¹⁷ Was Novalis an Schleiermachers Gedanken besonders ansprechen mußte, war dessen Vorstellung von der Religion, die «im Menschen nicht weniger als in allen Einzelnen und Endlichen das Unendliche sehen» und «dessen Abdruck, dessen Darstellung» sein sollte.³¹⁸ Sie bedeutete das Gefühl des Verbundenseins mit

Julius Wilhelm von Oppel

einer höheren Welt, das sich jeder dogmatischen Bestimmung entzog. Eben das aber war es, was auch Novalis auf seinem *eignen Weg in die Urwelt* erfahren hatte: daß die *Lehren der christlichen Religion die symbolische Vorzeichnung einer allgemeinen, jeder Gestalt fähigen Weltreligion – das reinste Muster der Religion als historischen Erscheinung überhaupt* waren.³¹⁹ Im *Ofterdingen* heißt es später: *Was ist die Religion, als ein unendliches Einverständnis, eine ewige Vereinigung liebender Herzen?* ³²⁰

Hardenberg stand Schleiermacher nicht unkritisch gegenüber, denn manches an seiner Deutung der Religion mochte ihm doch als zu abstrakt und zu wenig vom persönlichen Leben her durchdrungen erscheinen. Aber erst auf der Grundlage dieser theologischen Sanktion, die hier seine eigenen religiösen Vorstellungen erfuhren, wird es verständlich, daß in den folgenden Monaten das Christentum und die Religion allgemein ganz in das Zentrum seines Denkens traten. Dabei nahm er Gedanken vielfältiger Art aus früheren Aufzeichnungen auf und führte sie weiter. In den auf die Lektüre von Schleier-

Schlöben bei Jena. Aquarell von M. von Hardenberg

machers Reden folgenden Wochen entstanden der Aufsatz *Die Christenheit oder Europa*, einige weitere geistliche Lieder wurden gedichtet, und die Niederschrift der *Hymnen an die Nacht* erfolgte um die Jahreswende.

Zu den Anregungen, die Schleiermachers Schrift vermittelte, kam für Novalis allerdings noch ein Ereignis hinzu, das seiner dichterischen Neigung entscheidende Impulse gab. Es war das «Romantikertreffen» Anfang November 1799 in Jena, das recht eigentlich den Höhepunkt der jungen romantischen Bewegung in ihrem ersten Stadium darstellte. Am 10. November hatte Novalis an der Hochzeit seiner Schwester Caroline mit Friedrich von Rechenberg auf dem Familiengut Schlöben teilgenommen, am folgenden Tag kam er in Jena an, begleitet von seinem Bruder Carl. Friedrich Schlegel war seit Anfang September dort. Seine Fragmentsammlung «Ideen» hatte Hardenberg gerade kommentiert und auf das Freundschaftsbekenntnis «An Novalis» («Nicht auf der Grenze schwebst du, sondern in deinem Geiste haben sich Poesie und Philosophie innig durchdrungen... Was du gedacht hast, denke ich, was ich gedacht, wirst du denken oder hast es schon gedacht.») am Schluß herzlich erwidert: *Du wirst der Paulus der neuen Religion sein, die überall anbricht – einer der Erstlinge des neuen Zeitalters – des Religiösen. Mit dieser Religion fängt sich eine neue Weltgeschichte an... Ein herrliches Gefühl belebt mich in dem Gedanken, daß Du mein Freund bist und an mich diese innersten Worte gerichtet hast.*[321]

Schlegels Lebensgefährtin Dorothea Veit war ihm aus Berlin nachgefolgt. In Jena lebte auch August Wilhelm Schlegel als Professor; seine Frau Caroline fühlte sich allerdings schon zu dem jungen, dreiundzwanzigjährigen Schelling hingezogen, der im Jahre vorher dort eine außerordentliche Professur erhalten hatte und den die zwölf Jahre ältere Frau dann auch später heiratete. «Schelling?» fragt Dorothea in einem Brief an Schleiermacher: «Ich weiß noch nicht viel von ihm, er spricht wenig; sein Äußeres ist aber so, wie man es erwartet; durch und durch kräftig, trotzig, roh und edel. Er sollte eigentlich französischer General sein...»[322] Auch Tieck und seine Frau waren nach Jena gekommen, nachdem sie vorher schon auf der Durchreise die Hardenbergs in Weißenfels besucht hatten.

In den Kreis trat schließlich noch der junge Physiker Johann Wilhelm Ritter, der, ganz und gar Autodidakt, in dürftigen Verhältnissen in Jena wohnte. Novalis begegnete ihm hier zum erstenmal. Er hatte sein Buch über den Galvanismus gelesen und über den Autor an Caroline Schlegel geschrieben: *Ritter ist Ritter und wir sind nur Knappen. Selbst Baader ist nur sein Dichter.*[323] In der Einleitung zu seinen «Fragmenten aus dem Nachlasse eines jungen Physikers» hat Ritter dann in der dritten Person von dieser ersten Begegnung berichtet: «Oftmals hat er sich an N o v a l i s's ersten Besuch bei ihm mit sichtbarer Rührung erinnert. Er lebte damals in der größten Zurückgezogenheit in einer abgelegenen Gasse, in einem kümmerlich ausgestatteten Zimmer, und welches er oft vier Wochen lang nicht verließ; im Grunde, weil er nicht wußte, warum, und zu wem es übrigens auch der Mühe wert sei, zu gehen... In solcher Einsamkeit, und wo unser Freund gewiß nicht glaubte, daß jemand Ursache finden könne, sich um ihn zu kümmern, war es, daß einst ein Mann in sein Zimmer trat, der äußerlich äußerst unbedeutend aussehen konnte, aber kaum noch zu sprechen anfangen durfte, um jedem gleich wie ein uralter Bekannter, der Alles um einen wüßte, und mit dem man im geringsten nicht Umstände nötig habe, zu erscheinen. N o v a l i s und unser Freund verstanden sich den Augenblick; fürs erste lag auch nicht die geringste Merkwürdigkeit in ihrem Zusammenkommen;

letzterem war schlechterdings nur eben, als wenn er einmal l a u t m i t s i c h s e l b e r sprechen könnte.»[324] Für Novalis wiederum war Ritter *von Geist und Herz der herrlichste Mensch von der Welt* [325], und er hat ihm später in seiner Misere auch finanzielle Unterstützung zukommen lassen. Dadurch, daß Ritter mit seinen galvanisch-elektrischen Experimenten *die eigentliche Weltseele der Natur* aufzusuchen und *alle äußre Prozesse* zugleich *als Symbole und letzte Wirkungen innerer Prozesse begreiflich* [326] machen wollte, mußten sie sich sogleich aufs innigste verstehen. Galvanismus wurde deshalb auch eines der großen Themen für bewegte Diskussionen in diesen Tagen, verbanden sich doch in diesem Phänomen chemische und elektrische Vorgänge zu einer Einheit, so daß man schließlich gar in ihm eine Art Mittelglied zwischen Leib und Seele zu sehen glaubte.

Die anderen beiden großen Themen waren Religion und Poesie. «Hardenberg ist hier auf einige Tage», schreibt Dorothea an Schleiermacher. «Sie müssen ihn sehen; denn wenn Sie dreißig Bücher von ihm lesen, verstehen Sie ihn nicht so gut, als wenn Sie einmal Tee mit ihm trinken. Ich rede nur von der reinen Anschauung, zum Gespräch bin ich gar nicht mit ihm gekommen, ich glaube aber, e r vermeidet es; er ist so in Tieck, mit Tieck, für Tieck, daß er für nichts anders Raum findet. Enfin, mir hat er's noch nicht angetan. Er sieht aber wie ein Geisterseher aus, und hat sein ganz eignes Wesen für sich allein, das kann man nicht leugnen. Das Christentum ist hier à l'ordre du jour; die Herren sind etwas toll. Tieck treibt die Religion wie Schiller das Schicksal; Hardenberg glaubt, Tieck ist ganz seiner Meinung; ich will aber wetten was einer will, sie verstehen sich selbst nicht und einander nicht.»[327] Und Friedrich Schlegel berichtet Schleiermacher: «Du kannst es leicht denken, was zwei solche Feuer und Wasser sprudelnde Menschen wie Hardenberg und Tieck für ein Wesen zusammen treiben. Auf den ersten hast Du (nämlich das Du der Reden) eine ungeheure Wirkung gemacht. Er hat uns einen Aufsatz über Christentum vorgelesen und fürs Athenaeum gegeben. Du erhältst ihn mit nächstem selbst, und darum sage ich nichts weiter darüber; ich denke Du wirst Dich doch dann und wann fast sehr über seine Bewunderung verwundern. Auch christliche Lieder hat er uns gelesen; die sind nun das göttlichste was er je gemacht. Die Poesie darin hat mit nichts Ähnlichkeit, als mit den innigsten und tiefsten unter Goethens früheren kleinen Gedichten. Ich werde sie Dir auch abschreiben lassen und schicken ... Die Ironie dazu ist, daß Tieck, der kein solch Lied herausbringt, wenn er auch Millionen innerliche Burzelbäume schlägt, nun auch solche Lieder machen wollen soll; dann nehmen sie noch Predigten dazu, und lassens drucken, und Hardenberg denkt Dir das Ganze zu dedizieren.»[328]

Tieck selbst beschrieb Novalis so: «Sein Gespräch war lebhaft und laut, seine Gebärde großartig, ich habe ihn nie ermüdet gesehn; wenn wir die Unterhaltung auch tief in die Nacht hinein fortsetzten, brach er nur willkürlich ab, um zu ruhen, und las auch dann noch, ehe er ein-

Johann Wilhelm Ritter. Miniatur von unbekannter Hand

schlief. Langeweile kannte er nicht, selbst in drückenden Gesellschaften unter mittelmäßigen Köpfen, denn er entdeckte gewiß irgendeine Person, die ihm eine noch fremde Kenntnis mitteilte, die er brauchen konnte, so geringfügig sie auch sein mochte. Seine Freundlichkeit, seine offne Mitteilung machten, daß er allenthalben geliebt war, seine Virtuosität in der Kunst des Umganges war so groß, daß geringere Köpfe es niemals wahrgenommen haben, wie sehr er sie übersah.»[329]

Was Novalis in dem kritisch-enthusiastischen Freundeskreis vorgetragen hatte, waren einige seiner geistlichen Lieder, die er im Laufe der vergangenen Monate und insbesondere seit der Lektüre von Schleiermachers Reden «Über die Religion» verfaßt hatte, und dann sein «Aufsatz über Christentum», *Die Christenheit oder Europa*, der ein poetisches Lob der harmonischen Christlichkeit in den *echtkatholischen Zeiten* [330] enthielt und zugleich die Hoffnung auf ein neues Papsttum und auf die Religion als Friedensstifterin verkündete, so daß Schelling, an Ort und Stelle zu seinem «Epikurisch Glaubensbekenntnis Heinz Widerporstens» hingerissen, spottete:

> Drum, sollt's eine Religion noch geben
> (Ob ich gleich kann ohne solche leben),
> Könnte mir von den andern allen
> Nur die katholische gefallen,
> Wie sie war in den alten Zeiten,
> Da es gab nicht Zanken noch Streiten,
> Waren alle ein Mus und Kuchen,
> Täten's nicht in der Ferne suchen,
> Täten nicht nach dem Himmel gaffen
> Hatten von Gott 'n lebend'gen Affen,
> Hielten die Erde fürs Zentrum der Welt,
> Zum Zentrum der Erde Rom bestellt,
> Darin der Statthalter residiert
> Und der Weltteile Zepter führt,
> Und lebten die Laien und die Pfaffen
> Zusammen wie im Land der Schlaraffen. [331]

Zu einer Veröffentlichung der beiden gegensätzlichen Werke Hardenbergs und Schellings im «Athenaeum» kam es dann allerdings nicht. Man konnte sich im Kreise der Freunde nicht entscheiden und beschloß endlich, einen Schiedsrichter anzurufen. Denn während sich die jungen Gemüter über Galvanismus, Religion und Poesie erhitzten, war nur wenige Häuser entfernt Goethe bei Schiller zu Gast. Aber, wie Dorothea schrieb: «Zu Schiller geht man nicht; also, ich werde in Rom gewesen sein, ohne dem Papst den Pantoffel geküßt zu haben.» [332] Aber den Papst traf sie dann doch noch. «Nun hören Sie! Gestern Mittag bin ich mit Schlegels, Caroline, Schelling, Hardenberg und einem Bruder von ihm, dem Lieutenant Hardenberg im Paradiese (so heißt ein Spaziergang hier), wer erscheint plötzlich vom Gebirg herab? Kein andrer als die alte göttliche Exzellenz, Goethe selbst. Er sieht die große Gesellschaft und weicht etwas aus, wir machen ein geschicktes Manöver, die Hälfte der Gesellschaft zieht sich zurück, und Schlegels gehn ihm mit mir grade entgegen. Wilhelm führt mich. Friedrich und der Lieutenant gehen hinterdrein. Wilhelm stellt mich ihm vor, er macht mir ein auszeichnendes Kompliment, dreht ordentlicherweise mit uns um, und geht wieder zurück, und noch einmal herauf mit uns, und ist freundlich und lieblich und ungezwungen und aufmerksam gegen Ihre gehorsame Dienerin... Ich habe mir ihn immer angesehen und an alle seine Gedichte gedacht; dem Wilhelm Meister sieht er jetzt am ähnlichsten. Sie müßten sich tot lachen, wenn Sie hätten sehen können, wie mir zu Mute war, zwischen Goethe und Schlegel zu gehen.» [333]

Die Exzellenz wurde dann schließlich auch gebeten, über die «Christenheit» zu entscheiden. Goethe riet, beide, Bekenntnis und Gegenbekenntnis, im «Abyssus des Ungedruckten», wie es Friedrich Schlegel ausdrückte [334], ruhen zu lassen, und sein Rat wurde angenommen. Die Motive Goethes mögen zunächst diplomatischer und staatskluger Natur gewesen sein, denn das intellektuelle und das offizielle Sachsen-Weimar waren gerade erst durch den Atheismus-Streit um Fichte in gehörige Aufregung versetzt worden. Zudem lag Goethe dergleichen aber auch nicht; er war in diesen Tagen dabei, seine Bearbeitung von Voltaires «Mahomet» abzuschließen, in dem über scheinreligiösen Fanatismus zu Gericht gesessen wurde. Und schließlich hatte auch schon seine Lektüre der Reden Schleiermachers «in einer gesunden und fröhlichen Abneigung» geendet.[335]

August Wilhelm Schlegel lobte die Gründlichkeit und Väterlichkeit, mit der sich Goethe des schwierigen Schiedsrichteramtes in Sachen Religion angenommen hatte. Sein Rat verdiene alle Rücksicht, «besonders da er eine große Erfahrung in diesem Fache hat, in dem er, wie er sagt, sich nun, Gott sei gepriesen! an die dreißig Jahre in der Opposition befindet»[336].

Am 15. November gingen Novalis und Tieck zu einem kurzen Besuch nach Weimar, wo sie Jean Paul trafen. Dann erwartete den Verfasser der Christenheit wieder nüchterne Tätigkeit auf den Salinen in Kösen, Dürrenberg und Artern. An diesem Ort und in diesen Tagen begann Novalis auch die Arbeit an seinem Heinrich von Ofterdingen.

POETISCHES CHRISTENTUM

Der Aufsatz Die Christenheit oder Europa erschien erst 25 Jahre nach Novalis' Tode, zu einer Zeit, da der frühromantische Religionsenthusiasmus längst verklungen war und nichts mehr von manchen zeitgenössischen Nöten verstanden wurde, denen zu steuern damals des Verfassers Absicht gewesen war. So wurde und wird die Schrift immer noch als eine Art politisches Manifest der Heiligen Allianz angesehen, von der 1799 nun wirklich noch nicht die Rede sein konnte. Allerdings, auch unter Novalis' nächsten Freunden begriffen ihn nur wenige, und diese wenigen lediglich zu einem gewissen Teil. Die Verständnisschwierigkeiten, denen sich Novalis hier gegenübersah, waren ähnlich wie bei Glauben und Liebe. Denn auch in der Christenheit bediente er sich im Grunde einer Tropen- und Rätselsprache, die erst entschlüsselt werden mußte, wollte man als Eingeweihter den rechten Sinn erkennen. Solches Aufschließen aber wurde dadurch erschwert, daß die Gedanken hier im Gewande realer historischer Ereignisse auftraten. Jedoch, ein Stück Geschichtsschreibung wollte Novalis nicht liefern. Was er vortrug, war der triadische Ablauf menschlicher Selbsterkenntnis, wie er ihn bei Fichte abstrakt-philosophisch dargestellt gefunden und wie er ihn auch an sich selbst erfahren hatte. Der gleiche Prozeß sollte nun, als für die gesamte Menschheit gültig, an historischen Beispielen sichtbar gemacht werden.

Die Struktur des Aufsatzes ist höchst einfach, für Mißverständnisse geradezu gefährlich einfach. *Es waren schöne glänzende Zeiten, wo Europa ein christliches Land war, wo Eine Christenheit diesen menschlich gestalteten Weltteil bewohnte; Ein großes gemeinschaftliches Interesse verband die entlegensten Provinzen dieses weiten geistlichen Reichs. — Ohne große weltliche Besitztümer lenkte und vereinigte Ein Oberhaupt die großen politischen Kräfte.* Diese schöne, kindlich heitere Harmonie aber schwand dahin, der *heilige Sinn* für die Verbindung zwischen Endlichkeit und Ewigkeit ging verloren, denn *noch war die Menschheit für dieses herrliche Reich nicht reif, nicht gebildet genug* [337]. Seit dem Mittelalter setzte ein Prozeß einer allmählichen Auflösung dieser ursprünglichen Einheit ein. *Glauben und Liebe* dankten ab und machten *Wissen und Haben Platz.* [338] Verfall der Geistlichkeit, Aufstieg des Protestantismus und schließlich das Gedankengut der Aufklärung, in der die Welt *ein echtes Perpetuum mobile, eine sich selbst mahlende Mühle* [339] wurde, bezeichneten die Stufen eines solchen Zersetzungsprozesses. Am Ende stand die Blutherrschaft der Französischen Revolution. *Aber wahrhafte Anarchie ist das Zeugungselement der Religion. Aus der Vernichtung alles Positiven hebt sie ihr glorreiches Haupt als neue Weltstifterin empor.* [340] Ein *neues Jerusalem*, eine neue goldene, *heilige Zeit des ewigen Friedens*, eine *neue, dauerhaftere Kirche* [341] würden heraufkommen, wenn sich die Menschen auf sich selbst besännen, wenn sie erkennten, was der Verfasser selbst erkannt hatte: *Alle eure Stützen sind so schwach, wenn euer Staat die Tendenz nach der Erde behält, aber knüpft ihn durch eine höhere Sehnsucht an die Höhen des Himmels, gebt ihm eine Beziehung auf das Weltall, dann habt ihr eine nie ermüdende Feder in ihm, und werdet eure Bemühungen reichlich gelohnt sehn. An die Geschichte verweise ich euch, forscht in ihrem belehrenden Zusammenhang, nach ähnlichen Zeitpunkten, und lernt den Zauberstab der Analogie gebrauchen.* [342]

Mit diesem *Zauberstab der Analogie* hatte Novalis hier die Geschichte berührt, wie im Jahre zuvor in seinem Enzyklopädie-Unternehmen die Naturwissenschaften. Auch die Geschichte sollte unter solch magischer Berührung die hinter allen Einzelerscheinungen liegenden großen Gesetze offenbaren. Novalis ging es also darum, sichtbar zu machen, daß sich nicht durch politische Aktion, sondern nur unter der Leitung und Führung des sich seines höheren Ursprungs bewußten Geistes eine Welterneuerung bewirken ließe. Ein tausendjähriges Reich werde beginnen, *wenn die Erziehung zur Vernunft vollendet sein wird*, hatte er sich schon vor Jahren in den Fichte-Studien notiert. Jetzt, nach seiner eigenen Transzendenzerfahrung und nach der weiten, umfassenden Bestimmung, die Schleiermacher dem Begriff Religion gegeben hatte, konkretisierte sich Novalis' Hoffnung auf eine Erneuerung der Welt aus dem Glauben, insbesondere des christlichen.

Nun darf nicht übersehen werden, daß in eben diesen Jahren in Europa ein sehr reales Bedürfnis nach Frieden bestand. Der zweite Koalitionskrieg gegen Frankreich hatte 1799 begonnen. Napoleon war am 9. Oktober 1799, von Ägypten kommend, bei Fréjus gelandet und hatte am 9. November, dem 18. Brumaire, die Direktorialregierung gestürzt. Der Papst war, aus Rom vertrieben, am 29. August 1799 in der Haft in Frankreich gestorben, und ein neuer durfte auf Anordnung der Franzosen zunächst nicht gewählt werden. Novalis' Appell also zur Stiftung *einer neuen dauerhafteren Kirche*, nun, da *das alte Papsttum im Grabe* lag [343], hatte eher den sehr modernen Gedanken einer Vereinigung der christlichen Kirchen im Sinne als den einer Wiederherstellung eines konfessionellen oder gar mittelalterlichen Katholizismus. Außerdem konnte sich Novalis auf Kant und Schleiermacher berufen, die beide die Errichtung einer «alle Menschen auf immer vereinigenden Kirche» [344], einer universalen «wahren Kirche» [345] gefordert hatten. Überhaupt schien – und hier greift Novalis auf frühere Gedanken zurück – Deutschland in dieser Hinsicht den anderen Nationen voraus zu sein. Das Ideal eines «ewigen Friedens» hatte Kant bereits im Jahre 1795 nach dem Frieden zu Basel beschworen. Lessings programmatische Schrift «Die Erziehung des Menschengeschlechts» aus dem Jahre 1780 mit der Hoffnung auf «die Zeit eines neuen, ewigen Evangeliums» zitiert Novalis am Ende seines Aufsatzes sogar wörtlich. Auf Goethe, den Dichter und Naturwissenschaftler, spielt er in seinem Aufsatz ebenfalls an, und schließlich auch auf Schleiermacher, den *Bruder*, der *der Herzschlag der neuen Zeit* sei und mit seiner neuen umfassenden Deutung der Religion *einen neuen Schleier für die Heilige gemacht* [346] habe. Auch besaßen Sätze wie der folgende ihre Aktualität, und sie haben sie nicht verloren, nur daß sich ihr Anwendungsbereich längst erweitert hat: *Es wird so lange Blut über Europa strömen, bis die Nationen ihren fürchterlichen Wahnsinn gewahr werden, der sie im Kreise herumtreibt und von heiliger Musik getroffen und besänftigt zu ehemaligen Altären in bunter Vermischung treten, Werke des Friedens vornehmen und ein großes Liebesmahl, als Friedensfest, auf den rauchenden Wahlstätten mit heißen Tränen gefeiert wird.* [347]

Trotz allem waren Mißverständnisse nicht zu vermeiden. Novalis wollte zeigen, daß die Fähigkeit zu humanistischer Regeneration in der Geschichte immer angelegt war. *Was jetzt nicht die Vollendung erreicht, wird sie bei einem künftigen Versuch erreichen.* [348] Aber die Gefahr, Demonstrationen am untauglichen Objekt vorzunehmen, bestand hier in noch größerem Maße als bei seiner Schrift über den preußischen König und dessen Königin. Denn die tatsächliche historische Funktion der einzelnen Ereignisse und Gestalten war doch eine beträchtlich andere, als sie ihnen Novalis in seiner poetisch-exemplarischen Vorzeichnung eines «höheren» Geschichtsablaufs gab. Das betrifft ebenso seine Einschätzung des Protestantismus wie des Jesuitenordens, in dem er *eine organische Sehnsucht nach unendlicher Verbreitung und ewiger Dauer* [349] fühlte, also im Grunde eine Vorform jenes geistigen *Ritterordens* und der *Kosmopolitenloge,* die er selbst zu stiften trachtete; und es betrifft natürlich auch seine Einschätzung von Aufklärung und Französischer Revolution. Wie gesagt, es ging ihm nicht darum, Dienste als Historiker zu leisten, sondern historische Ereignisse als Mosaiksteine zu benutzen, aus denen er sein eigenes Bild von der Geburt des ewigen Friedens aus der Kraft des Geistes und des Glaubens zusammensetzen wollte, aber er mußte damit das Risiko auf sich nehmen, Verwirrung zu stiften und eben mißverstanden zu werden. Und schließlich mußte jedem, dem nicht seine ganze Lebensgeschichte und innere Entwicklung wie seine Gedanken vom Mittlertum vertraut waren, manche Behauptung als verantwortungsloser, leerer Mystizismus erscheinen, so, wenn es hieß, daß der Genius der neuen, *großen Versöhnungszeit unter zahllosen Gestalten den Gläubigen sichtbar* werden könne: *als Brot und Wein verzehrt, als Geliebte umarmt, als Luft geatmet, als Wort und Gesang vernommen, und mit himmlischer Wollust, als Tod, unter den höchsten Schmerzen der Liebe in das Innre des verbrausenden Leibes aufgenommen* [350]. Bei allen Vorbehalten darf nur eines nicht übersehen werden: um eine Rückkehr in etwas Vergangenes war es Novalis nie und nimmer zu tun. Schon in einem Fragment im *Blütenstaub* hatte es geheißen: *Nichts ist poetischer als Erinnerung und Ahndung oder Vorstellung der Zukunft. Die Vorstellungen der Vorzeit ziehn uns zum Sterben, zum Verfliegen an. Die Vorstellungen der Zukunft treiben uns zum Beleben, zum Verkörpern, zur assimilierenden Wirksamkeit. Daher ist alle Erinnerung wehmütig, alle Ahndung freudig.* [351] Leben war der Moment zwischen diesen beiden Polen, und es wurde nur sinnvoll, wenn man sich dieser Spannung bewußt war und daraus die Kraft zog zur Erhebung, zum Fortschreiten auf eine harmonische, poetische, friedvolle Gesellschaft. Wie sehr Novalis auf praktische, in die Zukunft weisende Wirksamkeit aus war, zeigen auch weitere Pläne: da der Aufsatz nicht im «Athenaeum» erscheinen konnte, wollte er ihn mit anderen *öffentlichen Reden* drukken lassen, zum Beispiel *an Buonaparte, an die Fürsten, ans europäische Volk, für die Poesie, gegen die* – alte – *Moral, an das neue Jahrhundert* [352].

Mit dem Verständnis seiner *Geistlichen Lieder* hatte es Novalis leichter, denn hier konnte er das, was er in der *Christenheit oder Europa* an der Geschichte exemplifiziert hatte, in sehr viel persönlicherer und auch unmittelbar poetischer Form darstellen. Hatte er in der Christenheit eine eigene Geschichtsmythologie zu schaffen versucht, so beschränkte er sich hier auf die jedermann geläufige Mythologie des Christentums.

Die *Geistlichen Lieder* sind nicht als ein in sich geschlossener Zyklus verfaßt worden, als der sie in den meisten Ausgaben der Werke zusammenstehen. Was Novalis in Jena vorgelesen hatte, waren allenfalls die ersten sechs: *Was wär ich ohne dich gewesen, Fern im Osten wird es helle, Wer einsam sitzt in seiner Kammer, Unter tausend frohen Stunden, Wenn ich ihn nur habe, Wenn alle untreu werden,* und dazu vielleicht zwei oder drei weitere, während die restlichen zu anderen Zeiten unter anderen Voraussetzungen und zum Teil sogar als Rollenlyrik für den Roman *Heinrich von Ofterdingen* entstanden sind. Novalis selbst hat die Lieder nicht so zusammengestellt, wie sie heute zumeist erscheinen.

Ganz abgesehen von der besonderen Religionsbegeisterung des frühromantischen Kreises war das Abfassen geistlicher Lieder damals eine sehr viel allgemeinere und selbstverständlichere Dichterübung als in späteren Zeiten. Es sei nur an die religiösen Dichtungen Gellerts, Klopstocks, Claudius' und Lavaters erinnert. Zur gleichen Zeit waren verschiedene Versuche im Gange, die protestantischen Gesangbücher zu reformieren und umzugestalten. Erst Weihnachten 1796 hatte man in Leipzig ein altes, mit vielen geschmacklosen Hymnen bestücktes Gesangbuch aus dem Anfang des Jahrhunderts abgeschafft, und auf landesherrliches Geheiß war eine Kommission zur Erneuerung der Gesangbücher zusammengetreten. Novalis' Plan also zu einem *neuen, geistlichen Gesangbuch* hatte seine Entsprechung in einer allgemeinen Tendenz der Zeit und insbesondere seiner engeren Heimat. So haben seine Lieder denn auch bald Eingang in viele lutherische Gesangbücher gefunden. Die Gedichte sollten allerdings nach seinem Willen einen besonderen Charakter tragen. In den Liedern Lavaters zum Beispiel fand er noch zu viel Irdisches: *Die Lieder müssen weit lebendiger, inniger, allgemeiner und mystischer sein.*[353] Ihrem Wesen nach sind deshalb auch Novalis' geistliche Lieder nichts anderes als eine freie Gestaltung seiner innersten, persönlichen Überzeugung von der Existenz einer höheren, transzendenten Welt und von der heilenden, friedenstiftenden Kraft, die solche Erkenntnis der Menschheit bedeuten kann. Das soll nicht heißen, daß sich Novalis nicht als Christ empfunden hat, aber in die Dogmatik einer christlichen Konfession passen diese Lieder ebensowenig wie die *Christenheit oder Europa* in ein Geschichtsbuch. Auslassungen oder Umdichtungen in den einzelnen Gesangbüchern bestätigen kirchliches Mißtrauen gegen die freie, romantische Religiosität, die hier gestaltet wurde.

Die Lieder lassen sich in zwei Gruppen einteilen: in solche, die die Erweckung des Dichters zum Bewußtsein von einer höheren Welt darstellen, und in solche, die missionarisch-apostolisch diese Erkenntnis der Gemeinde zugänglich machen wollen. Aufrufe wie

> *O! geht hinaus auf allen Wegen*
> *Und holt die Irrenden herein* [354]

oder

> *Dich muß, wie mich, ein Wesen trösten,*
> *Das innig liebte, litt und starb;*
> *Das selbst für die, die ihm am wehsten*
> *Getan, mit tausend Freuden starb* [355]

charakterisieren den missionarischen Geist. Bezeichnend für die persönlichen Erweckungslieder ist das folgende:

Unter tausend frohen Stunden,
So im Leben ich gefunden,
Blieb nur eine mir getreu;
Eine, wo in tausend Schmerzen
Ich erfuhr in meinem Herzen,
Wer für uns gestorben sei.

Meine Welt war mir zerbrochen,
Wie von einem Wurm gestochen
Welkte Herz und Blüte mir;
Meines Lebens ganze Habe,
Jeder Wunsch lag mir im Grabe,
Und zur Qual war ich noch hier.

Da ich so im stillen krankte,
Ewig weint' und wegverlangte,
Und nur blieb vor Angst und Wahn:
Ward mir plötzlich wie von oben
Weg des Grabes Stein gehoben,
Und mein Innres aufgetan.

Wen ich sah, und wen an seiner
Hand erblickte, frage keiner,
Ewig werd' ich dies nur sehn;
Und von allen Lebensstunden
Wird nur die wie meine Wunden
Ewig heiter, offen stehn.[356]

Es liegt nahe, hier Biographisches hineinzulesen und an *Christus und Sophie* zu denken. Durch jene persönliche Erfahrung von der fortdauernden Existenz der Toten war ja erst seiner philosophischen Überzeugung, daß einem alles bleibe, was man liebe, Gewißheit gegeben worden. Der Grabstein aber hatte das Innere zugedeckt: das Grab befand sich im Menschen selbst. Novalis spricht also hier und später wieder eine *Tropen- und Rätselsprache*, so auch, wenn er in dem vielleicht bekanntesten der *Geistlichen Lieder* sagt:

Wenn ich ihn nur habe
Hab ich auch die Welt
Selig, wie ein Himmelsknabe
Der der Jungfrau Schleier hält
Hingesenkt im Schauen
Kann mir vor dem Irdischen nicht grauen.[357]

Denn da steht neben dem Bild Christi zugleich das der «Sixtinischen Madonna» deutlich vor Augen, der Gottesmutter; und Mütterliches und Jungfräuliches verbinden sich zu Manifestationen der Liebe überhaupt.

Solche auf Biographisches nicht einfach zurückführbare, Inneres und Äußeres in neue sprachliche Relation setzende Bildlichkeit hat nun besonders das Verständnis von Novalis' einziger in sich abgeschlossener Dichtung, den *Hymnen an die Nacht*, beeinträchtigt. Auch ihnen gegenüber wird man ungerecht bleiben, wenn man darin nach biographischer oder historischer Wirklichkeit und deren Verklärung durch dichterische Symbole sucht. Novalis hat hier vielmehr eine Sprache gefunden, die umgekehrt in ihren Bildern, Zeichen und Begriffen zum Mittler zwischen dem *Unendlichen und Endlichen* wird. In der Bildersprache der *Hymnen* mischen sich zwar die Sphären des Religiösen und Erotischen, des Geschichtlichen wie auch des persönlichen Lebensbereichs des Dichters, und manches an solcher Mischung war besonders in dem Novalis vertrauten Sprachschatz des Pietismus schon vorgezeichnet, aber er bildete es doch hier zu einer durchaus eigenen und einzigartigen, hinreißenden dichterischen Einheit um.

Die *Hymnen an die Nacht* wurden um die Jahreswende 1799/1800 auf vier großen Folioblättern niedergeschrieben. Man hat vermutet, daß dieser Niederschrift andere Fassungen vorausgingen, aber stichhaltige Beweise haben sich bisher dafür nicht finden lassen. Gedruckt erschienen sie noch zu Novalis' Lebzeiten im sechsten und letzten Heft des «Athenaeum» im August 1800. Die erste Fassung hatte allerdings eine Reihe von zumeist kleineren Korrekturen erfahren, und die Absetzung in freie Verse war im Druck fast durchgehend aufgehoben worden. Nach Novalis' Willen sollte das Werk den Titel «An die Nacht» tragen. *Friedrichen sage,* schrieb er am 23. Februar 1800 Ludwig Tieck, *daß es gut sei, wenn er das Wort «Hymnen» wegließe.*[358]

Von allen Dichtungen Hardenbergs erscheinen die *Hymnen an die Nacht* als die intimsten, denn in ihnen wird noch einmal wörtlich Bezug genommen auf jene Vision am Grabe Sophies, die er in seinem Tagebuch vom 13. Mai 1797 verzeichnete. Die *Hymnen* aber wurden zu einer Zeit verfaßt, als die Heirat mit Julie von Charpentier schon fest beschlossen war und Hardenberg eben seine Anstellung als Salinen-Assessor erhalten hatte, die ihm die finanzielle Voraussetzung für die Gründung einer Familie bot. Während er an seiner Dichtung arbeitete, sandte er gleichzeitig eine Reihe von Dankschreiben an sächsische Regierungsmitglieder und Hofbeamte.

Der scheinbare Widerspruch klärt sich, wenn man die *Hymnen an die Nacht* nicht als «Erlebnisdichtung» betrachtet, sondern als poetische Summe der inneren Entwicklung, die der Dichter bis zum Romantikertreffen in Jena durchgemacht hatte. Die *Hymnen* beginnen nicht mit einer Totenklage, sondern mit dem Preis des Lichts, das allein die *Wunderherrlichkeit der Reiche der Welt* offenbart. Es hatte bisher als der unumstrittene *König der irdischen Natur*[359] gegolten, sein Gegensatz aber, die Nacht, war nur als Nicht-Licht, als Dunkelheit erschienen. Als aber dem vom Schmerz der Trennung und des Todes betroffenen Dichter die Nacht eine visionäre Traumerscheinung der verlorenen Geliebten bringt, erkennt er die eigene Schönheit und Macht dieses inneren Reiches: *Preis der Weltkönigin, der hohen Verkündigerin heiliger Welten, der Pflegerin seliger Liebe.*[360] Das Licht offenbart die Schönheiten der irdischen Welt, indem es beleuchtet, unterscheidet, trennt; die Nacht deckt das Gegensätzliche zu und hebt das Trennende auf. Es ist ein dialektisches Gegen- und Zusammenspiel, das auf Synthese und Vereinigung angelegt ist, so wie König und Königin erst gemeinsam das Symbol der Harmonie sind. In Gottes Angesicht wird einst ein höheres Licht leuchten:

> *Die Lieb' ist frei gegeben,*
> *Und keine Trennung mehr.*
> *Es wogt das volle Leben*
> *Wie ein unendlich Meer.*
> *Nur Eine Nacht der Wonne —*
> *Ein ewiges Gedicht —*
> *Und unser aller Sonne*
> *Ist Gottes Angesicht.*[361]

Das ist der Grundgedanke der Dichtung, die also so einseitig nicht auf das Nächtige und Dunkle gerichtet ist, wie es bei oberflächlicher Betrachtung den Anschein hat.

Innerhalb dieses Rahmens stellt nun Novalis in zwei parallelen Gedankengängen seine persönliche Erweckung zur Erkenntnis solcher hohen Synthese und, wiederum sinnbildlich, den möglichen Erweckungsprozeß der gesamten Menschheit dar. In diesem Zusammenhang wird noch einmal in den *Hymnen* die Stelle aus dem Tagebuch vom 13. Mai 1797 — mit einigen Veränderungen — verwendet: *Da kam aus blauen Fernen — von den Höhen meiner alten Seligkeit ein Dämmerungsschauer — und mit einemmale riß das Band der Geburt — des Lichtes Fessel. Hin floh die irdische Herrlichkeit und meine Trauer mit ihr — zusammen floß die Wehmut in eine neue, unergründliche Welt — du Nachtbegeisterung, Schlummer des Himmels kamst über mich — die Gegend hob sich sacht empor; über der Gegend schwebte mein entbundner, neugeborner Geist. Zur Staubwolke wurde der Hügel — durch die Wolke sah ich die verklärten Züge der Geliebten. In ihren Augen ruhte die Ewigkeit — ich faßte ihre Hände, und die Tränen wurden ein funkelndes, unzerreißliches Band. Jahrtausende zogen abwärts in die Ferne, wie Ungewitter. In ihrem Halse weint ich dem neuen Leben entzückende Tränen.*[362] Die Nabelschnur, die ihn fest an das die irdische Welt beherrschende Licht band, ist gerissen, und die Neugeburt macht ihn hinfort zum Bürger zweier Welten. Durch die Mittlerschaft der toten Geliebten ist ihm die Existenz eines transzendentalen Universums zum Bewußtsein gekommen, zugleich aber auch die Tatsache, daß er diesem Universum hier schon angehören kann. Denn mit solcher Erkenntnis ist ihm von der *Mutter*, der Nacht, der Auftrag geworden, diese irdische Welt *zu heiligen mit Liebe* [363]. Und wenn er nun auch nicht seine Treue an diese höhere Welt aufgeben wird, so bleibt doch der Entschluß: Gern will er *die fleißigen Hände rühren, überall umschaun* [364], wo das Licht, der König des Tages, ihn braucht. Es ist Novalis' eigene Lebensproblematik, die hier dichterische Gestaltung und damit Auflösung erfährt. Die große, unausweichliche Tatsache des Todes wird nicht dem Leben entgegengesetzt; durch deren rechtes Verständnis wird der Mensch vielmehr überhaupt erst zu einem *neuen Leben*, einer seiner selbst als geistigem Wesen würdigen Existenz befähigt.

Solche Auseinandersetzung mit dem Phänomen des Todes ist auch historisch von Bedeutung. Einmal wurde hier die christliche Glaubenstatsache vom «himmlischen Vaterlande» neu im Individuum selbst erfahren und wesentlich auf diese individuelle Erfahrung gestützt. Das schloß aber die Gefahr des Solipsismus und damit des Umschlags in eine Welt- und Gottverlorenheit mit ein, der andere Romantiker dann später auch zum Opfer gefallen sind und aus der sich manche nur durch neue kirchliche Bindungen gerettet haben. Andererseits aber wurde durch die Gestaltung dieser Erfahrungen auch das Vermögen, in die Tiefen der menschlichen Seele einzudringen, um eine neue Dimension erweitert.

Was in den ersten vier Hymnen als des Dichters persönliches Erweckungserlebnis dargestellt wird, erfährt in der fünften Hymne eine Wendung ins Allgemeine. War für den Dichter die Geliebte Mittler zu der Erkenntnis eines höheren Daseins, so wird Christus die gleiche Funktion für die gesamte Menschheit zuteil. Um das darzustellen, benutzt Novalis, wie in der *Christenheit oder Europa*, Bilder aus dem Bereich der Geschichte. Auf Antike und Judentum, Renaissance und Aufklärung wird angespielt, aber was Novalis mit historischen Bildern darstellt, ist im Grunde ein innerer Vorgang, den durchzumachen die Menschheit zu jeder Zeit in der Lage ist. Gewiß muß sich ein solcher Prozeß im einzelnen Menschen notwendigerweise in der Zeit vollziehen, im ganzen aber ist das goldene Zeitalter immer unter uns, wenn wir es nur mit der Kraft unseres Bewußtseins erkennen und herbeiführen wollen. Das ist die Botschaft, die Novalis mit seiner Dichtung verkünden wollte und für die er aus tiefer Erfahrung das dichterische Bild von der Überwindung des Todes wählte. In solchem Sinne ist schließlich auch die letzte Hymne zu verstehen, die die Überschrift *Sehnsucht nach dem Tode* trägt und die beide Bereiche, den persönlichen des Dichters und den menschheitsgeschichtlichen, zusammenfaßt:

> *Hinunter zu der süßen Braut,*
> *Zu Jesus, dem Geliebten —*
> *Getrost, die Abenddämmrung graut*
> *Den Liebenden, Betrübten.*
> *Ein Traum bricht unsre Banden los*
> *Und senkt uns in des Vaters Schoß.* [365]

Die Saline Artern. Stich, 1829

Diesen Zeilen wird man nicht gerecht, wenn man sie im strengen Sinne beim Wort nimmt. Der Tod, von dem hier gesprochen wird, ist nicht Auslöschen der physischen Existenz, sondern mystischer Übergang in eine höhere. Zu Jesus, der Braut, dem Himmel und schließlich Gott selbst geht es *hinunter*, in die Tiefen des eigenen Selbst, aus denen der Dichter, wie Orpheus, wieder hervorsteigen muß, um den anderen von diesem *ewigen Gedicht*, das er in *Gottes Angesicht* empfunden hatte, mitzuteilen. Und eine derartige Erkenntnis von der Weltmission des Dichters führte Friedrich von Hardenberg dann auch auf die Gestalt des Heinrich von Ofterdingen.

HEINRICH VON OFTERDINGEN

Aus Artern am Fuße der Goldenen Aue und in der Nähe des Kyffhäuser berichtete Friedrich von Hardenberg dem Finanzrat von Oppel Anfang Dezember 1799 von seinen Untersuchungen zur Auffindung von «Erdkohlen». Daß er ihm nicht schon eher geschrieben habe, entschuldigt er durch *mannigfaltige kleine Reisen und Beschäftigungen* [366]. Denn in eben diesen Tagen und an eben diesem Orte hatte er die Arbeit an seinem *Heinrich von Ofterdingen* begonnen. Die Bibliothek Karl Wilhelm Ferdinand von Funcks, des Biographen Kaiser Friedrichs II., war ihm dabei von Nutzen, gehörte doch der sagenhafte Sänger in die Welt dieses letzten großen deutschen Fürsten des Mittelalters. War es also auf eine Verklärung des Mittelalters abgesehen, wie man sie schon aus dem Aufsatz *Die Christenheit oder Europa* hatte geglaubt herauslesen zu können? Das Lokalkolorit von Novalis' Roman ist jedoch äußerst blaß, und das Buch allenfalls durch ein paar Namen und die Erwähnung der Kreuzzüge überhaupt auf das 13. Jahrhundert festzulegen. Auch von der wundersamen Einheit der mittelalterlichen Christenheit ist nicht die Rede, und die christlichen Kreuzritter erscheinen eher als etwas suspekte Haudegen.

Novalis hatte in der Tat ein anderes Ziel, als eine historische Erzählung zu verfassen oder die wehmütige Anhänglichkeit an vergangene Zeiten zu fördern. Schon lange trug er sich mit dem Gedanken, einen Roman zu schreiben. Goethes «Meister» hatte den entscheidenden Anstoß gegeben, Tieck und Schlegel waren vor kurzem mit dem «Sternbald» und der «Lucinde» an die Öffentlichkeit getreten. Seine eigenen *Lehrlinge zu Sais* waren jedoch nicht weiter gediehen, und dennoch fühlte auch er, daß erst der Roman die rechte Ausdrucksform für das sein konnte, was ihn bewegte. Denn: *Der Roman, als solcher, enthält kein bestimmtes Resultat – er ist nicht Bild und Faktum eines S a t z e s. Er ist anschauliche Ausführung – Realisierung einer Idee. Aber eine Idee läßt sich nicht in einen Satz fassen. Eine Idee ist eine u n e n d l i c h e R e i h e v o n S ä t z e n.*[367] Dieser Gedanke, schon 1798 niedergeschrieben, erklärt nicht nur Novalis' besonderes Interesse am Roman, sondern zeigt im Keim auch schon seine Vorstellungen von dem, was ein Roman zu sein habe. Die darzustellende Idee lag im Kopf bereit: es war die Durchdringung des Ichs und der Welt mit dem Bewußtsein von der Existenz eines unendlichen Reiches der Liebe, des Friedens und der Eintracht. Die Rolle des Missionars dabei fiel dem Priester-Dichter, dem romantischen Poeten zu. Keine Form konnte zu solchem dichterischen Vorsatz umfassender sein als eben der Roman, der in den theoretischen Überlegungen von Novalis und Friedrich Schlegel epische, dramatische und lyrische Elemente in sich aufnehmen sollte und somit für die Verwirklichung einer «progressiven Universalpoesie» das geeignetste Instrument war. Denn um die Darstellung des Universellen, um die Realisierung des Unendlichen, nicht um die Idealisierung des Endlichen, war es Novalis eigentlich zu tun: *Übergangsjahre vom Unendlichen zum Endlichen* sollte sein Roman enthalten, wie er früher schon an Caroline Schlegel geschrieben hatte. Um allerdings die Weltmission der Poesie auch poetisch sichtbar zu machen, bedurfte es einer «Welt». Weder das in viele Einzelstaaten zerklüftete Deutschland noch das durch Krieg und Revolution unüberschaubar verwirrte Europa seiner Zeit waren der geeignete Stoff für eine solche Aufgabe, während das Mittelalter in seiner Internationalität sich dafür am ehesten öffnete und dem Dichter erlaubte, in Dimensionen zu gehen, die ihm die eigene Epoche nie erschlossen hätte.

Mit alledem stand Novalis in bewußtem Gegensatz zu Goethe. *Goethe wird und muß übertroffen werden – aber nur wie die Alten übertroffen werden können, an Gehalt und Kraft, an Mannigfaltigkeit* und Tiefsinn – als Künstler eigentlich nicht[368], hatte er 1798 geschrieben. Jetzt, während der Arbeit am *Ofterdingen*, setzte er sich noch einmal intensiv mit dem «Wilhelm Meister» auseinander und kam zu jener scheinbar vernichtenden Kritik, die dann, allzuoft außerhalb des Zusammenhangs zitiert, eine Feindlichkeit vorgetäuscht hat, die in diesem Maße nicht bestand. Auch wenn Novalis nicht gerade Grund hatte, Goethe persönlich dankbar oder ergeben zu sein, so geschah doch seine Kritik auf dem Hintergrund einer prinzipiellen, wenn auch hier unausgesprochenen Verehrung. In einem Notizheft vom 11. Februar 1800 heißt es: *G e g e n   W i l h e l m   Meisters Lehrjahre. Es ist im Grunde ein fatales und albernes Buch – so prätentiös und preziös – undichterisch im höchsten Grade, was den Geist betrifft – so poetisch auch die Darstellung ist. Es ist eine Satire auf die Poesie, Religion ... Das Ganze ist ein nobilitierter Roman. Wilhelm Meisters Lehrjahre, oder die Wallfahrt nach dem Adelsdiplom. Wilhelm Meister ist eigentlich ein Candide, gegen die Poesie gerichtet. Die Poesie ist der Arlequin in der ganzen Farce. Im Grunde kommt der Adel dadurch schlecht weg, daß er ihn zur Poesie rechnet, und die Poesie, daß er sie vom Adel repräsentieren läßt ... Aventuriers, Komödianten, Mätressen, Krämer und Philister sind die Bestandteile des Romans. Wer ihn recht zu Herzen nimmt, liest keinen Roman mehr.*[369] Die Kritik Hardenbergs wird verständlich, wenn man sie mit den Maßstäben seiner eigenen Ideen von der Mission des Dichters mißt. Denn dann mußte Goethes Buch tatsächlich als ein lahmer Kompromiß mit einer unzulänglichen Wirklichkeit erscheinen. Von der *Erhebung des Menschen über sich selbst* und der Bildung *höchster Sympathie und Koaktivität,* von der *innigsten   G e - m e i n s c h a f t* *des Endlichen und Unendlichen* war nicht die Rede. Daß Übereinkünfte im Begrenzten oft tiefer und nachhaltiger wirken als der unbedingte Drang zum Höchsten und Absoluten, ist eine Erkenntnis, die Novalis, wäre ihm die Zeit gegönnt gewesen, mit seinem durchdringenden Intellekt und seinem Hang zur Selbstkritik sicherlich noch gemacht hätte.

Trotz seiner fernen und hohen Ziele wurde der *Ofterdingen* zugleich auch Novalis' persönlichstes Buch. Allerdings ist es kein Schlüsselroman, und wer nach unmittelbaren Spuren von Hardenbergs Leben darin sucht, wird nur geringen Ertrag einbringen. Thüringen, die Goldene Aue und der Kyffhäuser werden erwähnt, ein alter Bergmann trägt den Namen Werner, das Gold in den Tiefen der Erde hat er zum erstenmal am 16. März erblickt – es ist der Geburtstag Julie von Charpentiers.[370] Aber über dies und ein paar andere Kleinigkeiten gehen die biographischen Bezüge nicht hinaus. Verwandter mit dem Dichter könnte schon die Fabel des Romans erscheinen. Ein junger Mann, Sohn eines Eisenacher Goldschmieds, erhält den Besuch eines Fremden, der in ihm die Sehnsucht nach der blauen Blume erweckt. Er zieht aus dem Vaterhause aus, erfährt, daß er zum Dichter geboren sei, und findet in Augsburg in der zarten Mathilde, der Tochter des Dichters Klingsohr, seine erste Liebe. Aber

Mathilde stirbt, und am Beginn des zweiten Teils des Romans finden wir den irrenden Dichter als Fremdling in einer verwandelten Welt. Ein junges Mädchen, Zyane – der Name deutet auf das griechische Wort für die blaue Kornblume –, schließt sich ihm an und geleitet ihn zu Sylvester, einem alten Arzt und Weisen, mit dem er sich in Gespräche vertieft. Dann bricht der Roman ab, denn der *Heinrich von Ofterdingen* ist, wie auch Novalis' anderer Roman *Die Lehrlinge zu Sais*, Fragment geblieben, und die Notizen über die Fortsetzung lassen nur unzureichend Schlüsse auf die wirklichen Absichten des Dichters zu. Aber auch dieses dürre Handlungsschema enthält nur ganz oberflächliche Parallelen zu des Dichters eigenem Leben, die, indem sie ausgesprochen werden, schon erklärt sind. Vor allem blieben dann auch die vielen Einlagen – Märchen und Gedichte –, die dem Roman erst eigentlich seine Fülle geben, ohne Gewicht und Bedeutung. Novalis' Persönlichkeit, sein Suchen nach einer Bestimmung für sein Leben, sein Ringen um Selbsterkenntnis und sein Versuch, den Geist über den Körper triumphieren zu lassen, spiegeln sich auf viel subtilere Weise in diesem Buch.

Das bekannteste poetische Bild des ganzen Romans ist das von der blauen Blume. Ein Fremder hat die Leidenschaft dafür in Heinrich erweckt, und ein Traum läßt sie ihm zum erstenmal erscheinen. In diesem Traum klettert der Träumende in einer Felsenschlucht über *bemooste Steine* hinan, gerät in eine unterirdische Höhle, deren Wände mit einer glänzenden Flüssigkeit überzogen sind, und steigt dort entkleidet in ein Becken. *Jede Welle des lieblichen Elements schmiegte sich wie ein zarter Busen an ihn. Die Flut schien eine Auflösung reizender Mädchen, die an dem Jünglinge sich augenblicklich verkörperten,* und *eine himmlische Empfindung überströmte sein Innres.* Danach überfällt ihn *eine Art von süßem Schlummer,* und hier erscheint ihm nun in einem Traum im Traum *eine hohe lichtblaue Blume, die zunächst an der Quelle stand, und ihn mit ihren breiten, glänzenden Blättern berührte. Rund um sie her standen unzählige Blumen von allen Farben, und der köstliche Geruch erfüllte die Luft. Er sah nichts als die blaue Blume, und betrachtete sie lange mit unnennbarer Zärtlichkeit. Endlich wollte er sich ihr nähern, als sie auf einmal sich zu bewegen und zu verändern anfing; die Blätter wurden glänzender und schmiegten sich an den wachsenden Stengel, die Blume neigte sich nach ihm zu, und die Blütenblätter zeigten einen blauen ausgebreiteten Kragen, in welchem ein zartes Gesicht schwebte.*[371] In diesem Augenblick wird Heinrich von seiner Mutter geweckt, sie umarmen sich, während der Vater den Sohn einen Langschläfer schilt.

Heinrichs Traum ist ein Modellfall für den Psychoanalytiker; die Sexualsymbolik liegt offen zutage. Phantasiebilder der Zeugung verbinden sich mit solchen von einer Art Neugeburt, und als sich die Geliebte dem Träumenden zuneigt, erscheint die Mutter. Merkwürdiges begibt sich auch im weiteren Verlauf des Romans, denn das nun folgende Gespräch zwischen Vater, Mutter und Sohn ist ganz

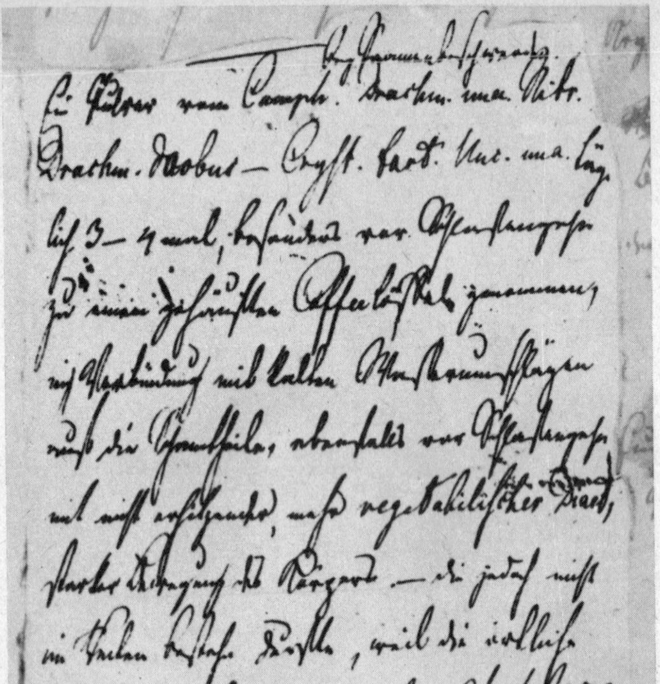

Rezepte aus den medizinischen Studien 1799

darauf abgestimmt, den Vater in den Augen der Mutter und des Sohnes herabzusetzen. Auch der Vater hatte einst von einer geheimnisvollen Blume geträumt, aber keinen tiefen Eindruck von ihr empfangen und sogar die Farbe vergessen. Dafür war er der brave, biedere, aber auch beschränkte Handwerker geblieben. Die Mutter jedoch neigt dem Sohne zu, und als dieser nun, *eben zwanzig Jahre alt geworden* [372], auf seine große «Bildungsreise» geht, tut er es in Begleitung der Mutter, was wohl Wilhelm Meister schwerlich eingefallen wäre. Mehr noch, das Ziel der Reise ist Augsburg, die Heimat der Mutter. Und nun ergeben sich im Roman und seinen Einlagen, den Geschichten und Märchen, die dem jungen Heinrich unterwegs erzählt werden, ganz seltsame Personenkonstellationen. Nirgends nämlich gibt es noch eine andere Mutter. In dem großen Märchen vom König von Atlantis ist die Königin *früh verstorben* [373]. Die Prinzessin wird die Gemahlin eines jungen Mannes, der bei seinem Vater lebt. Der Bergmann heiratet die Tochter des alten Bergmeisters in Eula; deren Mutter wird nicht erwähnt. Heinrich kommt mit seiner Mutter in das Haus des Großvaters nach Augsburg; von der Großmutter, ob tot oder lebendig, ist mit keinem Wort die Rede. Klingsohr, der Dichter, befindet sich allein mit seiner Tochter Mathilde dort, und diese, Heinrichs erste Geliebte, erwähnt in ihrer kleinen Lebensgeschichte nur, daß ihre Mutter gleich nach der Geburt gestorben sei. Noch Erstaunlicheres findet sich in dem großen Märchen, das Klingsohr am Ende des ersten Teils erzählt. Nicht nur treten dort der König und seine Tochter Freya in enger Bindung auf, während von Sophie als Gemahlin und Mutter in diesem Sinne nie eigentlich gesprochen wird, nicht nur sind Vater Mond und Tochter Ginnistan ein weiteres mutterloses «Paar», sondern vor allem verführt Ginnistan, die Phantasie, den Helden des Märchens, den jungen Eros, in der Gestalt seiner eigenen Mutter, während die Mutter selbst auf dem Scheiterhaufen verbrannt wird und ein aus ihrer Asche bereiteter Trank von allen am großen Erlösungswerk Beteiligten eingenommen wird. *Das große Geheimnis ist allen offenbart, und bleibt ewig unergründlich. Aus Schmerzen wird die neue Welt geboren, und in Tränen wird die Asche zum Trank des ewigen Lebens aufgelöst. In jedem wohnt die himmlische Mutter, um jedes Kind ewig zu gebären. Fühlt ihr die süße Geburt im Klopfen eurer Brust?* [374]

Nun kann kein Zweifel bestehen, daß Friedrich von Hardenberg von frühester Jugend an eine starke Bindung an seine Mutter gehabt hat, die ihn dann in der Phantasiewelt der Dichtung bis zu inzestuösen Vorstellungen führte. Wieweit die Wahl eines kindlichen Mädchens als erster Braut und die Bindung an Julie von Charpentier zu einer Zeit, als sie krank und hilfsbedürftig war, mit solchen Vorgängen in Verbindung zu bringen sind, muß dahingestellt bleiben. Ebenso ist im *Ofterdingen* die Kritik am eigenen Vater offenbar, und in Klingsohrs Märchen wird dem Vater des Helden sogar ein illegitimes Verhältnis zu Ginnistan, der späteren Geliebten des Sohnes, zugeschrieben, so daß sich der Vater recht eigentlich als der Mutter unwürdig erweist.

Welch bedrängende Macht das Sexuelle auf Novalis ausübte, hatte schon das Tagebuch nach Sophiens Tod erwiesen, und auch die *Hymnen an die Nacht* wie manche seiner medizinischen Studien legen davon beredtes Zeugnis ab. Gerade wenn man das bedenkt, wird aber auch erst die Anstrengung des Geistes gewürdigt werden können, mit der Novalis versuchte, solche Bedrängnisse umzubilden und zu sublimieren. Dieser Umbildungsprozeß wird besonders am *Heinrich von Ofterdingen* faßbar, denn hier erhält die Gestalt der Mutter erst dadurch ihre Bedeutung, daß sie zum Bild der unendlichen Liebeskraft des Herzens wird, die die Welt durchwaltet. Deshalb kann es sie im Grunde auch nur einmal geben, und deshalb wird sie auch im Abendmahl des Märchens symbolisch in alle aufgenommen. Die Mädchengestalten aber, die den Dichter umgeben, sind, wie die Geliebte in den *Hymnen an die Nacht*, ihre Botinnen. So haben sich Mathilde und Heinrich zum erstenmal geküßt: «*Gute Mathilde!*» — «*Lieber Heinrich!*» *das war alles, was sie einander sagen konnten. Sie drückte seine Hand, und ging unter die andern. Heinrich stand, wie im Himmel. Seine Mutter kam auf ihn zu. Er ließ seine ganze Zärtlichkeit an ihr aus.*[375] Und bei Zyane heißt es dann: «*Wer hat dir von mir gesagt*», *frug der Pilgrim.* «*Unsre Mutter.*» — «*Wer ist deine Mutter?*» — «*Die Mutter Gottes.*» — «*Seit wann bist du hier?*» — «*Seitdem ich aus dem Grabe gekommen bin.*» — «*Warst du schon einmal gestorben?*» — «*Wie könnt' ich denn leben?*» — «*Lebst du hier ganz allein?*» — «*Ein alter Mann ist zu Hause, doch kenn ich noch viele, die gelebt haben.*» — «*Hast du Lust, bei mir zu bleiben?*» — «*Ich habe dich ja lieb.*» — «*Woher kennst du mich?*» — «*O! von alten Zeiten; auch erzählte mir meine ehmalige Mutter zeither immer von dir.*» — «*Hast du noch eine Mutter?*» — «*Ja, aber es ist eigentlich dieselbe.*» — «*Wie hieß sie?*» — «*Maria.*» — «*Wer war dein Vater?*» — «*Der Graf von Hohenzollern.*» — «*Den kenn' ich auch.*» — «*Wohl mußt du ihn kennen, denn er ist auch dein Vater.*» — «*Wo gehn wir denn hin?*» — «*Immer nach Hause.*»*[376]

Die alles verbindende Macht der Liebe erscheint also eng verflochten in ihren zwei intimsten Formen als Liebe zwischen Mann und Frau und zwischen Mutter und Kind. Die einzelnen irdischen Manifestationen sind unwesentlich, zufällig und vertauschbar. Die Grenzen verschwimmen, und *Marie von Hohenzollern*[377] ist auch Maria, das christliche Urbild der Jungfrau und Mutter; die Gestalten der Mittler, die, wie Zyane, die *Irrenden hereinholen* in die himmlische Heimat, sind vielfältig und doch gleich. Wie das Urbild der Mutter unwandelbar bleibt, so sind *alle Menschen* nur *Variationen Eines vollständigen Individuums*[378].

Das trifft auch für die verschiedenen anderen Gestalten im *Ofterdingen* zu. Denn was Heinrich außer seiner Mutter und seinen zwei Geliebten noch umgibt, sind merkwürdigerweise nicht Freunde seines Alters — davon findet sich im *Ofterdingen* nicht einer —, sondern

Lehrergestalten, höhere Väter sozusagen, die ihm das Verständnis für den großen Zusammenhang, das *Unum des Universums*[379], wie es im *Brouillon* hieß, aufschließen und ihm seine Mission als romantischer, das heißt versöhnender und friedenstiftender Dichter zeigen. Das tun im Roman sogleich die Kaufleute, in deren Gesellschaft Heinrich und seine Mutter nach Augsburg reisen. Sie erzählen zuerst die Sage vom Sänger Arion, der durch die Macht seines Gesangs die Delphine zu seiner Rettung bewegte, als hartherzige Seeräuber, die sich vor diesem Gesang die Ohren verstopften, ihn ins Meer warfen. Denn in alten Zeiten hatte es Dichter gegeben, *die durch den seltsamen Klang wunderbarer Werkzeuge das geheime Leben der Wälder, die in den Stämmen verborgenen Geister aufgeweckt, in wüsten, verödeten Gegenden den toten Pflanzensamen erregt, und blühende Gärten hervorgerufen, grausame Tiere gezähmt und verwilderte Menschen zu Ordnung und Sitte gewöhnt, sanfte Neigungen und Künste des Friedens in ihnen rege gemacht, reißende Flüsse in milde Gewässer verwandelt, und selbst die totesten Steine in regelmäßige tanzende Bewegungen hingerissen haben. Sie sollen zugleich Wahrsager und Priester, Gesetzgeber und Ärzte gewesen sein, indem selbst die höhern Wesen durch ihre zauberische Kunst herabgezogen worden sind, und sie in den Geheimnissen der Zukunft unterrichtet, das Ebenmaß und die natürliche Einrichtung aller Dinge, auch die innern Tugenden und Heilkräfte der Zahlen, Gewächse und aller Kreaturen, ihnen offenbart.*[380] Solch orpheische Kraft des Priesterdichters hatte Novalis schon im *Blütenstaub* beschworen. In *Glauben und Liebe* war die bestimmtere politische Mission dazugetreten. Und so erzählen denn auch die Kaufleute als zweite Geschichte das Märchen vom König in Atlantis, dessen einzige Tochter dem Hof entläuft und sich mit einem Jüngling verbindet, der, fern von aller Welt, mit seinem Lehrer-Vater im Schoße der Natur aufwächst und deren geheimen Sinn erlernt hat. Die Prinzessin erfährt von ihm, *wie durch wundervolle Sympathie die Welt entstanden*, während er von ihr die *liebliche Kunst* der Musik erlernt, so daß er bald *in die wundervollsten Gesänge ausbrach*[381]. Mit ihrer beider Kind, in einer Höhle gezeugt und in *unterirdischen Zimmern*[382] zur Welt gebracht, treten die Verlorengeglaubte und ihr Gemahl dann vor den einsamen König und sein Volk hin, und nachdem der Jüngling schon mit einem Lied *von der Wiederkehr eines ewigen goldenen Zeitalters*[383] seine Zuhörer in den Bann gezogen hat, beginnt er die Ballade vom Sänger, der, was er umsonst in Hütten gesucht hatte, nun im Palast findet:

> *Du nahst dem höchsten Erdenlohne,*
> *Bald endigt der verschlungne Lauf;*
> *Der Myrtenkranz wird eine Krone,*
> *Dir setzt die treuste Hand sie auf.*
> *Ein Herz voll Einklang ist berufen*
> *Zur Glorie um einen Thron;*

Der Dichter steigt auf rauhen Stufen
Hinan, und wird des Königs Sohn.[384]

Es ist Novalis' Gegenstück zu Goethes Ballade vom Sänger im «Wilhelm Meister» und zugleich ein Pendant zu *Glauben und Liebe*: erst wenn sich Geist und Macht so verbinden, wird der *poetische* Staat, die *schöne Gesellschaft* entstehen. Der Fürst als *Künstler der Künstler* aber ist im eigentlichen Sinne das Kind, das das junge Paar mit sich bringt und nun dem König reicht. Das Kind erst, in dem sich Natur und der Geist der Poesie verbinden, wird das echte Mittlerwesen sein, von dem eine Verwandlung aller Menschen zur Thronfähigkeit ausgeht.

Auf diese Weise wird Heinrich beim Zuhören mehr und mehr der Sinn für seine Aufgabe als Dichter zum Bewußtsein gebracht. *Alles was er sah und hörte schien nur neue Riegel in ihm wegzuschieben, und neue Fenster ihm zu öffnen.*[385] Es wird ihm gezeigt, wie alles in der Welt auf jene große Harmonie hin angelegt ist, die im Gesang der Dichter schon immer beschworen worden ist. Das Geschehen in dem ganzen Roman hat ständig dieses große Ziel zum Gegenstand, die eingelegten Gedichte und Märchen wie die Haupthandlung selbst, und eine eigentliche Entwicklung findet deshalb auch nicht statt. Der Roman ist in solcher Hinsicht immer am Ziel, und Heinrich entdeckt sogar in der Höhle eines Einsiedlers ein geheimnisvolles Buch, in dem er sein eigenes Leben aufgezeichnet findet, nur *der Schluß des Buches schien zu fehlen*[386]. So wird ihm allmählich das geheimnisvolle Ineinander von Erinnerung und Ahnung bewußt, zwischen denen die Momente des menschlichen Daseins eingespannt sind.

Ein alter Bergmann belehrt ihn über die Einheit, die in der Natur waltet – nur daß sie vom Menschen erst erkannt werden muß, damit er der *Messias der Natur* werden kann. Ein Einsiedler, der Graf von Hohenzollern, zeigt ihm, daß auch der Gang der Geschichte zu einem ewigen Frieden führen muß; der Geist des Aufsatzes *Die Christenheit oder Europa* wird beschworen. Klingsohr, der Dichter, belehrt Heinrich über das, was Novalis selbst in mühsamem Kampf gegen seine eigene schweifende Natur zu erreichen versucht hatte: *Nichts ist dem Dichter unentbehrlicher, als Einsicht in die Natur jedes Geschäfts, Bekanntschaft mit den Mitteln jeden Zweck zu erreichen, und Gegenwart des Geistes, nach Zeit und Umständen, die schicklichsten zu wählen. Begeisterung ohne Verstand ist unnütz und gefährlich, und der Dichter wird wenig Wunder tun können, wenn er selbst über Wunder erstaunt.* Nicht die *wilde Hitze eines kränklichen Herzens*[387], sondern echte Besonnenheit brauchte der Dichter, um sein Zauberwerk zu vollenden. Sylvester schließlich, der Arzt im fragmentarischen zweiten Teil der Dichtung, erschließt Heinrich das Höchste, jenes «moralische Organ», von dem bei Hemsterhuis die Rede war und das nun hier im Menschen als das Gewissen erscheint, denn dieses ist *der eingeborne Mittler jedes Menschen.* Es vertritt die Stelle Gottes auf Erden, und ist daher so Vielen das Höchste und Letzte. *Aber wie entfernt war die bisherige Wissenschaft, die man Tugend- oder Sittenlehre nannte, von der reinen Gestalt dieses erhabenen, weitumfassenden persönlichen Gedankens. Das Gewissen ist der Menschen eigenstes Wesen in voller Verklärung, der himmlische Urmensch.*[388] Zu solchen letzten Erkenntnissen wurde allerdings der Dichter erst reif, als ihm Mathilde, die erste Geliebte, durch den Tod geraubt worden war und er jenseits *des furchtbaren, geheimnisvollen Stroms*[389], der sie verschlungen hatte, als Fremdling in ein für seine Augen und Sinne verwandeltes Land getreten war.

Mein Roman ist im vollen Gange. 12 gedruckte Bogen sind ohngefähr fertig. Der ganze Plan ruht ziemlich ausgeführt in meinem Kopfe. Es werden 2 Bände werden – der erste ist in 3 Wochen hoffentlich fertig. Er enthält die Andeutungen und das Fußgestell des 2ten Teils. Das Ganze soll eine Apotheose der Poesie sein. Heinrich von Afterdingen wird im 1sten Teile zum Dichter reif – und im zweiten als Dichter verklärt[390], schrieb Hardenberg am 23. Februar 1800 an Ludwig Tieck. Zur Vollendung ist das Buch jedoch nie gediehen, und die hinterlassenen Pläne erlauben nur ein unklares Bild von Heinrichs Fahrt durch die große Welt und seiner Heimkehr zum Kyffhäuser und zur blauen Blume. Aber den Sinn des Ganzen hat Novalis doch zusammengedrängt in ein seltsam verwirrendes Märchen, das Klingsohr am Ende des ersten Teils des Romans erzählt und zu dem Goethes Märchen in den «Unterhaltungen deutscher Ausgewanderten» (1795) ebenso Pate gestanden hat wie die Feenmärchen des 18. Jahrhunderts. Es ist ein Mythos von der Erlösung der Welt durch die Macht der Poesie, eine große Fuge, die den Zyklus von Variationen zu diesem Thema im Roman zusammenfaßt: Eros, die Liebe, wird mit dem Frieden, mit Freya, der Tochter des Königs Arctur hoch im Norden, zusammengeführt. *Die edle, göttergleiche* Sophie[391],

Aus dem Brief Novalis' an Tieck vom 23. Februar 1800

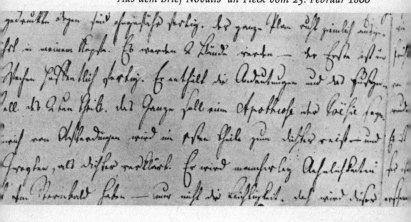

die Gefährtin Arcturs, hat das Erlösungswerk in Gang gesetzt, indem sie zu den Menschen hinabstieg, um ihnen den Sinn für das Bleibende und Dauernde zu eröffnen. Das meiste, was zum Beispiel der Schreiber, *der petrifizierende und petrifizierte Verstand* [392], in großen Mengen zu Papier bringt, verlischt, wenn es von Sophie in eine Schale mit heiligem Wasser getaucht wird, während jedes Wort von Fabel, der Poesie, glänzend und unversehrt solche Prüfung übersteht. Fabel wird nun die eigentliche Veranstalterin des großen Erlösungswerks. Die Macht des Schreibers wird gebrochen. Aber Eros' Mutter, das Herz, wird vorher noch sein Opfer. Der Flammentod ist ihr Los, jedoch die Flamme, die vom Scheiterhaufen emporschlägt, verschlingt die Sonne. Die Zeit steht still, die Ewigkeit bricht herein. Die Eingeweihten trinken die aufgelöste Asche der Mutter, und *ein mächtiger Frühling* [393] verbreitet sich über die Erde. Die schlummernde Freya wird durch einen elektrischen Schock erweckt. Eros wird ihr zugeführt, und beide besteigen als König und Königin den Thron, der sich in ein Hochzeitsbett verwandelt. *«Heil unsern alten Beherrschern»*, rief das Volk. *«Sie haben immer unter uns gewohnt, und wir haben sie nicht erkannt.»* Fabel aber singt:

> *Gegründet ist das Reich der Ewigkeit,*
> *In Lieb' und Frieden endigt sich der Streit,*
> *Vorüber ging der lange Traum der Schmerzen,*
> *Sophie ist ewig Priesterin der Herzen.* [394]

Alles, was Novalis in Gedanken und Gefühlen, in Bewußtsein und Unterbewußtsein bewegt hat, verbindet sich in diesem Märchen auf wunderliche Weise. Sophie als priestergleiche, etwas blutlose und schemenhaft entrückte Gestalt ist immer zugegen. Am Schluß, während der König auf dem Brautbett vor dem Volk zum erstenmal die *errötende Geliebte* [395] umarmt, verkündet sie aber auch: die tote Mutter *ist unter uns, ihre Gegenwart wird uns ewig beglücken.* Sexuelles und Politisches vermischen sich, biblische Vorstellungen von der Hochzeit des Lammes, dem neuen Himmel und der neuen Erde verschmelzen mit Forderungen des Tages. *Der König und die Königin können und müssen als solche das Prinzip der öffentlichen Gesinnung sein,* hieß es in *Glauben und Liebe* [396]. Irdisch-himmlische Geliebte, Madonna und das theosophisch-alchimistische Bild von Sophia als der Braut Christi gehen ineinander über. Eros, die Antike, verbindet sich mit Freya, dem Norden. Der Galvanismus wird zu einer lebenerweckenden, seelischen Kraft; Arctur, eigentlich ein Stern, über dem das Bild der nördlichen Krone steht, erinnert an den früheren Gedanken einer *moralischen Astronomie.* Kurz: eine Fülle von Erfahrenem, Erlebtem und Erlerntem bündelt Novalis hier zu einer eigenen mythischen Darstellung von der Erlösung der Welt, die sich in ihren Einzelheiten nicht mehr völlig erkennen oder in ihre Teile auflösen läßt. Gibt sie aber ein Ganzes?

Im fünften Heft des «Athenaeums», das im April 1800 erschien, war auch in dem «Gespräch über die Poesie» Friedrich Schlegels «Rede über die Mythologie» enthalten, in der er behauptete, daß es der modernen Dichtkunst an einem Mittelpunkt fehle, «wie es die Mythologie für die der Alten war». Dem modernen Dichter, der alles «aus dem Innern herausarbeiten» müsse, gebreche es «an einem festen Halt», «an einem mütterlichen Boden». Deshalb also brauche er ein neues Zentrum, eine neue Mythologie. Sie aber solle auf entgegengesetztem Wege zur alten «aus der tiefsten Tiefe des Geistes herausgebildet werden; es muß das künstlichste aller Kunstwerke sein, denn es soll alle andern umfassen, ein neues Bette und Gefäß für den alten ewigen Urquell der Poesie und selbst das unendliche Gedicht, welches die Keime aller andern Gedichte verhüllt»[397]. Was Schlegel forderte, hatte sein Freund zu gleicher Zeit in echter *Symorganisation und Symevolution* in seinem Märchen versucht. Die dichterische Einbildungskraft sollte selbständig gemacht werden, der Geist sollte sich auf die «künstlichste» Weise seine eigene Welt schaffen, indem er die Bruchstücke der Wirklichkeit um ihn, in der es keinen festen Halt mehr gab, zu einem eigenen, neuen, poetischen Bilde zusammenfügte. Es war der Übergang vom *Unendlichen ins Endliche*, es war eine neue Form dichterischen Ausdrucks, die mit der Gestaltung, Vertiefung von Erlebnissen oder der Bekundung gesellschaftlicher Gefühle und Empfindungen nichts mehr zu tun hatte, sondern die ihr Gesetz in sich trug und die Welt diesem Gesetz anzugleichen versuchte. In dieser Dichtung verschmolzen Poesie und Religion, und angesichts solcher «Universalpoesie» mußten nicht nur die traditionellen literarischen Formen unzureichend erscheinen. Auch die bisherigen Religionen konnten nur als beschränkte Ahnungen von jenem großen Ganzen gelten, das hier umfassend gestaltet werden sollte. Novalis hatte deshalb für die Fortsetzung des *Ofterdingen* auch ganz bewußt die Verknüpfung der *entferntesten und verschiedenartigsten Sagen und Begebenheiten*[398], die *Aussöhnung der christlichen Religion mit der heidnischen*[399] wie überhaupt am Ende *eine wunderliche Mythologie*[400] ins Auge gefaßt.

Es war ein Versuch, der Novalis' Persönlichkeit zutiefst entsprechen mußte. Sich über viele Gegenstände zu verbreiten und zugleich nach einer Mitte zu drängen, hatte schon immer die Polarität seines Wesens ausgemacht. In Klingsohrs Märchen hat solche Polarität ihren wesentlichsten Ausdruck gefunden, und, hätte der Dichter ihn vollenden können, wohl auch im zweiten Teil des *Ofterdingen*. Aber zugleich wird deutlich, daß sich dieser Polarität eine wirkliche Synthese doch nicht abringen läßt. Das Ganze ist zwar mehr als seine Teile, aber die aus «der tiefsten Tiefe des Geistes» geborene Mythologie stolpert doch über die Schlacken der nun einmal darin vorhandenen Realität. Das wird vielleicht am sichtbarsten in dem über dem ganzen Roman schwebenden Bild von der blauen Blume. In ihr sollte alles zusammentreffen, was an Hoffnungen auf Liebe und Frieden die Menschenbrust bewegt hat. Die Blütenblätter haben die Farbe des Himmels, die Wurzeln gehen in das Erdreich hinab. Ein Mädchenantlitz neigt sich daraus vielversprechend zu dem sehnsüchtigen Jüngling, so daß geschehen wird, was im Märchen schon Eros geschieht, der sich im Kelche einer Blume liegend träumt, *über ein schönes schlummerndes Mädchen hergebeugt, die ihn fest umschlungen hielt. Eine kleinere Blüte schloß sich um beide her, so daß sie von den Hüften an in Eine Blume verwandelt zu sein schienen.*[401] Thüringische Sagenmotive, indische Lotussymbolik, alchimistische Androgynenmystik und manches andere bilden den Mutterboden für diese geheimnisvolle Pflanze. Als Symbol für die immer neuen Hoffnungen auf Frieden fehlt ihr aber die schlichte Überzeugungskraft der biblischen Taube. Und doch hat diese Blume, ganz ätherisches Geschöpf des formenden Geistes, einen eigentümlichen Zauber behalten, ebenso wie er auch dem Roman in seiner kunstvoll klaren Schlichtheit der Sprache geblieben ist, hinter der, wie es Novalis wünschte, *eine gewisse Seltsamkeit, Andacht und Verwunderung* [402] hindurchschimmert. Man muß allerdings ein Auge für solche magische Leuchtkraft haben.

Am 5. April 1800 meldete Friedrich von Hardenberg den Freunden Friedrich Schlegel und Ludwig Tieck in zwei Briefen die Fertigstellung des ersten Teils seines Romans. An Schlegel schreibt er: *Es sollte mich innig freuen, wenn ihr an diesem ersten Versuche Gefallen fändet. Er wird gedruckt ohngefähr 20–22 Bogen stark werden – doch muß ich erst wissen, ob ihr euer Approbatur darunter setzt. Der Plan ist deutlich genug hingelegt, und der Stoff ein sehr günstiger Stoff. Die Wahl ist geglückt – über die Ausführung mag ich nichts sagen, weil man sich leicht in eine fehlerhafte Ansicht verlieren kann. Der vollständige Titel ist:*

Heinrich von Afterdingen
Ein Roman
von
Novalis.
Erster Teil.
Die Erwartung.

Es sollte mir lieb sein, wenn ihr Roman und Märchen in einer glücklichen Mischung zu bemerken glaubtet, und der erste Teil euch eine noch innigere Mischung im 2ten Teile prophezeite. Der Roman soll allmählich in Märchen übergehn.[403] Die Schreibung «Ofterdingen» wurde erst für den – postumen – Druck des Romans im Jahre 1802 eingeführt. An Tieck fügte Novalis beglückt hinzu: *Ich habe viele Jahre nicht daran gekonnt einen größern Plan mit Geduld auszuführen, und nun seh ich mit Vergnügen diese Schwierigkeit hinter mir. Eignes Arbeiten bildet in der Tat mehr, als wiederholtes Lesen. Beim Selbstangriff findet man erst die eigentlichen Schwierigkeiten und lernt die Kunst schätzen.*[404]

Dem Leben trat er mit gesteigerter Kraft und hohen Erwartungen gegenüber. Der Kopf wimmelte ihm von *Ideen zu Romanen und Lustspielen* [405]. Neue und erweiterte berufliche Pflichten harrten seiner; die Heirat mit Julie stand bevor. Nach dem Johannistage hatte Ofterdingen seine Reise ins Leben begonnen – am Johannistage sollte er einst die blaue Blume finden. Im Brief an Schlegel vom 5. April aber steht der Satz: *Mit mir nimmts hoffentlich bald ein fröhliches Ende. Zu Johannis denk ich im Paradiese zu sein.*[406] An welches Paradies dachte er wohl dabei?

DAS LETZTE JAHR

Berufliche Pflichten waren Friedrich von Hardenberg auch während der Arbeit an seinem Roman nicht erspart geblieben. Reisen hatten ihn nach Freiberg, Dresden und auf die Salinen geführt. Aber vieles war doch im Schaffenseifer liegengeblieben und mußte nun, da die Schwierigkeiten bei der Ausführung *eines größern Plans* überwunden waren, nachgeholt werden. Dazu gehörte in erster Linie die Sicherung eines Einkommens, das über die schmalen Bezüge des Salinen-Assessors hinausging; denn die Hochzeit mit Julie war für dieses Jahr vorgesehen. Schon am 24. März 1800 hatte er an Werner geschrieben, daß er sich *eine Lage* wünsche, *die mich Ihnen näher brächte. Ich habe oft gedacht, daß ich in Ihrer Gesellschaft ein weit anziehenderes Leben führen würde.*[407] An eine Anstellung beim Oberbergamt war dabei wohl gedacht, aber ehe etwas daraus hätte werden können, eröffnete sich für Hardenberg die Aussicht auf eine andere, günstigere Position. Die Stelle eines kursächsischen Amtshauptmanns für den thüringischen Kreis mit den Ämtern Weißenfels, Heldrungen und Sachsenburg war vakant geworden, und Hardenberg bewarb sich nun darum, dem Kurfürsten versichernd, daß die Ämter *in dem Bezirk meiner gegenwärtigen Geschäftsreisen* lägen und *mich also nicht von meinem jetzigen Beruf entfernen*[408] würden.

Es ist schwer zu entscheiden, ob Hardenberg nur durch praktische Erwägungen zu solcher Bewerbung veranlaßt wurde oder ob auch Hoffnungen auf die Verwirklichung dieser oder jener missionarischen Idee mit eine Rolle gespielt haben. In einem Notizheft beklagte er gerade unter dem Datum des 18. April 1800 die Enge und Beschränktheit *in unsern Städten... Große und allgemeine Verhältnisse beschäftigen niemand und erregen Langeweile.* Nur in Republiken sei das besser, wo der einzelne *sein Leben an ein gewaltiges Leben geknüpft* fühle und so *mit großen Gegenständen seine Phantasie und seinen Verstand ausweitet und übt und beinah unwillkürlich sein enges Selbst über das ungeheure Ganze vergessen muß*[409]. Es mag sein, daß Hardenberg hoffte, als Amtshauptmann etwas von solchem «republikanischen» Geist in seinen Kreis hineinzutragen, denn tatsächlich waren diesen Beamtenstellen in der Zeit des sogenannten «Retablissements» der sächsischen Verwaltung nach dem Siebenjährigen Krieg und besonders in den achtziger und neunziger Jahren wieder größere Aufgaben vor allem in wirtschaftlicher und

Seite aus dem Bewerbungsschreiben Hardenbergs an den sächsischen Kurfürsten, vom 10. April 1800. Bisher unveröffentlicht sozialer Hinsicht zugewiesen worden. Die Möglichkeit zu selbständigem Handeln war also in den – allerdings sehr engen – Grenzen des kameralistischen Systems, der vom Staat geführten Wirtschaftspolitik, durchaus gegeben.

Zumindest brauchten Dichter und Staatsbeamter nicht im Gegensatz zueinander zu stehen. Das Widerspiel zwischen Wehmut und Hoffnung, Erinnerung und Ahnung, Enttäuschung und Sehnsucht, das Novalis an sich selbst und in seiner Deutung der Menschheitsgeschichte erfuhr, hat ihn auch in seiner praktischen Tätigkeit zu humanem Verständnis geleitet. So schreibt er einen Monat nach Abschluß des ersten Teils seines *Ofterdingen* einen Bericht über die gescheiterten Versuche des Pächters eines Alaunwerkes: *Indes sollte es mich freuen, wenn... er mit einer Gratifikation begnadigt würde, die die letzten Tage seines mühevollen und getäuschten Lebens erleichterte und seine armseligen Umstände verbesserte, welches ihm um so mehr zu gönnen wäre, da er das Ansehn eines guten, ehrlichen Mannes besitzt, unter den ungünstigsten Umständen Mut und Zutrauen zu seiner Wissenschaft behalten und leider auf seine alten Tage bei dem bittersten Rückblick auf lange mißlungne Bemühungen die kummervollste Aussicht auf den Rest seines Lebens vor sich hat.*[410] Der Nöte seiner Zeit war sich Friedrich von Hardenberg bewußt. Er sah voller Mißbilligung, wie sich die Arbeiter in den Braunkohlenwerken unter trübseligen Bedingungen schinden mußten. *Auch ist die Arbeit äußerst beschwerlich, schmutzig und ungesund. Hautschäden und Gichtübel sind unter diesen Leuten sehr häufig*[411], klagt er Werner am 28. April 1800 in einem großen Bericht über die Braunkohlenlager im Bereich der Salinen. Der Bericht selbst war im Hinblick auf eine andere Aufgabe abgefaßt worden, die ihm nun bevorstand. Auf Werners und Oppels Empfehlung hatte er von Dresden den Auftrag erhalten, an der geologischen Untersuchung Sachsens zur Auffindung «brennbarer Fossilien» teilzunehmen. Diese zunächst aus ökonomischen Gründen befohlene «geognostische Landes-Untersuchung» war unter Werners Leitung allmählich zu einem wissenschaftlichen Unternehmen geworden, das zur geologischen Kartographierung Sachsens, der ersten großen Leistung dieser Art, führte. Hardenberg war der Distrikt zwischen Leipzig, Zeitz und Borna zugeteilt worden. Am 1. Juni 1800, dem Pfingstsonntag, traf er sich in Zeitz mit seinem Begleiter Friedrich Traugott Michael Haupt, einem Freiberger Bergstudenten. Mit ihm zusammen zog er zu Fuß in den nächsten Tagen das Elstertal hinauf, dann hinüber ins Altenburgische und nach Leipzig. Man brach gegen vier Uhr morgens auf, der Weg hatte nach Werners Anweisung zunächst durch die Täler zu führen, dann zum Überblick auf die Höhenzüge und Kuppen. Nachmittag und Abend waren für die Aufzeichnungen, für die Sammlung von Gesteinsproben und für Gespräche mit Ortseingesessenen bestimmt, die Aufschluß über die Verwertung von Bodenschätzen geben konnten. Am 18. Juni traf Hardenberg wieder in Weißenfels ein. Werner spendete ihm hohes Lob für seine Arbeit;

den endgültigen Bericht stellte Haupt dann allerdings erst nach Hardenbergs Tod zusammen. Immerhin war die Exkursion eine Vorarbeit zur Erschließung eines der reichsten Braunkohlenvorkommen Deutschlands.

Aus solcher gesteigerten Aktivität Hardenbergs entsteht der Eindruck, daß der kurz vor seinem Zusammenbruch stehende Körper noch einmal ein äußerstes an Kraft hergeben sollte und konnte. Denn auch als Philosoph und Dichter vollbrachte Novalis in diesen Wochen und Monaten Bedeutendes. Schon während der Arbeit am *Ofterdingen* hatte er begonnen, in den eigentümlichen *Mikrokosmus* des Görlitzer Mystikers Jakob Böhme einzudringen, und seine eigenen Hoffnungen auf ein neues Weltalter spiegelten sich in dem *gewaltigen Frühling mit seinen quellenden, treibenden, bildenden und mischenden Kräften*, die in Böhmes Werk, insbesondere in dessen prophetischer Schrift «Aurora, oder die Morgenröte im Aufgang», *von innen heraus die Welt gebären* [412]. Einige Gedichte von äußerster formaler Schlichtheit zeugen davon, wie Novalis' Wünsche und Gedanken, wie sich seine Liebe im Irdischen und sein Glaube an eine Weltschöpfung und Neugeburt *von innen heraus* in ihm verbanden und vermischten:

> *Vielleicht beginnt ein neues Reich—*
> *Der lockre Staub wird zum Gesträuch,*
> *Der Baum nimmt tierische Gebärden,*
> *Das Tier soll gar zum Menschen werden.*
> *Ich wußte nicht, wie mir geschah,*
> *Und wie das wurde, was ich sah.*
>
> *Wie ich so stand und bei mir sann,*
> *Ein mächtger Trieb in mir begann.*
> *Ein freundlich Mädchen kam gegangen*
> *Und nahm mir jeden Sinn gefangen.*
> *Ich wußte nicht, wie mir geschah,*
> *Und wie das wurde, was ich sah.*
>
> *Sie ging vorbei, ich grüßte sie,*
> *Sie dankte, das vergeß ich nie—*
> *Ich mußte ihre Hand erfassen*
> *Und sie schien gern sie mir zu lassen.*
> *Ich wußte nicht, wie mir geschah,*
> *Und wie das wurde, was ich sah.*
>
> *Uns barg der Wald vor Sonnenschein.*
> *Das ist der Frühling, fiel mir ein.*
> *Kurz um, ich sah, daß jetzt auf Erden*
> *Die Menschen sollten Götter werden.*
> *Nun wußt ich wohl, wie mir geschah,*
> *Und wie das wurde, was ich sah.* [413]

Seiner Julie versicherte er,

> daß ich mit namenloser Freude
> Gefährte deines Lebens bin,[414]

und in diesem reichen Frühjahr und Sommer entstanden dann auch noch der fragmentarische zweite Teil des *Heinrich von Ofterdingen* sowie die Pläne zur Fortsetzung des Romans und Gedichte dafür: jenes vom Ende aller Gegensätze kündende *Die Vermählung der Jahreszeiten*, zwei Marienlieder und die geheimnisvollen Strophen, die unter der Überschrift *Lied der Toten* in die Ausgaben seiner Werke eingegangen sind. *Selig sind allein die Toten*, hatte sich Novalis als Motto auf das Blatt geschrieben, auf dem er die Visionen von einer höheren Welt in einer Sprache aufzeichnete, die in der Tat vom *Unendlichen zum Endlichen* niederstieg und der Böhme, der Pietismus und die romantische Religiosität Schleiermachers nur die äußeren Bilder und Begriffe geliehen hatten, um eine über alle Begriffe gehende Empfindung harmonischer und zugleich höchst lebendiger All-Einheit zur poetischen Gestalt zu bringen:

> So in Lieb' und hoher Wollust
> Sind wir immerdar versunken,
> Seit der wilde trübe Funken
> Jener Welt erlosch;
> Seit der Hügel sich geschlossen,
> Und der Scheiterhaufen sprühte,
> Und dem schauernden Gemüte
> Nun das Erdgesicht zerfloß.

> Zauber der Erinnerungen,
> Heilger Wehmut süße Schauer
> Haben innig uns durchklungen,
> Kühlen unsre Glut.
> Wunden gibt's, die ewig schmerzen,
> Eine göttlich tiefe Trauer
> Wohnt in unser aller Herzen,
> Löst uns auf in Eine Flut.

> Und in dieser Flut ergießen
> Wir uns auf geheime Weise
> In den Ozean des Lebens
> Tief in Gott hinein;
> Und aus seinem Herzen fließen
> Wir zurück zu unserm Kreise,
> Und der Geist des höchsten Strebens
> Taucht in unsre Wirbel ein.[415]

Selig sind allein die Todten.

In den gleichen Tagen verfaßte Friedrich von Hardenberg auf sechzehn Blatt Folio seine Probeschrift für die Stelle eines Amtshauptmanns im Thüringischen Kreise, einen «Bericht in Sachen Martin, des Erbrichters zu Hermsdorf contra Fiscum», dessen Vorfahren 1626 ihr Recht, Bier zu brauen, gegen Steuerfreiheit eingetauscht hatten.[416] Ende September sandte er die Arbeit nach Dresden. Tieck hatte ihn zuletzt Ende Juni gesehen: «Ich fand ihn wohl und heiter, auch sein Ansehn unverändert, obgleich die Seinigen etwas besorgt waren, und Blässe sowie zunehmende Magerkeit an ihm bemerken wollten. Er selbst war auf seine Diät noch aufmerksamer als sonst, er trank wenigen oder keinen Wein, genoß fast keine Fleischspeisen, und nährte sich hauptsächlich von Milch und Vegetabilien. Wir gingen oder ritten täglich spazieren, beim schnellen Hinanklimmen der Hügel, bei jeder auch gewaltsamen Bewegung konnte ich keine Schwäche der Brust, oder kürzern Atem an ihm wahrnehmen, und ich suchte daher seine Gewohnheit zu bestreiten, weil ich seine Entwöhnung von Wein und stärkenden Nahrungsmitteln für irrig und falsche Ängstlichkeit hielt. Er war begeistert von Planen seines künftigen Glücks; seine Wohnung war schon eingerichtet, denn im August wollte er seine Verbindung mit seiner Braut feiern; eben so gern sprach er von der baldigen Vollendung des *Ofterdingen* und anderer Bücher; sein Leben schien sich in die reichste Tätigkeit und Liebe auszubreiten. Als ich von ihm Abschied nahm, konnte ich durchaus nicht ahnden, daß ich ihn nicht wieder sehn würde.»[417] Denn nun versagte der Körper seinen Dienst, und der physische Zerfall schritt rasch voran.

Es ist schwer, Bestimmtes zu sagen über die Rolle, die Krankheit im Leben Novalis' gespielt hat. Tieck hat auch später, 40 Jahre nach des Freundes Tod, noch behauptet, Hardenberg sei «der gesundeste, frohsinnigste Mensch, der keckste Reiter, unermüdlicher Bergsteiger und Wanderer» gewesen, der «aber freilich... unerwartet an der Schwindsucht» gestorben sei.[418] Friederike von Mandelsloh dagegen, eine Schwester Sophie von Kühns, schrieb um etwa die gleiche Zeit: Novalis «war zu aller Zeit körperlich krankhaft und leidend und sein früher Tod vorher zu sehen»[419]. In beiden Fällen hat wohl die Zeit an einem Bild mitgearbeitet, das sich die Überlebenden aus Stükken der Erinnerung zusammensetzen wollten.

Tatsächlich hat Friedrich von Hardenberg von Jugend an gegen eine schwache körperliche Konstitution zu kämpfen gehabt. Krankheiten waren außerdem in der Hardenbergschen Familie keine Seltenheit, und Caroline Schlegel hat später einmal von einem «sehr zerrütteten Haus»[420] gesprochen. Nach Sophies Tod mehrten sich dann bei Novalis die Erwähnungen von Krankheitssymptomen. *Seit Du weg bist – bin ich eine Zeit lang recht untätig, recht krank – und eine Zeit recht tätig – recht gesund gewesen*[421], schrieb er am 5. September 1797 an Friedrich Schlegel, aber es muß offenbleiben, in-

«Lied der Toten». Anfang der Erstfassung

wieweit die immer intensiver werdende Beobachtung der Funktionen des eigenen Körpers unbedeutenden Symptomen größeres Gewicht gab und eine gewisse Neigung zur Hypochondrie förderte.

Von ernsterer Erkrankung ist dann erst im Frühsommer des Jahres 1798 die Rede, bald nach dem Tode von Jeannette Danscour, Sophie von Kühns französischer Gouvernante. *Ich ward nach einem neuen Verluste einer alten Freundin, der Erzieherin meiner Sophie, auch krank* und *mußte nach Teplitz* [422]. Nach der Kur schrieb er dem Vater, daß seine Anfälle *seltner und schwächer* geworden seien. *Zum Pyrmonter hab ich keine Lust* [423], aber das ihm vom Vater geschenkte Pferd wolle er gern zu Reitkuren benutzen. Alle diese Bemerkungen deuten darauf hin, daß hier zuerst die Ärzte auf Lungentuberkulose diagnostiziert hatten, denn ausgiebige Bewegung und insbesondere Reiten spielten in der Therapie von Lungenerkrankungen damals eine ebensolche Rolle wie Trinkkuren. Der Hofrat Stark in Jena, der auch Sophie von Kühn und später Hardenberg behandelte, verordnete zum Beispiel Schiller täglich achtzehn Becher Karlsbader Wasser. Teplitzer oder Pyrmonter Brunnen sollten offenbar in Novalis' Fall ähnlich als Medikamente wirken. Überdies hat die moderne medizinische Forschung die Relationen zwischen dem Ausbruch tuberkulöser Erkrankungen und seelischen Depressionen bestätigt.

Von nun an häuften sich jedenfalls in Novalis' Briefen wie auch in seinen Studienheften Bemerkungen über seinen labilen Gesundheitszustand und über die schwebende Furcht, ernstlich krank zu werden. Zugleich aber begann er sich intensiver mit medizinischen Fragen zu befassen. Seitenlang exzerpierte er medizinische Aufsätze und Abhandlungen, um die Vorgänge in sich selbst besser zu verstehen, teilweise wohl auch, weil er im eigenen Hause und dann bei Sophie und Julie immer wieder mit dem Phänomen der Krankheit konfrontiert wurde. Das Interesse an medizinischen Fragen war damals allerdings auch bei Laien sehr verbreitet, und Krankheiten spielten allgemein in Korrespondenzen und Gesprächen eine bedeutende Rolle. Neue medizinische Theorien fanden Verbreitung, so vor allem die des schottischen Arztes John Brown, mit der sich Novalis gründlich auseinandersetzte. Nach dem Erscheinen einer deutschen Übersetzung von Browns «System der Heilkunde» im Jahre 1796 begann dessen Lehre stark auf einige, naturphilosophischen Gedanken nahestehenden Mediziner wie Andreas Röschlaub und Carl August Eschenmayer zu wirken, durch deren Werke Novalis dann mit Brown vertraut wurde. Die Bedeutung Browns für Novalis bestand darin, daß sich in dieser auf dem Gedanken der Polarität aufbauenden Deutung aller Krankheiten für ihn selbst die Möglichkeit bot, zu einer philosophischen Interpretation von Krankheit und Gesundheit zu gelangen, die seinem auf Synthese des Gegensätzlichen gerichteten Denken im Innersten entsprach.

Nach Browns Lehre erhielt jeder Mensch mit seiner Geburt eine bestimmte Menge Erregbarkeit. Diese reagierte auf von außen wirkende Reize, und das Zusammenspiel zwischen beiden produzierte die Erregung, auf der das ganze Leben beruhte. Das Gleichgewicht zwischen Reiz und Erregbarkeit bezeichnete Gesundheit, zu geringe Erregung einen Zustand der Asthenie oder Schwäche, zu starke Erregung sogenannte Sthenie. Die Behandlung erfolgte dann je nach der Diagnose durch Verstärkung oder Reduzierung von Reizen; zum Beispiel ist durch solche Ansichten der Gebrauch des Opiums um diese Zeit Mode geworden. Die deutschen Brownianer differenzierten noch zwischen zwei verschiedenen Arten der Erregung, solcher der Muskeln, die sie Irritabilität nannten, und solcher des Nervensystems, die sie Sensibilität nannten. An diese Ausdrücke nun knüpfte Novalis an, um eine eigene Philosophie der Krankheit zu entwickeln, die, in den letzten Monaten seines Lebens entstanden, zu dem Tiefsten und Bewegendsten gehört, was er gedacht und geschrieben hat.

Wie Nervensystem und Geist über Muskel und Körper herrschen, so ist die Sensibilität eine höhere Form der Lebensäußerung. Krankheiten aber *nehmen mit der Sensibilität überhand* [424], ja sind eigentlich etwas spezifisch Menschliches. *Krankheiten zeichnen den Menschen vor den Tieren und Pflanzen aus – zu Leiden ist der Mensch geboren.* [425] Gemeint ist mit solcher Bemerkung allerdings nicht das Kranksein schlechthin, sondern Krankheiten als vom Bewußtsein empfundene Leiden. *Wahrscheinlich sind sie der interessanteste Reiz und Stoff unsers Nachdenkens und unsrer Tätigkeit.* [426] *Krankheit, Vergänglichkeit, Gebrechlichkeit ist der Charakter der mit Geist verbundenen Natur* [427] und damit letzten Endes auch ein Mittel zur Steigerung der gesamten menschlichen Existenz. *Unsere Krankheiten sind alle Phänomene erhöhter Sensibilität, die in höhere Kräfte übergehn will. Wie der Mensch Gott werden wollte, sündigte er.* [428]

Auf merkwürdige Weise kommt Novalis hier auf den Begriff der Sünde zurück, von dem er sich früher distanziert hatte als von einem *alten, schweren Wahn* [429]. Aber das Wort Sünde nahm jetzt bei ihm eine andere, erweiterte Bedeutung an: der Geist macht den Menschen erst wirklich zum Menschen, aber dadurch, durch die Kraft seiner Selbsterkenntnis, wurde der Mensch zugleich auch aus dem Paradies seiner natürlichen Existenz vertrieben und auf eine höhere verwiesen. Der Preis für diese Erbsünde der Freiheit des sich zu Gott erheben wollenden Geistes war Krankheit. Aber das war noch nicht das Letzte. *Krankheiten, besonders langwierige, sind Lehrjahre der Lebenskunst und Gemütsbildung. Man muß sie durch tägliche Bemerkungen zu benützen suchen. Ist denn nicht das Leben des gebildeten Menschen eine beständige Aufforderung zum Lernen? Der gebildete Mensch lebt durchaus für die Zukunft. Sein Leben ist Kampf; seine Erhaltung und sein Zweck Wissenschaft und Kunst. Je mehr man lernt, nicht mehr in Augenblicken, sondern in Jahren usw. zu leben, desto edler wird man. Die hastige Unruh, das kleinliche Treiben des Geistes geht in große, ruhige, einfache und vielumfassende Tätigkeit über und die herrliche Geduld findet sich ein. Immer triumphierender wird Religion und Sittlichkeit, diese Grundvesten unsers Daseins.* [430] Das Höchste bestand also schließlich darin, daß gerade der den Preis der Krankheit bezahlende Mensch auch das Mittel erhielt, die Sünde des sich befreienden Geistes zu überwinden und zu tatsächlicher Erhebung, *produktiver Freiheit* und *Divinität*[431] vorzudringen. Dieses Mittel war, was Novalis mit den Begriffen Religion und Sittlichkeit umschreibt: *Die Sittlichkeit, die kämpfende Kraft, die Energie des intellektuellen Wesens und Religiosität werden dem Kränklichen unentbehrlich, aber auch wohltätiger als irgend einem andern.*[432]

Zweierlei ergibt sich daraus für Novalis' Persönlichkeit. Das eine ist die ergreifende Beobachtung, wie er sich hier gerade aus der Erkenntnis seiner körperlichen Hinfälligkeit und Schwäche die Pflicht und den unbedingten Willen zum sittlichen, humanen Handeln abringt. Alle Bemerkungen über die angebliche Morbidität seines Geistes fallen angesichts dessen in sich selbst zusammen: *Das Ideal der Sittlichkeit hat keinen gefährlichern Nebenbuhler als das Ideal der höchsten Stärke − des kräftigsten Lebens, denn es ist das Maximum des Barbaren − und hat leider in diesen Zeiten der verwildernden Kultur gerade unter den größesten Schwächlingen sehr viele Anhänger. Der Mensch wird durch dieses Ideal zum Tier-Geiste.*[433]

Das zweite ist Novalis' Neuentdeckung des Christentums, nicht nur als eine Religion des Todes und der unendlichen Liebe, sondern auch als eine des Leidens und der ethischen Verpflichtung. Ohne Verständnis für den Begriff der Sünde und der daraus abgeleiteten Kraft des sittlichen Willens − des Gewissens, wie es der Arzt Sylvester im *Ofterdingen* nennt, das *die Stelle Gottes auf Erden* vertritt − kann der Mensch sich selbst und die Welt nicht verstehen, bleibt er im Grunde ein *Tier-Geist. Ohne dies Verständnis kann man sich Christi Verdienst nicht zu eigen machen − man hat keinen Teil an dieser 2ten, höhern Schöpfung.*[434]

Noch einmal, in diesen Wochen, da sich sein Leben deutlich dem Ende zuneigte, ließ Novalis ein Tagebuch zum Zeugen für das Ringen mit sich selbst werden. Am 1. September 1800 trägt er ein: *Heute hatte ich einen äußerst gesegneten Tag. Nur früh einige leise Anwandlungen von Ängstlichkeit. Nachher den ganzen Tag unaussprechlich ruhig, stark, mutig, frei und gelassen. Ich habe Gott recht herzlich gedankt.*[435] Und unter dem 9. Oktober: *O! daß ich Märtyrersinn hätte. Wähl ich nicht alle meine Schicksale seit Ewigkeiten selbst? Jeder trübe Gedanke ist ein irdischer, v o r ü b e r g e h e n d e r Gedanke der Angst. Jede trübe Stimmung ist I l l u s i o n.*[436] Noch einmal also, wie nach dem Tode Sophies, versuchte Friedrich von Hardenberg in strenger Selbstbeobachtung Ängstlichkeit und Unruhe des Körpers niederzuzwingen. Zugleich wird allerdings auch deutlich, daß es Versuche blieben und daß immer wieder die Gefahr bestand, das Errungene zu verlieren. Es wäre deshalb auch nicht richtig, in solchen religiösen Beschwörungen schon die Hinwendung zu den strengen konfessionellen Bindungen und Konversionen in der späteren Geschichte der Romantik vorgezeichnet zu sehen, denn immer blieb Novalis auch in seinen letzten Studien die freie Erhebung des Menschen über sich selbst das wesentliche Ziel, zu dem im Grunde

Kurfürst Friedrich August III.
von Sachsen.
Gemälde von Vogel von Vogelstein

jede Religion Mittler sein konnte. Auch in diesen letzten Heften
finden sich Notizen über das Christentum als *durchaus historische
Religion* [437], nur mußte dessen
Mythos des Leidens und der Erlösung ihm allerdings in seinem
Zustand ganz besonders nahe-
treten.

Wann Novalis' Krankheit aus
dem latenten ins akute Stadium
überging, läßt sich so genau nicht
sagen. Die geologische Landes-
untersuchung Anfang Juni muß alle seine Kräfte stark beansprucht
haben und hätte von einem körperlich Leidenden nicht ausgeführt
werden können. Nach Tiecks Zeugnis war auch von angegriffener
Gesundheit zu diesem Zeitpunkt noch nichts zu erkennen. In Tage-
buchaufzeichnungen Hardenbergs finden sich dann Ende Juli die ersten Bemerkungen über Krankheit, Ängstlichkeit, Unruhe, und etwa
zur gleichen Zeit setzen in den Studienheften die neuen Auseinandersetzungen mit dem Phänomen der Krankheit ein. Im August habe
sich dann, wie der Bruder Carl berichtet, «einiges Blutspeien» gezeigt, «was die Ärzte für unbedeutende Hämorrhoidal-Übel hielten»[438]. Das scheint sich aber fortgesetzt zu haben, obwohl sich Hardenberg in seinem Tagebuch tröstete: *Es wird sich schon nachgerade
verlieren.*[439] Hofrat Stark in Jena hatte die Behandlung übernommen, aber auch an die Konsultation anderer Ärzte, insbesondere Anhänger der Brownschen Lehre, dachte Hardenberg. Ein Dokument
seiner auch in der Zeit zunehmender Hinfälligkeit immer wieder ge-
übten Selbsterziehung und fast tragikomischen Lebensplanung ist
die – letzte – Tagebuchaufzeichnung vom 16. Oktober 1800. Die
Kraft des Gebets als *universale Arzenei* gegen alle *Ängstlichkeit*
wird darin zunächst gelobt, dann heißt es wörtlich: *Jetzt vor der Hand
hab ich auf 2 Fälle zu denken*

    1. auf den Fall, daß ich heirate,

    2. „ „ „ daß ich nicht heirate.

Ich werde, wenn ich erst mit Weigel – einem Meißener Arzt –
*gesprochen habe, umständlich an R ö s c h l a u b schreiben, Opium
und Mandelwasser anschaffen. –*

*ad 1) gibt sich alles von selbst. Dann hab ich nur um Entschlos-
senheit und Pflichtgefühl zu bitten, und auf Arbeit und Zerstreuung
zu denken.*

ad 2) muß ich mich mit Lektüre versehn.[440] Und es folgt eine Liste von verschiedenen historischen Werken; auch Reisen werden ins Auge gefaßt. Bald danach muß Novalis nach Dresden übergesiedelt sein. Vielleicht wollte er in größerer Nähe zu Freiberg sein, vielleicht Weigel im nahen Meißen konsultieren, vielleicht setzte man auch nur Hoffnungen auf Luftwechsel und veränderte Gesellschaft.

Am 28. Oktober stürzte sich der dreizehnjährige Bruder Bernhard in die Saale – «man weiß keinen Grund, der zu nennen wäre, und hat auch nie etwas Außerordentliches an ihm bemerkt als Abscheu vor allem Lernen»[441], schrieb Caroline Schlegel. Die Nachricht von seinem Tode verursachte bei Novalis einen neuen, heftigen Blutsturz. Man rief die Eltern. «In Dresden habe ich acht schwere Tage verlebt. Fritz fährt wieder aus, täglich zweimal und will auch reiten, doch ist er schwach, sehr abgezehrt, und das Blutspeien hört nicht auf»[442], schrieb die Mutter Ende November der Tochter Sidonie. Am 6. Dezember genehmigte der Kurfürst die Ernennung zum «Supernumerar-Amtshauptmann» im Thüringischen Kreise, nur verlangte man von dem «anitzt allhier anwesenden von Hardenberg»[443], daß er sich verpflichtete, sich auch wirklich in seinem Amtsbezirk ansässig zu machen. Mit unsicherer Hand hat er am 20. Dezember dieses letzte erhaltene Dokument aus seiner Berufsarbeit unterzeichnet.

Tieck berichtete er am Neujahrstag 1801, daß ihn *eine langwierige Krankheit des Unterleibes und der Brust völlig außer Tätigkeit gesetzt hätte ... Gearbeitet hab ich gar nichts – aber mich viel mit Poesie in Gedanken und im Lesen beschäftigt ... Was mich sehr plagt, daß ich nicht viel sprechen darf, und das war mir zum Denken fast unentbehrlich.*[444] Der Bruder Carl und Julie von Charpentier waren in dieser Zeit ständig um ihn. Carl bemerkt in einer Beilage an Tieck, er selbst «lebe jetzt in den traurigsten Erwartungen»[445]. Und Charlotte Ernst berichtet an August Wilhelm Schlegel, Hardenberg sei «kaum noch ein Schatten, es würde Dich jammern diesen jungen

Mann zu sehn, es ist sehr wenig Hoffnung zu seinem Aufkommen, er ist so ganz erschlafft von Geiste, daß er gar nicht mehr kennbar ist, ich sehe ihn fast täglich mit seiner Braut, es affiziert mich sehr, er mischt sich selten ins Gespräch, hört nur zu, das Sprechen wird ihm sehr sauer, und oft schläft er ein, wo er dann ganz einem Toten ähnlich sieht»[446].

Mitte Januar kam der Vater dann erneut nach Dresden. Die Mutter versuchte er brieflich zu trösten, daß sich das Aussehen des Sohnes seit November nicht zum Schlechten gewendet habe, «allein der Husten und der kurze Atem sind schlimm... Er fährt täglich vier Stunden spazieren und braucht Kalkwasser und Eselsmilch.»[447] Der reichliche Genuß von Eselsmilch galt von der Antike bis ins 19. Jahrhundert hinein als eine besonders wirkungsvolle Kur gegen Tuberkulose; den langen Ausfahrten mitten im Winter hätten wohl auch gesündere Naturen schwerlich widerstanden. Da die beiden behandelnden Ärzte in Dresden selbst krank waren, drang der Vater auf die Rückkehr nach Weißenfels. Julie begleitete ihren Bräutigam. Am 20. Januar brach man auf. Die Reise von Dresden bis Leipzig, für die die Eilpost damals etwa zwanzig Stunden brauchte, dauerte drei Tage. Am 24. war Novalis wieder in Weißenfels. Dort ging es ihm zunächst etwas besser. *Mit dem Schreiben gehts noch schlecht, aber Lesen, Denken und Teilnehmen kann ich wieder etwas*[448], ließ er den Amtmann Just wissen. Jedoch die Besserung war nur vorübergehend. «Mit Fritz geht es nicht gut; die Aussichten werden mit jedem Tage trüber; wenn nur seine Leiden nicht gemehrt werden; denn jetzt sind doch diese noch erträglich»[449], schreibt Carl am 15. Februar an Tieck und vier Tage später an Dietrich von Miltitz: «Die üblen Anzeichen vermehren sich und die Kräfte sinken. Doch er glaubt sich jetzt besser.»[450] Und in seiner Biographie zitiert Carl den Satz, den Novalis einige Tage vor seinem Tode gesprochen haben soll: *Wenn*

Eintragung im Sterberegister des Kirchenbuches von Weißenfels

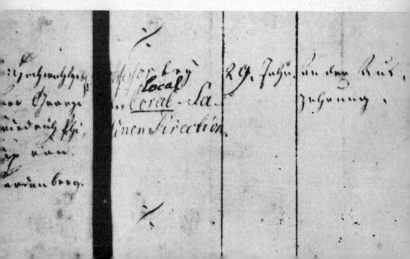

me. Keiner hätte gewiß mehr Anspruch auf unsterblichen Ruhm, als der, durch dessen sichere Hülfe diese Pest unter den Menschen, wenn auch nicht aufgehoben, doch gemindert würde. Düben, den 29sten März 1801. Bernh. Lebr. Neußmann, Acc. Insp.

Unsern Freunden und Verwandten mache ich hierdurch bekannt, daß mein ältester Sohn, Georg Philipp Friedrich von Hardenberg, Assessor bey der Local-Salinendirection, am 25sten dieses an der Auszehrung im 29sten Jahre seines Alters gestorben ist, und verbitte alle Beyleidsversicherungen. Weißenfels, den 30. März 1801. Heinrich Ulrich Erasmus von Hardenberg.

Die am 27. März Abends erfolgte glückliche Niederkunft meiner Frau mit einem Sohne mache ich hierdurch meinen werthen Verwandten und Freunden ergebenst bekannt, und verbitte, überzeugt von … ren allerseitigen freundschaftlichen Theilnahme, alle besondere …

Die Todesanzeige in der «Leipziger Zeitung» vom 1. April 1801

ich erst wieder besser bin, dann sollt ihr erst erfahren, was Poesie ist, ich habe herrliche Gedichte und Lieder im Kopfe.[451] Auch einen ganz neuen Entwurf für die Fortsetzung des *Heinrich von Ofterdingen* erwog er in diesen Tagen.

Hans Georg von Carlowitz besuchte ihn vom 20. zum 21. März, vom Kranken selbst gerufen, da «alle Ärzte sein Leben nur noch auf wenige Tage»[452] berechnet hätten. Friedrich Schlegel, der drei Tage später kam, behauptete dagegen: «Er selbst s c h e i n t seine Gefahr durchaus nicht zu sehen ... Hardenberg ist sehr freundlich und liebevoll gestimmt, nur äußerst matt. Er ist an den Füßen und im Gesichte geschwollen und dadurch etwas entstellt.»[453] Und auch kurz danach hat Schlegel noch einmal versichert, Novalis habe keine Ahnung von seinem bevorstehenden Tode gehabt. Der Widerspruch mag sich durch die charakteristische Form der Euphorie bei Lungenkranken erklären, die der Hofrat Stark selbst einmal so beschrieben hat: «Der geringste Schimmer von einer Erleichterung gibt ihnen schon wieder volle Hoffnung. Sie sind wie ein auslöschendes Licht, wo ein einziger Öltropfen es auf einen Augenblick wieder aufflammend macht, dann aber auch desto geschwinder verlöscht.»[454]

Am 25. März 1801 trug der Bruder Carl in sein Tagebuch ein: «Fritz hatte leidlich geschlafen, war aber noch sehr ermattet. Um acht Uhr kam der Doktor und versicherte, daß heut sein Lebensende sein könnte.» Um neun Uhr soll sich Novalis dann von Carl etwas auf dem Klavier haben vorspielen lassen und darüber eingeschlafen sein. «Jetzt um 1/2 11 Uhr schläft er tief, röchelt und der Atem setzt ganze Züge aus; er erwacht nur auf Augenblicke und spricht recht irre; nur manchmal ist er bei sich, aber überaus ruhig und dem Anschein nach ohne Schmerzen. Um 1/2 1 Uhr starb er sanft und ohne alle Bewegung.»[455] Der Bruder und Friedrich Schlegel, der Freund, waren bei ihm.

Jahre später, als das Reich Napoleons bereits zusammengebrochen war und der preußische Kanzler Karl August von Hardenberg mit Metternich auf dem Wiener Kongreß zusammensaß, blickte Henrik Steffens in einem Brief an Ludwig Tieck noch einmal auf das zurück, was damals in der kurzen Zeit symphilosophischer und sympoetischer Begeisterung von dem Kreis um Novalis und die Schlegels so heftig und leidenschaftlich erstrebt worden war. Er nannte es einen «geistigen Babelsturm», «den alle Geister aus der Ferne erkennen sollten. Aber die Sprachverwirrung begrub dieses Werk des Hochmuts unter seine eigenen Trümmer.» Und obwohl man «reich an Keimen mancherlei Art» gewesen sei, so «lag dennoch etwas Ruchloses im Ganzen»[456].

Das Werk Friedrich von Hardenbergs ist der reinste Ausdruck dieser Zeit, denn es wird ganz von ihr beschlossen, während seine Freunde noch Jahrzehnte für neues Schaffen vor sich hatten. Die Nachwelt hat sich allerdings bei Novalis meist nur jeweils an das eine oder das andere gehalten: an den Reichtum an Keimen oder das «Ruchlose». Dabei haben die Verehrer oft mehr Schaden gestiftet als die Kritiker, die ihm zuweilen verwandter waren, als sie zugaben oder auch nur erkannten. Als Idol läßt sich Novalis nicht brauchen. Die ultramontanen Imitatoren des sogenannten Novalismus Anfang des 19. Jahrhunderts ebenso wie die Wandervögel, die zur Zupfgeige von der blauen Blume sangen, religiöse Schwärmer wie Mystagogen jeden Kalibers haben ihn zu Unrecht für sich in Anspruch genommen.

Aber auch dort, wo mit guten Absichten in seinem Werk herumgesucht und dieses oder jenes «Fragment» ans Licht gezogen wurde, das ihn dann etwa als Urahn existentialistischer Philosophie oder experimenteller Dichtung auszuweisen schien, hat man den inneren Zusammenhang dieses Werkes und dessen ihm von seinem Schöpfer zugedachte Verbindlichkeit übersehen. Denken war für Novalis nicht Selbstzweck, und selbst die Poesie blieb ihm immer nur ein Mittel, wenn auch das höchste, feinste, diffizilste, zu einem noch höheren Ziel, der *Erhebung des Menschen über sich selbst*.

Gewiß lag Vermessenheit, eben «etwas Ruchloses» in einem solchen Anspruch. Vieles war in dem Entwurf romantischer «Universalpoesie» auch unausgereift. Das Objekt, die Welt, das der Dichter mit seinem Gemüt vereinigen sollte[457], war in seiner Komplexität noch längst nicht durchschaut, wie sich überhaupt die Widersprüche, in die Novalis durch Zeit und Persönlichkeit verfangen war, nicht ohne Rest lösen ließen. Eigene Zweifel waren ihm durchaus nicht fremd. Aber er hat versucht, sich davon nicht entmutigen zu lassen. Novalis ging es um innere und äußere Freiheit, um die Aufhebung entwürdigender Gegensätze, um eine Regeneration des Menschlichen. Man betrachtet solchen Traum mit Skepsis; er ist aber, zum Glück, unausrottbar.

NOVALIS

FRIEDR. v. HARDENBERG.
GEB. D. 2. MAI 1772
GEST. D. 25. MAERZ 1801.

Das Grabmal in Weißenfels

ANMERKUNGEN

Orthographie und Interpunktion in den Zitaten sind mit wenigen besonders charakteristischen Ausnahmen modernisiert; der ursprüngliche Lautstand wurde bewahrt. Zitate aus Briefen und Tagebüchern von Novalis wurden an den Originalen überprüft, soweit diese dem Verfasser vorlagen. Abweichungen von dem als Quelle angegebenen Text sind darauf zurückzuführen. In einigen krassen Fällen wird die alte Lesung hinter der Quellenangabe verzeichnet. Es werden folgende Abkürzungen verwandt:

Athenaeum = «Athenaeum. Eine Zeitschrift von August Wilhelm Schlegel und Friedrich Schlegel». Berlin 1798–1800. Neudruck: 3 Bde. Stuttgart 1960.
Berufslaufbahn = G. Schulz: «Die Berufslaufbahn Friedrich von Hardenbergs (Novalis)». In: Jahrbuch der dt. Schillergesellschaft. Vgl. Bibliographie S. 180.
HKA = Historisch-kritische Ausgabe. Stuttgart Bd. 1 : 1960; Bd. 2 : 1965; Bd. 3 : 1968; Bd. 4 : noch nicht erschienen. Vgl. Bibliographie S. 178. Die Angaben beziehen sich auf Band und Seite.
Karl v. H. = Karl von Hardenbergs Biographie seines Bruders Novalis. In: Euphorion 53 (1958). Vgl. Bibliographie S. 178.
Kl. = Novalis Schriften. Im Verein mit Richard Samuel herausgegeben von Paul Kluckhohn. 4 Bd. 1929. Vgl. Bibliographie S. 178. Die Angaben beziehen sich auf Band und Seite.
Nachlese = Sophie von Hardenberg: «Friedrich von Hardenberg (genannt Novalis). Eine Nachlese aus den Quellen des Familienarchivs». 2. Aufl. 1883. Vgl. Bibliographie S. 178. Dem Verfasser standen für einige Dokumente handschriftliche Ergänzungen R. Samuels zur Verfügung.
Tieck = L. Tieck, Vorrede zur dritten Auflage. 1815. Vgl. Bibliographie S. 179.

1 Tieck, S. XXXII
2 Nachlese, S. 10
3 HKA 1, 209
4 Nach R. Samuel: «Ahnentafel des Dichters Friedrich von Hardenberg». Leipzig 1929. S. 3
5 Nachlese, S. 5
6 Nachlese, S. 5
7 Nachlese, S. 9 f
8 Nach Kl. 4, 446
9 Kl. 4, 16
10 Karl v. H., S. 178
11 Nachlese, S. 19
12 Kl. 4, 317
13 Nach Berufslaufbahn, S. 255
14 Kl. 4, 11
15 Karl v. H., S. 178
16 Kl. 4, 318
17 Kl. 4, 318
18 HKA 1, 492
19 HKA 1, 515
20 HKA 1, 483
21 Nach H.-J. Mähl: «Die Idee des goldenen Zeitalters im Werk des Novalis». Heidelberg 1965. S. 453
22 Kl. 4, 7
23 Kl. 4, 7
24 HKA 1, 495
25 Nationalausgabe, Bd. 22, S. 254 und 246
26 Kl. 4, 23
27 HKA 2, 25
28 Karoline von Wolzogen: «Schillers Leben». Stuttgart o. J. S. 190
29 HKA 1, 538 f; Wielands Nachschrift S. 645

30 L. Urlichs: «Charlotte von Schiller und ihre Freunde». Stuttgart 1860 ff. Bd. 3, S. 179 f
31 Kl. 4, 18 f
32 Kl. 4, 23
33 Kl. 4, 24
34 Kl. 4, 31
35 Kl. 4, 27
36 Nationalausgabe, Bd. 22, S. 247 und 256
37 Kl. 4, 30
38 Kl. 4, 26
39 Kl. 4, 21
40 Kl. 4, 318
41 O. Walzel: «Friedrich Schlegels Briefe an seinen Bruder August Wilhelm». Berlin 1890. S. 34
42 Walzel, a. a. O., S. 35
43 Walzel, a. a. O., S. 35
44 Walzel, a. a. O., S. 40
45 Walzel, a. a. O., S. 43
46 Walzel, a. a. O., S. 69
47 Walzel, a. a. O., S. 43
48 M. Preitz: «Friedrich Schlegel und Novalis». Darmstadt 1957. S. 29
49 Kl. 4, 34 f
50 Kl. 4, 35 f
51 Kl. 4, 37
52 Kl. 4, 38
53 Kl. 4, 38
54 Kl. 4, 41
55 Kl. 4, 40
56 Kl. 4, 44
57 Nach H. Eberhard: «Goethes Umwelt». Weimar 1951. S. 94
58 Kl. 4, 58 f
59 Kl. 4, 61
60 Preitz, a. a. O., S. 31
61 Kl. 4, 50
62 Preitz, a. a. O., S. 42
63 Kl. 4, 47
64 Kl. 4, 54
65 Kl. 4, 86
66 Kl. 4, 69
67 Kl. 4, 69 f
68 Kl. 4, 77
69 HKA 4
70 Kl. 4, 84
71 HKA 1, 385
72 HKA 2, 494
73 Kl. 4, 59 f
74 A. C. Just: «Friedrich von Hardenberg». In: Nekrolog der Teutschen (1805), S. 196–198
75 Kl. 4, 78
76 Kl. 4, 77
77 Werke und Schriften. Stuttgart 1957. Bd. 2, S. 1026 f
78 Kl. 4, 82
79 Kl. 4, 187
80 Karl v. H., S. 179
81 Kl. 4, 81 f
82 Kl. 4, 83
83 Kl. 4, 95
84 HKA 4
85 Kl. 4, 92
86 HKA 1, 393
87 HKA 1, 387
88 Kl. 4, 375 f
89 Kl. 4, 376
90 Kl. 4, 116 f
91 Kl. 4, 115 f
92 Walzel, a. a. O., S. 34
93 J. L. Döderlein: «Neue Hegel-Dokumente». In: Zs. f. Religions- und Geistesgeschichte 1 (1948), S. 7
94 Nach F. Medicus: «Fichtes Leben». In: Fichtes Werke. Leipzig o. J. Bd. 1, S. 73
95 Athenaeum, Bd. 1, S. 232
96 Kl. 4, 208
97 HKA 2, 157
98 HKA 2, 155
99 HKA 2, 155
100 HKA 2, 281
101 HKA 2, 291
102 HKA 2, 291
103 HKA 2, 237
104 HKA 2, 248 f
105 Kl. 4, 136
106 HKA 4
107 Kl. 4, 153 (dort irrtümlich: «die spannenlange Gestalt» und «erforscht»)
108 E. Schmidt: «Caroline». Leipzig 1913. Bd. 1, S. 393 und 396
109 Nach Berufslaufbahn, S. 260 f
110 Kl. 4, 287
111 Kl. 4, 125
112 Kl. 4, 133 f
113 Kl. 4, 133
114 Kl. 4, 106
115 HKA 2, 235
116 HKA 2, 258
117 HKA 2, 257

118 Kl. 4, 164
119 Kl. 4, 121
120 HKA 4
121 HKA 4
122 Kl. 4, 156
123 Kl. 4, 157
124 Preitz, a. a. O., S. 64
125 Kl. 4, 156
126 HKA 4
127 Kl. 4, 159
128 Kl. 4, 160
129 HKA 4
130 Kl. 4, 163
131 HKA 4
132 Kl. 4, 179
133 Kl. 4, 175
134 Kl. 4, 179, 185
135 Kl. 4, 184
136 Kl. 4, 186, 188
137 Die unsichtbare Loge, 25. Sektor, Extrablatt
138 Kl. 4, 190
139 Kl. 4, 114
140 Kl. 4, 187
141 Kl. 4, 387 (dort irrtümlich: «Dann las ich . . .»)
142 Kl. 4, 380, 382, 398
143 Kl. 4, 387
144 Kl. 4, 384
145 Kl. 4, 381
146 Kl. 4, 379, 380, 384
147 Kl. 4, 380, 385, 390
148 Kl. 4, 388
149 Kl. 4, 394
150 Kl. 4, 379, 380, 381, 387
151 Kl. 4, 382
152 Kl. 4, 380
153 Kl. 4, 386
154 Kl. 4, 383
155 Kl. 4, 384
156 Kl. 4, 385
157 Kl. 4, 385
158 Kl. 4, 386
159 R. Unger: «Jean Paul und Novalis». In: Gesammelte Studien. Berlin 1929. Bd. 2, bes. S. 113 ff
160 Kl. 4, 389
161 Kl. 4, 199
162 Kl. 4, 397 (wörtlich: «Xstus und Sophie»)
163 Kl. 4, 381
164 Kl. 4, 397
165 Kl. 4, 382
166 Kl. 4, 388
167 Kl. 4, 393
168 Kl. 4, 389
169 Kl. 4, 439
170 Kl. 4, 387
171 Kl. 4, 390
172 Kl. 4, 207
173 Kl. 4, 394
174 Kl. 4, 177
175 Kl. 4, 179
176 Kl. 4, 192
177 Kl. 4, 196
178 Kl. 4, 179
179 Preitz, a. a. O., S. 83
180 Kl. 4, 207
181 Kl. 4, 398
182 Nach Kl. 4, 440 f
183 Catholy/Samuel: «Ein unbekannter Novalis-Brief». In: Euphorion 47 (1953), S. 417 und 420
184 Nach Berufslaufbahn, S. 264
185 Catholy/Samuel, a. a. O., Euphorion 47 (1953), S. 419
186 HKA 2, 374
187 HKA 2, 374
188 HKA 2, 395
189 Kl. 4, 212
190 Kl. 4, 218
191 HKA 1, 243
192 Kl. 4, 298
193 Kl. 4, 288
194 Kl. 4, 298
195 Kl. 4, 442
196 Bergmännischer Kalender für das Jahr 1791. Freyberg 1791, S. 119
197 HKA 1, 399
198 HKA 1, 400
199 HKA 1, 400
200 Walzel, a. a. O., S. 316
201 Kl. 4, 229
202 Schiller, Briefwechsel mit Körner. Leipzig 1847, Bd. 2, S. 267
203 Kl. 4, 220
204 Preitz, a. a. O., S. 106
205 Athenaeum, Bd. 1, S. 230
206 Kl. 4, 219
207 D. Fiebiger: «Dreizehn Briefe Wielands». In: Jahrbuch der Goethe-Gesellschaft 11 (1925), S. 263
208 K. A. Böttiger: «Literarische

Zustände und Zeitgenossen».
Leipzig 1838. Bd. 2, S. 180

209 Kl. 4, 246
210 Kl. 4, 229
211 Kl. 4, 256
212 HKA 2, 417/419
213 HKA 2, 423
214 HKA 2, 455
215 HKA 2, 421
216 HKA 2, 443
217 HKA 2, 447/449
218 HKA 2, 427
219 HKA 2, 441
220 HKA 2, 525 f
221 HKA 2, 372
222 HKA 2, 468
223 HKA 2, 437
224 HKA 2, 459
225 HKA 2, 459
226 HKA 2, 463
227 Weimarer Ausgabe, III, 2, S.
203
228 Henrik Steffens: «Was ich erlebte». München 1956. S. 78
229 Kl. 4, 234
230 HKA 2, 640
231 Steffens, a. a. O., S. 116
232 Kl. 4, 231
233 Kl. 4, 231
234 HKA 2, 485
235 HKA 2, 494
236 HKA 2, 495
237 HKA 2, 486
238 HKA 2, 487
239 HKA 2, 489
240 HKA 2, 490
241 HKA 2, 494
242 HKA 2, 498
243 Preitz, a. a. O., S. 122
244 HKA 2, 479
245 Preitz, a. a. O., S. 125
246 Preitz, a. a. O., S. 115
247 HKA 2, 497
248 HKA 2, 492
249 Kl. 4, 231
250 HKA 2, 545
251 Athenaeum, Bd. 1, S. 204
252 HKA 2, 535
253 Kl. 4, 228
254 J. W. Ritter: «Beweis, dass ein
beständiger Galvanismus den
Lebensprocess in dem Thierreich begleite». Weimar 1798.
S. 171

255 HKA 1, 404
256 HKA 2, 584
257 Kl. 4, 231
258 HKA 2, 651
259 HKA 3, 316
260 HKA 2, 541
261 HKA 2, 548
262 HKA 2, 546
263 HKA 2, 546 f
264 HKA 2, 547
265 HKA 3, 358
266 HKA 3, 358
267 HKA 3, 305
268 HKA 3, 311
269 HKA 3, 448
270 HKA 3, 301
271 Kl. 4, 232 f
272 Kl. 4, 240
273 HKA 3, 475
274 Plitt: «Aus Schellings Leben».
Leipzig 1869. Bd. 1, S. 432
275 L. Jonas und W. Dilthey: «Aus
Schleiermacher's Leben». Berlin
1858–1863. Bd. 3, S. 76 f
276 J. Körner: «Krisenjahre der Frühromantik». 1936–1958. Bd. 1,
S. 7
277 Kl. 4, 232 f
278 Kl. 4, 238
279 Kl. 4, 241
280 Kl. 4, 252
281 HKA 3, 280
282 Kl. 4, 236
283 Kl. 4, 227
284 Kl. 4, 320 f
285 Kl. 4, 321
286 Kl. 4, 255
287 Kl. 4, 260 f
288 Kl. 4, 267
289 Kl. 4, 320
290 Schulz, DVJ 35 (1961), S. 217 f
291 HKA 3, 613 ff
292 Kl. 4, 251
293 Kl. 4, 239
294 Kl. 4, 270
295 HKA 3, 464
296 Kl. 4, 251
297 Kl. 4, 265 f
298 Kl. 4, 270 f
299 Kl. 4, 275
300 HKA 3, 248
301 HKA 3, 247
302 Kl. 4, 264
303 Kl. 4, 262 f

304 Kl. 4, 277
305 HKA 1, 108
306 Kl. 4, 277 f
307 Kl. 4, 277
308 Kl. 4, 288 f
309 Nach Berufslaufbahn, S. 297
310 Kl. 4, 322
311 Schulz, DVJ 35 (1961), S. 217
312 HKA 2, 559
313 HKA 3, 758 f
314 Kl. 4, 294
315 Kl. 4, 294
316 Tieck, S. XXIV
317 Jonas/Dilthey, a. a. O., Bd. 3, S. 125
318 Schleiermacher: «Über die Religion». Berlin 1799. S. 51
319 Kl. 4, 257
320 HKA 1, 288
321 HKA 3, 493
322 Jonas/Dilthey, Bd. 3, S. 128 f
323 Kl. 4, 263
324 J. W. Ritter: «Fragmente aus dem Nachlasse eines jungen Physikers». Heidelberg 1810. Bd. 1, S. XVII f
325 Kl. 4, 327
326 HKA 3, 655
327 Jonas/Dilthey, a. a. O., Bd. 3, S. 132
328 Jonas/Dilthey, a. a. O., Bd. 3, S. 134
329 Tieck, S. XXXIII
330 HKA 3, 509
331 Nach Deutsche Literatur. Reihe Romantik, Bd. 9: Satiren und Parodien. Leipzig 1935. S. 179 f
332 Jonas/Dilthey, a. a. O., Bd. 3, S. 127
333 Jonas/Dilthey, a. a. O., Bd. 3, S. 132 f
334 Jonas/Dilthey, a. a. O., Bd. 3, S. 139
335 Jonas/Dilthey, a. a. O., Bd. 3, S. 125
336 Jonas/Dilthey, a. a. O., Bd. 3, S. 143
337 HKA 3, 507 ff
338 HKA 3, 510
339 HKA 3, 515
340 HKA 3, 517
341 HKA 3, 524
342 HKA 3, 517 f

343 HKA 3, 524
344 I. Kant: «Die Religion innerhalb der Grenzen der bloßen Vernunft». Werke. Berlin 1922–1923. Bd. 6, S. 278
345 Schleiermacher, a. a. O., S. 199 ff
346 HKA 3, 521
347 HKA 3, 523
348 HKA 3, 510
349 HKA 3, 513
350 HKA 3, 519 f
351 HKA 2, 461
352 Kl. 4, 325
353 HKA 3, 588
354 HKA 1, 160
355 HKA 1, 163
356 HKA 1, 164
357 HKA 1, 165
358 Kl. 4, 331
359 HKA 1, 131
360 HKA 1, 133
361 HKA 1, 153
362 HKA 1, 135
363 HKA 1, 139
364 HKA 1, 137
365 HKA 1, 157
366 Kl. 4, 297
367 HKA 2, 570
368 HKA 2, 642
369 HKA 3, 646 f
370 HKA 1, 242
371 HKA 1, 196 f
372 HKA 1, 203
373 HKA 1, 213
374 HKA 1, 312
375 HKA 1, 276
376 HKA 1, 325
377 HKA 1, 257
378 HKA 2, 564
379 HKA 3, 248
380 HKA 1, 211
381 HKA 1, 220 f
382 HKA 1, 222
383 HKA 1, 225
384 HKA 1, 227
385 HKA 1, 268
386 HKA 1, 265
387 HKA 1, 281
388 HKA 1, 332
389 HKA 1, 320
390 Kl. 4, 330
391 HKA 1, 294
392 Kl. 4, 343
393 HKA 1, 312

394 HKA 1, 314 f
395 HKA 1, 315
396 HKA 2, 492
397 Athenaeum, Bd. 3, S. 95 f
398 HKA 1, 345
399 HKA 1, 347
400 HKA 1, 343
401 HKA 1, 300
402 HKA 3, 654
403 Kl. 4, 332 f
404 Kl. 4, 335
405 Kl. 4, 330, vgl. a. HKA 3, 682 f
406 Kl. 4, 334
407 Nach Schulz: «Novalis und der
     Bergbau». In: Freiberger For-
     schungshefte D 11, Berlin 1955,
     S. 258
408 Kl. 4, 340
409 HKA 3, 652 f
410 HKA 3, 793
411 HKA 3, 787
412 Kl. 4, 330 f
413 HKA 1, 414
414 HKA 1, 418
415 HKA 1, 363 f
416 Nach Berufslaufbahn, S. 308
417 Tieck, S. XXVII f
418 Kl. 4, 459
419 HKA 4
420 Schmidt, a. a. O., Bd. 2, S. 160
421 Catholy/Samuel, a. a. O., Eu-
     phorion 47 (1953), S. 417
422 Kl. 4, 320
423 Kl. 4, 235 f (dort irrtümlich:
     «. . . Pyrometer»)
424 HKA 3, 659
425 HKA 3, 667
426 HKA 3, 667

427 HKA 3, 658
428 HKA 3, 662 f
429 HKA 1, 160
430 HKA 3, 686 f
431 HKA 3, 669
432 HKA 3, 661 f
433 HKA 2, 576
434 HKA 3, 684
435 Kl. 4, 406
436 Kl. 4, 409
437 HKA 3, 667
438 Karl v. H., S. 181
439 Kl. 4, 407
440 Kl. 4, 410
441 Schmidt, a. a. O., Bd. 2, S. 160
442 Kl. 4, 533
443 Nach Berufslaufbahn, S. 309
444 Kl. 4, 350
445 K. v. Holtei: «Briefe an Ludwig
     Tieck». Breslau 1864. Bd. 1, S.
     312
446 Kl. 4, 468
447 Nachlese, S. 271
448 Kl. 4, 351
449 Holtei, a. a. O., Bd. 1, S. 314
450 Kl. 4, 535
451 Karl v. H., S. 181 f
452 O. E. Schmidt: «Drei Brüder
     Carlowitz». Leipzig 1933. S. 49
453 Walzel, a. a. O., S. 469 f
454 Nach Fischer: «Die Krankheits-
     auffassung Friedrich von Har-
     denbergs». In: Arzt und Huma-
     nismus. Zürich–Stuttgart 1962.
     S. 269
455 HKA 4
456 Holtei, a. a. O., Bd. 4, S. 65
457 HKA 3, 686

ZEITTAFEL

1772	2. Mai: Georg Philipp Friedrich von Hardenberg in Oberwiederstedt geboren. Eltern: Heinrich Ulrich Erasmus von Hardenberg (1738–1814) und Auguste Bernhardine, geb. von Bölzig (1749–1818) Ältere Geschwister: Caroline (1771–1801)
1774	9. August: Der Bruder Erasmus geboren (gest. 1797)
1776	13. März: Der Bruder Carl geboren (gest. 1813)
1779	16. Mai: Die Schwester Sidonie geboren (gest. 1801)
1780	Schwere Ruhrerkrankung
1781	28. Juli: Der Bruder Georg Anton geboren (gest. 1825)
1783	1. April: Die Schwester Auguste geboren (gest. 1804). Anschließend schwere körperliche und seelische Erkrankung der Mutter Aufenthalt auf Schloß Lucklum bei dem Onkel Gottlob Friedrich Wilhelm von Hardenberg (1728–1800)
1784	18. Dezember: Ernennung Heinrich Ulrich Erasmus von Hardenbergs zum Direktor der kursächsischen Salinen Dürrenberg, Kösen und Artern
1785	Umzug der Familie von Oberwiederstedt nach Weißenfels
1787	5. Februar: Der Bruder Bernhard geboren (gest. 1800)
1788	Erste Gedichte
1789	Mai: Begegnung mit Gottfried August Bürger in Langendorf bei Weißenfels Gedichte, Verserzählungen und Übersetzungen
1790	Juni–Oktober: Besuch des Luthergymnasiums in Eisleben 23. Oktober: Immatrikulation an der Universität Jena
1791	Beziehungen zu Friedrich Schiller April: Erste Veröffentlichung: das Gedicht *Klagen eines Jünglings* im «Neuen Teutschen Merkur» 24. Oktober: Immatrikulation an der Universität Leipzig 26. November: Der Bruder Peter Wilhelm geboren (gest. 1811)
1792	Januar: Erste Begegnung mit Friedrich Schlegel in Leipzig
1793	April: Übersiedlung an die Universität Wittenberg 27. Mai: Immatrikulation 19. August: Die Schwester Amalie geboren (gest. 1814)
1794	14. Juni: Juristisches Examen in Wittenberg abgelegt Ende Juni bis Oktober in Weißenfels 25. Oktober: Übersiedlung nach Tennstedt 8. November: Dienstantritt als Aktuarius beim Kreisamt in Tennstedt 17. November: Erste Begegnung mit Sophie von Kühn (geb. 17. März 1782) in Grüningen bei Tennstedt 19. Dezember: Der Bruder Hans Christoph geboren (gest. 1816)
1795	15. März: Inoffizielles Verlöbnis mit Sophie von Kühn Sommer: Begegnung mit Johann Gottlieb Fichte und Friedrich Hölderlin bei Friedrich Immanuel Niethammer in Jena Ende September: Begegnung mit Graf Friedrich Leopold von Stolberg in Stolberg (Harz) Herbst: Beginn der Fichte-Studien. – Gesellige Gedichte November: Erkrankung Sophie von Kühns 30. Dezember: Ernennung zum Akzessisten bei der Salinendirektion in Weißenfels
1796	Januar: Vierzehntägiger Kursus in Chemie bei Johann Christian Wiegleb in Langensalza

171

Februar: Beginn der Tätigkeit in Weißenfels
Mai: Besuch auf Schloß Hardenberg bei Nörten
5. Juli: Erste Operation Sophie von Kühns in Jena
Anfang August: Friedrich Schlegels Besuch in Weißenfels. Weitere gegenseitige Besuche in Jena und Weißenfels
Dezember: Rückkehr Sophie von Kühns nach Grüningen

1797   1.–10. März: Letzter Besuch vor Sophies Tod in Grüningen
19. März: Tod Sophie von Kühns
12. April–31. Mai: in Tennstedt und Grüningen
14. April: Tod Erasmus von Hardenbergs
16. April: Ostersonntag. Erster Besuch von Sophies Grab
18. April: Beginn des *Journals*
Sommer: In Jena Begegnung mit August Wilhelm und Caroline Schlegel
September: Entschluß zum Studium an der Bergakademie Freiberg
Oktober–November: Hemsterhuis-Studien
1. Dezember: Erste Begegnung mit Friedrich Wilhelm Joseph Schelling in Leipzig
Beginn des Studiums in Freiberg

1798   In Freiberg: Beziehung zu Abraham Gottlob Werner und dem Hause Charpentier
Reisen nach Dresden und Siebeneichen
22. Januar: Gedicht *Der Fremdling*
29. März: Mit August Wilhelm Schlegel bei Goethe in Weimar, abends bei Schiller in Jena
April: Erscheinen des ersten Heftes des «Athenaeums» mit *Blütenstaub* unter dem Pseudonym «Novalis». Arbeit an den *Lehrlingen zu Sais*
Juni–Juli: *Blumen* und *Glauben und Liebe* von «Novalis» erscheinen
Weitere Fragmentaufzeichnungen zur romantischen Philosophie und Poesie; *Dialogen* und *Monolog*. Beginn der naturwissenschaftlichen Studien
15. Juli–Mitte August: Kuraufenthalt in Teplitz
25.–26. August: Galeriebesuch in Dresden mit Schelling, den Brüdern Schlegel u. a.
September: Beginn des *Allgemeinen Brouillons*
Oktober: Erste Begegnung mit Jean Paul
Dezember: Verlobung mit Julie von Charpentier (16. März 1776–2. September 1811)

1799   Mitte Mai: Rückkehr nach Weißenfels
20. Mai–15. Juni: Als Protokollant Julius Wilhelm von Oppels bei der Inspektion der Salinen
17. Juli: Erste Begegnung mit Ludwig Tieck in Jena. Besuch bei Herder
21. Juli: Zweiter Besuch bei Goethe in Weimar
Entstehung der ersten *Geistlichen Lieder*
Anfang August: Begegnung mit Henrik Steffens in Freiberg
Ende August: Reise in die Oberlausitz zu seinem zukünftigen Schwager Friedrich von Rechenberg
September–Oktober: Studium von Schleiermachers Reden «Über die Religion» und Randbemerkungen zu Friedrich Schlegels «Ideen»
Oktober–November: *Die Christenheit oder Europa*, weitere *Geistliche Lieder*
11.–14. November: «Romantikertreffen» in Jena (die Brüder Schlegel, Tieck, Schelling, Ritter)

Ende November: In Artern. Beginn der Arbeit am *Heinrich von Ofterdingen*

7. Dezember: Ernennung zum Salinen-Assessor

1800 Januar: Abschluß der handschriftlichen Fassung der *Hymnen an die Nacht*

Intensives Studium der Werke Jakob Böhmes

5. April: Abschluß der Arbeit am ersten Teil des *Heinrich von Ofterdingen*

10. April: Bewerbung um die Stelle eines Amtshauptmanns im Thüringischen Kreise

1.–16. Juni: Geologische Untersuchung der Gegend zwischen Zeitz, Gera, Borna und Leipzig in Gemeinschaft mit dem Bergstudenten Friedrich Traugott Michael Haupt

20.–22. Juli: Ludwig Tieck in Weißenfels

Juli–September: Pläne zur Fortsetzung des *Heinrich von Ofterdingen* sowie Gedichte dafür, darunter das *Lied der Toten*. – Aufzeichnungen zu medizinischen, religiösen und poetischen Problemen

August: Die *Hymnen an die Nacht* von «Novalis» erscheinen in revidierter Fassung im 6. Heft des «Athenaeum»

Verschlechterung des Gesundheitszustandes

28. September: Absendung der Probeschrift für die Stelle eines Amtshauptmanns

Oktober: Reise nach Siebeneichen, Meißen und Dresden

28. Oktober: Tod des Bruders Bernhard

6. Dezember: Ernennung zum Supernumerar-Amtshauptmann im Thüringischen Kreise

1801 20.–24. Januar: Rückreise von Dresden nach Weißenfels

20. März: Hans Georg von Carlowitz in Weißenfels

23. März: Friedrich Schlegel trifft in Weißenfels ein

25. März: Tod Friedrich von Hardenbergs

ZEUGNISSE

Thomas Carlyle

Die freundlichen Worte «liebenswürdiger Schwärmer», «poetischer Träumer» werden ebenso leicht hingesagt oder geschrieben wie die unfreundlichen «deutscher Mystizist» oder «verrückter Rhapsode»; aber sie sagen in diesem Falle nicht viel. Wenn wir uns nicht sehr irren, kann Novalis in keine diese Kategorien eingeordnet werden; er gehört vielmehr zu einer höheren und weniger bekannten, deren Bedeutung wohl ebenfalls des Studiums wert ist und die sich uns auch erst nach langem Bemühen aufschließt...

Wir können sagen, daß das Hervorragendste, was wir an Novalis bemerkt haben, die wahrhaft wundervolle Feinheit seines Intellekts ist: seine Kraft zu äußerster Abstraktion, seine Fähigkeit, mit Luchsaugen die tiefsten und subtilsten Gedanken in ihre tausend Verzweigungen zu verfolgen und bis an die Grenzen des menschlichen Denkens vorzudringen.

Novalis. 1829

Ricarda Huch

Er selbst definierte Philosophie als Heimweh, Trieb, überall zu Hause zu sein. Als ein solcher Philosoph war Novalis geboren. Sein Hang, die Dinge in der Art zu betrachten, daß er sich von Ursache zu Ursache tastete und sich daran wie an einer Strickleiter in ihre Tiefen herabließ, macht den echten Philosophen. An der Außenseite eines Dinges haften zu bleiben, war ihm durchaus unmöglich; ein ätherischer Körper, drängte sein Geist sich überall in das Innerste hinein. So war er Philosoph, immer, in jedem Augenblick, mit allen Kräften, soviel wie er Mensch war, weswegen es ihm nicht hätte begegnen können, daß er eine Theorie verfochten und ihr im Leben zuwider gehandelt hätte. Seine Philosophie war wie seine Poesie sein Leben: erlernt im Leben und darin angewandt.

Die Blütezeit der Romantik. 1899

Christopher Brennan

Der Gipfel seines Schaffens ist das *Lied der Toten*. Es ist nicht nur sein Meisterwerk, es ist eines jener vollkommenen Meisterwerke, die selbst im Leben eines großen Dichters wohl nur einmal gelingen, eines der Meisterwerke der Weltliteratur, ein Wunder an unirdischer Musik und vollkommenem Ausdruck. Es ist unmöglich, es zu übersetzen: man müßte dazu des Dichters eigenes Leben gelebt haben, durch alle seine Empfindungen hindurchgegangen sein und zugleich auch die kleinste seiner Erfahrungen selbst gemacht haben. Schon das einzigartige und wunderbare Spiel der Reime genügt, einem Übersetzer den Mut zu nehmen. Ich kann nur alle diejenigen, die Deutsch können, auf das Original verweisen, und allen anderen raten, diese Sprache so rasch als möglich zu lernen, damit sie es lesen können.

Novalis. 1904

GEORG LUKÁCS

Novalis ist der einzige wahrhafte Dichter der romantischen Schule, nur in ihm ist die ganze Seele der Romantik Lied geworden und nur in ihm ausschließlich sie. Die anderen, wenn sie überhaupt Dichter waren, waren bloß romantische Dichter; die Romantik gab ihnen bloß neue Motive, veränderte bloß die Richtung ihrer Entwicklung oder bereicherte sie, aber sie waren schon Dichter, bevor sie diese neuen Gefühle in sich erkannt haben und blieben es auch, nachdem sie sich von aller Romantik abgewandt hatten. Leben und Werk des Novalis bilden – es hilft nichts, dieser Gemeinplatz ist die einzig zutreffende Formel – eine unzertrennbare Einheit und als eine solche Einheit sind sie ein Symbol der gesamten Romantik; es scheint, als ob ihre ins Leben ausgesetzte und dort verirrte Poesie, durch sein Leben erlöst, wieder lautere und echte Poesie geworden wäre.

Novalis. 1907

GEORG TRAKL

An Novalis

In dunkler Erde ruht der heilige Fremdling.
Es nahm von sanftem Munde ihm die Klage der Gott,
Da er in seiner Blüte hinsank.
Eine blaue Blume
Fortlebt sein Lied im nächtlichen Haus der Schmerzen.

Um 1912

THOMAS MANN

Novalis hat ein tiefes biologisch-moralisches Wort gesprochen, beladen mit Wissen von Lust und Sittlichkeit, Freiheit und Form. Es lautet: «Der Trieb unsrer Elemente geht auf Desoxydation. Das Leben ist erzwungene Oxydation.» Hier ist der Tod als Faszination und Verführung, als Trieb unserer Elemente zur Freiheit, zur Unform und zum Chaos erfaßt, das Leben aber als Inbegriff der Pflicht. Und ist es nicht dies, was den hektischen Träumer von ewiger Brautnacht zu seinen Ideen von Staat und schöner Menschengemeinschaft geführt hat?

Von deutscher Republik. 1922

HERMANN HESSE

Hinterlassen hat er das wunderlichste und geheimnisvollste Werk, das die deutsche Geistesgeschichte kennt. Ebenso wie sein kurzes, äußerlich tatenloses Leben den Eindruck seltsamster Fülle macht und jede Sinnlichkeit wie jede Geistigkeit erschöpft zu haben scheint, so zeigen die Runen dieses Werkes unter spielender, entzückend blumiger Oberfläche alle Abgründe des Geistes, der Vergöttlichung durch den Geist und der Verzweiflung am Geiste. Sein eigenes Schicksal hat Novalis wissend und gläubig erlebt, seiner Tragik bewußt und ihr doch überlegen, da eine schöpferische Frömmigkeit ihm erlaubte, den Tod gering zu achten.

Nachwort zu «Novalis. Dokumente seines Lebens und Sterbens».
1924

BIBLIOGRAPHIE

Die Bibliographie bringt eine Übersicht über die wesentlichsten Novalis-Editionen und eine Auswahl aus dem umfangreichen Schrifttum zu dem Dichter. Eine vollständige Novalis-Bibliographie gibt es bis zur Stunde nicht, obwohl die Arbeit daran im Gange ist.

Zur leichteren Übersicht empfahl es sich, die Arbeiten über Novalis nach bestimmten Sachgebieten zu gliedern. Dergleichen bleibt problematisch, denn nicht jeder Titel läßt sich klar einer bestimmten Gruppe zuordnen. Da jeder Titel andererseits nur einmal aufgeführt werden konnte, wird es für den Benutzer ratsam sein, die Gliederung zwar als Hilfe zu betrachten, die Bibliographie zugleich aber als Ganzes zu überblicken.

Für eine Reihe von Zeitschriften wurden Abkürzungen verwandt, und zwar:

DVJ = Deutsche Vierteljahrsschrift für Literaturwissenschaft und Geistesgeschichte
GRM = Germanisch-romanische Monatsschrift (N. F. = Neue Folge)
JEGP = Journal of English and Germanic Philology
PMLA = Publications of the Modern Language Association of America

1. Forschungsberichte und wissenschaftliche Hilfsmittel

HAUSSMANN, J. F.: German Estimates of Novalis from 1800 to 1850. In: Modern Philology 9 (1911–1912), The University of Chicago Press, Chicago, Illinois, S. 399–415
HAUSSMANN, J. F.: Die deutsche Kritik über Novalis von 1850–1900. In: JEGP 12 (1913), S. 211–244
SAMUEL, RICHARD: Novalis (Friedrich Freiherr von Hardenberg). Der handschriftliche Nachlaß des Dichters. Auktionskatalog mit beschreibendem Verzeichnis. Berlin 1930
MÜLLER-SEIDEL, WALTER: Probleme neuerer Novalisforschung. In: GRM N. F. 3 (1953), S. 274–292
SAMUEL, RICHARD: Zur Geschichte des Nachlasses Friedrich von Hardenbergs (Novalis). In: Jb. der deutschen Schillergesellschaft 2 (1958), S. 301–347

2. Erstdrucke zu Novalis' Lebzeiten

Klagen eines Jünglings. In: Der Neue Teutsche Merkur vom Jahre 1791. Hg. von C. M. WIELAND. Erster Band. Weimar 1791. S. 410–413
Blüthenstaub. In: Athenaeum. Eine Zeitschrift von AUGUST WILHELM SCHLEGEL und FRIEDRICH SCHLEGEL. Ersten Bandes Erstes Stück. Berlin 1798. S. 70–106
Blumen. In: Jahrbücher der Preußischen Monarchie unter der Regierung von Friedrich Wilhelm III. Hg. von F. E. RAMBACH. Bd. II. Berlin 1798. S. 184 f
Glauben und Liebe oder der König und die Königin. In: Jahrbücher der Preußischen Monarchie unter der Regierung von Friedrich Wilhelm III. Hg. von F. E. RAMBACH. Bd. II. Berlin 1798. S. 269–286
Hymnen an die Nacht. In: Athenaeum. Eine Zeitschrift von AUGUST WILHELM SCHLEGEL und FRIEDRICH SCHLEGEL. Dritten Bandes Zweites Stück. Berlin 1800. S. 188–204

Novalis. Schriften. Hg. von FRIEDRICH SCHLEGEL und LUDWIG TIECK. 2 Bde. Berlin 1802 – 2. Aufl. 1805; 3. Aufl. 1815; 4. Aufl. 1826; 5. Aufl. 1837

Novalis. Schriften. Hg. von LUDWIG TIECK und EDUARD VON BÜLOW. Dritter Theil. Berlin 1846

Novalis Sämmtliche Werke. Hg. von CARL MEISSNER. Eingeleitet von BRUNO WILLE. 3 Bde. Florenz–Leipzig 1898; Ergänzungsband auf Grund des litterarischen Nachlasses hg. von BRUNO WILLE. Leipzig 1901

Novalis. Schriften. Kritische Neuausgabe auf Grund des handschriftlichen Nachlasses. Hg. von ERNST HEILBORN. 2 Theile in 3 Bänden. Berlin 1901

Novalis. Schriften. Hg. von JAKOB MINOR. 4 Bde. Jena 1907

Novalis' sämtliche Werke. Hg. von ERNST KAMNITZER. 4 Bde. München 1924

Novalis. Schriften. Im Verein mit RICHARD SAMUEL hg. von PAUL KLUCKHOHN. Nach den Handschriften ergänzte und neugeordnete Ausgabe. 4 Bde. Leipzig 1929

Novalis. Werke, Briefe, Dokumente. Hg. von EWALD WASMUTH. 4 Bde. Heidelberg 1953–1957

Novalis. Schriften. Die Werke Friedrich von Hardenbergs. Hg. von PAUL KLUCKHOHN (†) und RICHARD SAMUEL. Zweite, nach den Handschriften ergänzte, erweiterte und verbesserte Auflage in vier Bänden und einem Begleitband

Bd. 1: Das dichterische Werk. Hg. von PAUL KLUCKHOHN (†) und RICHARD SAMUEL unter Mitarbeit von HEINZ RITTER und GERHARD SCHULZ. Stuttgart 1960

Bd. 2: Das philosophische Werk I. Hg. von RICHARD SAMUEL in Zusammenarbeit mit HANS-JOACHIM MÄHL und GERHARD SCHULZ. Stuttgart 1965

Bd. 3: Das philosophische Werk II. Hg. von RICHARD SAMUEL in Zusammenarbeit mit HANS-JOACHIM MÄHL und GERHARD SCHULZ. Stuttgart 1968

Bd. 4: Tagebücher, Briefe und Lebenszeugnisse [Noch nicht erschienen.]

4. Briefe und Lebenszeugnisse

CATHOLY, ECKEHARD, und RICHARD SAMUEL: Ein unbekannter Novalis-Brief. In: Euphorion 47 (1953), S. 412–420

HARDENBERG, SOPHIE VON: Friedrich von Hardenberg (genannt Novalis). Eine Nachlese aus den Quellen des Familienarchivs hrsg. von einem Mitglied der Familie. Gotha 1873 – 2. Aufl. 1883

PREITZ, MAX: Friedrich Schlegel und Novalis – Biographie einer Romantikerfreundschaft in ihren Briefen. Darmstadt 1957

SAMUEL, RICHARD: Ahnentafel des Dichters Friedrich von Hardenberg (genannt Novalis). Ahnentafeln berühmter Deutscher. Leipzig 1929

SCHULZ, GERHARD: Ein neuer Brief von Novalis. In: DVJ 35 (1961), S. 216–223

5. Überblicke und Gesamtdarstellungen

HARDENBERG, KARL VON: Lebensbeschreibung seines Bruders Philipp Friedrich Freiherr von Hardenberg (Novalis). Murnau 1940 (Des Bücherfreundes Fahrten ins Blaue. 30) – Kritisch abgedruckt von R. SAMUEL in: Euphorion 52 (1958), S. 174–182

JUST, AUGUST COELESTIN: Friedrich von Hardenberg. In: Nekrolog der

Teutschen für das neunzehnte Jahrhundert. Hg. von Friedrich Schlichte-groll. 4. Bd. Gotha 1805. S. 187–261

TIECK, LUDWIG: Vorrede zur dritten Auflage [von Novalis' Schriften]. Berlin 1815. Bd. 1. S. XI–XXXVIII

CARLYLE, THOMAS: Novalis. In: Foreign Review 1829, No. 7 und in: Carlyle, Essays on the Greater German Poets and Writers. London 1829

ECHTERMEYER, THEODOR, und ARNOLD RUGE: Novalis. In: Hallische Jahr-bücher für deutsche Wissenschaft und Kunst 1839. Sp. 2136–2152

DILTHEY, WILHELM: Novalis. In: Preußische Jahrbücher 15 (1865), S. 596–650 – Später in: Dilthey, Das Erlebnis und die Dichtung. Leipzig 1905

BAUER, G.: Friedrich von Hardenberg. In: Allgemeine Deutsche Biographie. 10. Bd. Leipzig 1879. S. 562–570

SCHUBART, A.: Novalis' Leben, Dichten und Denken. Auf Grund neuerer Publikationen im Zusammenhang dargestellt. Gütersloh 1887

BING, JUST: Novalis (Friedrich v. Hardenberg). Eine biographische Charak-teristik. Hamburg–Leipzig 1893

HEILBORN, ERNST: Novalis, der Romantiker. Berlin 1901

BLEI, FRANZ: Novalis. Berlin 1904

BRENNAN, CHRISTOPHER: Novalis. [1904] In: The Prose. Sydney 1962. S. 105–131

SPENLE, E.: Novalis. Essai sur l'idealisme romantique en Allemagne. Paris 1904

SCHLAF, JOHANNES: Novalis und Sophie von Kühn. Eine psychophysiologi-sche Studie. München 1906

LUKÁCS, GEORG VON: Novalis. [1907] In: Lukács, Die Seele und die Formen. Berlin 1911. S. 93–117

LICHTENBERGER, HENRI: Novalis. Paris 1912

OBENAUER, KARL JUSTUS: Hölderlin/Novalis. Gesammelte Studien. Jena 1925

BALTHASAR, HANS URS VON: Novalis. In: Balthasar, Apokalypse der deut-schen Seele. Bd. 1. Salzburg–Leipzig 1937 – 2. Aufl. unter dem Titel: Prometheus. Studien zur Geschichte des deutschen Idealismus. Heidelberg 1947. S. 255–292

SCHOLZ, WILHELM VON: Novalis. In: Die großen Deutschen. Neue deutsche Biographie. 1937 – Neuaufl. Frankfurt a. M. 1956. Bd. 2. S. 335–344

BARTH, KARL: Novalis. In: Barth, Die protestantische Theologie im 19. Jahr-hundert. Zürich 1947 – 3. Aufl. 1960. S. 303–342

MILTITZ, MONICA VON: Novalis. Romantisches Denken zur Deutung unserer Zeit. Berlin 1948

HEDERER, EDGAR: Novalis. Wien 1949

HIEBEL, FRIEDRICH: Novalis. Der Dichter der blauen Blume. München 1951

COLEVILLE, MAURICE: Étude sur l'œuvre et la pensée de Novalis. 2 Bde. Paris 1956 [Masch.]

HAMBURGER, MICHAEL: Novalis. In: Hamburger, Reason and Energy. Studies in German Literature. London 1957. S. 71–104

KLUCKHOHN, PAUL: Friedrich von Hardenbergs Entwicklung und Dichtung. Einleitung zu: Novalis Schriften, Bd. 1. Stuttgart 1960. S. 1–67

GARNIER, PIERRE: Un tableau synoptique de la vie et des œuvres de Novalis et des événements artistiques, littéraires et historiques de son époque. Une suite iconographique accompagnée d'un commentaire sur Novalis et son temps. Une étude sur l'écrivain. Paris 1962

RITTER, HEINZ: Der unbekannte Novalis. Friedrich von Hardenberg im Spie-gel seiner Dichtungen. Göttingen 1967

6. Untersuchungen

a) Zur Biographie

SAMUEL, RICHARD: Der berufliche Werdegang Friedrich von Hardenbergs. In: Romantik-Forschungen. Halle 1929. S. 83–112

SCHMIDT, OTTO EDUARD: Friedrich v. Hardenberg (Novalis) und Hans Georg von Carlowitz. In: Jb. der Goethe-Gesellschaft. 15. Bd. (Weimar 1929). S. 180–200

SÄNGER, EMIL: Das Horoskop des Novalis: Sein Weltbild und seine Liebe. In: Die Astrologische Rundschau 26 (1934), H. 3/4, S. 65–69

SCHULZ, GERHARD: Die Berufslaufbahn Friedrich von Hardenbergs (Novalis). In: Jb. der deutschen Schillergesellschaft 7 (1963), S. 253–312

b) Zum epischen Werk

GLOEGE, G.: Novalis' «Heinrich von Ofterdingen» als Ausdruck seiner Persönlichkeit. Eine ästhetisch-psychologische Stiluntersuchung. Leipzig 1911

WOLTERECK, KÄTHE: Goethes Einfluß auf Novalis' «Heinrich von Ofterdingen». Weida 1914

WALZEL, OSKAR: Die Formkunst von Hardenbergs «Heinrich von Ofterdingen». In: GRM 7 (1915–1919), S. 403–444, 465–479

TOURNOUX, G. A.: La langue de Novalis dans Henri d'Ofterdingen, les disciples à Sais et l'essai sur la chrétienté. Lille–Paris 1920

MAY, KURT: Weltbild und innere Form der Klassik und Romantik im «Wilhelm Meister» und «Heinrich von Ofterdingen». In: Romantik-Forschungen. Halle 1929. S. 185–203 – Später in: May, Form und Bedeutung. Interpretationen deutscher Dichtung des 18. und 19. Jahrhunderts. Stuttgart 1957. S. 161–171

HECKER, JUTTA: Das Symbol der Blauen Blume im Zusammenhang mit der Blumensymbolik der Romantik. Jena 1931

DIEZ, MAX: Metapher und Märchengestalt. III. Novalis und das allegorische Märchen. In: PMLA 48 (1933), S. 488–507

REBLE, ALBERT: Märchen und Wirklichkeit bei Novalis. In: DVJ 19 (1941), S. 70–110

BORCHERDT, HANS HEINRICH: Novalis' «Heinrich von Ofterdingen». In: Borcherdt, Der Roman der Goethezeit. Urach–Stuttgart 1949. S. 365–382

NIVELLE, ARMAND: Der symbolische Gehalt des «Heinrich von Ofterdingen». In: Revue des langues vivantes 16 (1950), S. 404–427

HIEBEL, FRIEDRICH: Zur Interpretation der «Blauen Blume» des Novalis. In: Monatshefte für deutschen Unterricht 43 (1951), S. 327–334

BOLLINGER, HEINZ: Novalis: Die Lehrlinge zu Sais. Versuch einer Erläuterung. Winterthur 1954

FRIES, W. J.: Ginnistan und Eros. Ein Beitrag zur Symbolik in «Heinrich von Ofterdingen». In: Neophilologus 38 (1954), S. 23–36

HAUFE, EBERHARD: Die Aufhebung der Zeit im «Heinrich von Ofterdingen». In: Gestaltung, Umgestaltung. Festschrift zum 75. Geburtstag von H. A. Korff. Hg. von J. MÜLLER. Leipzig 1957. S. 178–188

KLUCKHOHN, PAUL: Neue Funde zu Friedrich von Hardenbergs (Novalis) Arbeit am «Heinrich von Ofterdingen». In: DVJ 32 (1958), S. 391–409

SCHULZ, GERHARD: Der Bergbau in Novalis' «Heinrich von Ofterdingen». In: Der Anschnitt 11 (1959), Nr. 2, S. 9–13

SCHULZ, GERHARD: «Der ist der Herr der Erde...». Betrachtungen zum ersten Bergmannslied in Novalis' «Heinrich von Ofterdingen». In: Der Anschnitt 11 (1959), Nr. 3, S. 10–13

SCHULZ, GERHARD: Die Verklärung des Bergbaues bei Novalis. Betrachtungen zum zweiten Bergmannslied im «Heinrich von Ofterdingen». In: Der Anschnitt 11 (1959), Nr. 4, S. 20–23

STRIEDTER, JURY: Die Komposition der «Lehrlinge zu Sais». In: Der Deutschunterricht 7 (1959), H. 2, S. 5–23

WILLSON, A. LESLIE: The Blaue Blume: A New Dimension. In: The Germanic Review 34 (1959), S. 50–58

RITTER, HEINZ: Die Entstehung des «Heinrich von Ofterdingen». In: Euphorion 55 (1961), S. 163–195

LÖFFLER, DIETRICH: «Heinrich von Ofterdingen» als romantischer Roman. Leipzig 1963 [Diss.]

SAMUEL, RICHARD: Novalis. Heinrich von Ofterdingen. In: Der deutsche Roman. Struktur und Geschichte. Hg. von B. v. WIESE. Bd. 1. Düsseldorf 1963. S. 252–300

EHRENSPERGER, OSKAR SERGE: Die epische Struktur in Novalis' «Heinrich von Ofterdingen». Eine Interpretation des Romans. Winterthur 1965

SCHLAGDENHAUFFEN, ALFRED: Klingsohr–Goethe?. In: Un Dialogue des Nations. Mélanges Fuchs 1967. München–Paris 1967. S. 121–130

SCHANZE, HELMUT: Index zu Novalis Heinrich von Ofterdingen. Frankfurt a. M.–Bonn 1968

c) Zum lyrischen Werk

WÖRNER, ROMAN: Novalis' Hymnen an die Nacht und geistliche Lieder. München 1885

BUSSE, CARL: Novalis' Lyrik. Oppeln 1898

STEINER, RUDOLF: Novalis und seine «Hymnen an die Nacht» [1908]. In: Das Weihnachtsmysterium. Novalis, der Seher und Christuskünder. Vier Vorträge. Dornach 1954

MINOR, JACOB: Studien zu Novalis. I. Zur Textkritik der Gedichte. Sitzungsberichte der Kais. Akademie der Wissenschaften in Wien. Phil.-Hist. Klasse 169. Bd., 1. Abhandlung. Wien 1911

UNGER, RUDOLF: Zur Datierung und Deutung der Hymnen an die Nacht. In: Herder, Novalis, Kleist. Studien über die Entwicklung des Todesproblems in Denken und Dichten vom Sturm und Drang zur Romantik. Frankfurt a. M. 1922 – 2. Aufl. Darmstadt 1968. S. 62–87

WOLF, ALFRED: Zur Entwicklungsgeschichte der Lyrik von Novalis. Ein stilkritischer Versuch. Uppsala 1928

UNGER, RUDOLF: Das Visionserlebnis der 3. Hymne an die Nacht und Jean Paul. In: Euphorion 30 (1929), S. 246–249 – Später in: Unger, Aufsätze zur Literatur und Geistesgeschichte. Berlin 1929 – 2. Aufl. Darmstadt 1966

RITTER, HEINZ: Novalis' Hymnen an die Nacht. Ihre Deutung nach Inhalt und Aufbau auf textkritischer Grundlage. Heidelberg 1930

KOMMERELL, MAX: Novalis' «Hymnen an die Nacht». In: Gedicht und Gedanke. Auslegungen deutscher Gedichte. Hg. von H. O. BURGER. Halle 1942. S. 202–236

KAMLA, HENRY: Novalis' «Hymnen an die Nacht». Zur Deutung und Datierung. Kopenhagen 1945

ZIEGLER, KLAUS: Die Religiosität des Novalis im Spiegel der «Hymnen an die Nacht». In: Zeitschrift für deutsche Philologie 70 (1948/49), S. 396–418, und 71 (1951/52), S. 256–277

BISER, EUGEN: Abstieg und Auferstehung. Die geistige Welt in Novalis' «Hymnen an die Nacht». Heidelberg 1954

SCHRIMPF, HANS JOACHIM: Novalis. Das Lied der Toten. In: Die deutsche Lyrik. Form und Geschichte. Hg. von B. v. WIESE. Bd. I. Düsseldorf 1956. S. 414–429

RITTER, HEINZ: Die Datierung der «Hymnen an die Nacht». In: Euphorion 52 (1958), S. 114–141

BERGER, WALTER: Novalis' Abendmahlhymne. In: The Germanic Review 35 (1960), S. 28–38

RITTER, HEINZ: Die Geistlichen Lieder des Novalis. Ihre Datierung und Entstehung. In: Jb. der deutschen Schillergesellschaft 4 (1960), S. 308–342

FRYE, LAWRENCE O.: Spatial Imagery in Novalis' ‹Hymnen an die Nacht›. In: DVJ 41 (1967), S. 568–591

d) Zur Christenheit oder Europa

HEDERER, EDGAR: Friedrich von Hardenbergs «Christenheit oder Europa». München 1936 [Diss.]

SAMUEL, RICHARD: Die Form von Friedrich von Hardenbergs Abhandlung «Die Christenheit oder Europa». In: Stoffe Formen Strukturen. H. H. Borcherdt zum 75. Geburtstag. Hg. von A. FUCHS und H. MOTEKAT. München 1962. S. 284–302

MALSCH, WILFRIED: «Europa». Poetische Rede des Novalis. Deutung der französischen Revolution und Reflexion auf die Poesie in der Geschichte. Stuttgart 1965

e) Zur Religion

WIESE, BENNO VON: Novalis und die romantischen Konvertiten. In: Romantik-Forschungen. Halle 1929. S. 205–242

MINNIGERODE, IRMTRUD VON: Die Christusanschauung des Novalis. Berlin 1941

AVNI, ABRAHAM A.: The Old Testament in Novalis' Poetry. In: Monatshefte 56 (1964), S. 160–166

f) Zu Philosophie, Psychologie und Anthropologie

FRIDELL, EGON: Novalis als Philosoph. München 1904

SIMON, HEINRICH: Der magische Idealismus. Studien zur Philosophie des Novalis. Heidelberg 1906

STANGE, CARL: Novalis' Weltanschauung. In: Zeitschrift für systematische Theologie 1 (1923), S. 609–636

PIXBERG, HERMANN: Novalis als Naturphilosoph. Gütersloh 1928

FENG, TSCHENG-DSCHE: Die Analogie von Natur und Geist als Stilprinzip in Novalis' Dichtung. Heidelberg 1935 [Diss.]

BORRASS, KURT: Hoffnung und Erinnerung als Struktur von Hardenbergs Welthaltung und deren Verhältnis zur Form. Münster 1936 [Diss.]

CARLSSON, ANNI: Die Fragmente des Novalis. Basel 1939

BOLLNOW, O. F.: Zum Weg nach innen bei Novalis. In: Festschrift für Eduard Spranger. Leipzig 1942. S. 119 ff

BESSET, MAURICE: Novalis et la Pensée Mystique. Paris 1947

KUHN, HUGO: Poetische Synthesis oder ein kritischer Versuch über romantische Philosophie und Poesie aus Novalis' Fragmenten. In: Zeitschrift für philosophische Forschung 5 (1950/51), S. 161–178, 358–385

STRIEDTER, JURY: Die Fragmente des Novalis als «Präfigurationen» seiner Dichtung. Heidelberg 1953 [Diss.]

Haering, Theodor: Novalis als Philosoph. Stuttgart 1954

Lewis, Leta Jane: Novalis and the Fichtean Absolute. In: German Quarterly 35 (1960), S. 464–474

Mähl, Hans-Joachim: Eine unveröffentlichte Kant-Studie des Novalis. In: DVJ 36 (1962), S. 36–68

Nivelle, Armand: Das Bild des Menschen bei Novalis. In: Stoffe Formen Strukturen. H. H. Borcherdt zum 75. Geburtstag. Hg. von A. Fuchs und H. Motekat. München 1962. S. 274–283

Stieghahn, Joachim: Magisches Denken in den Fragmenten Friedrichs von Hardenberg. Berlin 1964 [Diss.]

Schanze, Helmut: Romantik und Aufklärung. Untersuchungen zu Friedrich Schlegel und Novalis. Nürnberg 1966

Dick, Manfred: Die Entwicklung des Gedankens der Poesie in den Fragmenten des Novalis. Bonn 1967

Volkmann-Schluck, Karl Heinz: Novalis' magischer Idealismus. In: Die deutsche Romantik. Poetik, Formen und Motive. Hg. von Hans Steffen. Göttingen 1967. S. 45–53

g) Zu Geschichte und Politik

Samuel, Richard: Die poetische Staats- und Geschichtsauffassung Friedrich von Hardenbergs (Novalis). Studien zur romantischen Geschichtsphilosophie. Frankfurt a. M. 1925

Wiese, Benno von: Romantischer Konservatismus: Novalis. In: Neue Schweizer Rundschau 20 (1927), S. 1127–1130

Kuhn, Hans Wolfgang: Der Apokalyptiker und die Politik. Studien zur Staatsphilosophie des Novalis. Freiburg i. B. 1961

Träger, Claus: Novalis und die ideologische Restauration. Über den romantischen Ursprung einer methodischen Apologetik. In: Sinn und Form 13 (1961), S. 618–660

Kreft, Jürgen: Die Entstehung der dialektischen Geschichtsmetaphysik aus den Gestalten des utopischen Bewußtseins bei Novalis. In: DVJ 39 (1965), S. 213–245

Mähl, Hans-Joachim: Die Idee des goldenen Zeitalters im Werk des Novalis. Studien zur Wesensbestimmung der frühromantischen Utopie und zu ihren ideengeschichtlichen Voraussetzungen. Heidelberg 1965

h) Zu Poetik und Sprache

Havenstein, Eduard: Friedrich von Hardenbergs ästhetische Anschauungen. Verbunden mit einer Chronologie seiner Fragmente. Göttingen–Berlin 1909 [Diss.]

Unger, Rudolf: Das Wort «Herz» und seine Begriffssphäre bei Novalis. Umrisse einer Bedeutungsentwicklung. In: Nachrichten von der Gesellschaft der Wissenschaften zu Göttingen. Phil.-hist. Klasse, 2. Bd. 1937–1939. Göttingen 1939. S. 87–98 – Später in: Unger, Gesammelte Studien. Berlin 1944 – Darmstadt 1966. Bd. 3. S. 255–267

Fauteck, Heinrich: Die Sprachtheorie Friedrich von Hardenbergs (Novalis). Berlin 1940

Kohlschmidt, Werner: Der Wortschatz der Innerlichkeit bei Novalis. In: Festschrift für Paul Kluckhohn und Hermann Schneider zu ihrem 60. Geburtstag. Tübingen 1948. S. 396–426 – Später in: Kohlschmidt, Form und Innerlichkeit. München 1955. S. 120–156

MALSCH, WILFRIED: Zur Deutung der dichterischen Wirklichkeit in den Werken des Novalis. Freiburg i. B. 1957 [Diss.]

WASMUTH, EWALD: Nach innen geht der geheimnisvolle Weg. Ein Versuch zur Poetik von Novalis. In: Die Neue Rundschau 69 (1958), S. 718–734

HAYWOOD, BRUCE: The Veil of Imagery. A study of the poetic works of Friedrich von Hardenberg (1772–1801). Harvard Germanic Studies I. Cambridge Mass. s'Gravenhage 1959

KÜPPER, PETER: Die Zeit als Erlebnis des Novalis. Köln–Graz 1959

SCHULZ, GERHARD: Die Poetik des Romans bei Novalis. In: Jb. des Freien Deutschen Hochstifts. Tübingen 1964. S. 120–157 – Später in: Deutsche Romantheorien. Frankfurt a. M. 1968. S. 81–110

LEROY, R.: Die Novalis'schen Bilder der «Nacht». In: Revue des langues vivantes 31 (1965), S. 390–403

i) Zu Naturwissenschaft und Medizin

OLSHAUSEN, WALDEMAR: Friedrich von Hardenbergs (Novalis) Beziehungen zur Naturwissenschaft seiner Zeit. Leipzig 1905 [Diss.]

HAMBURGER, KÄTE: Novalis und die Mathematik. Eine Studie zur Erkenntnistheorie der Romantik. In: Romantik-Forschungen. Halle 1929. S. 113–184 – Später in: Hamburger, Philosophie der Dichter. Stuttgart 1966. S. 11–82

BLUTH, KARL THEODOR: Medizingeschichtliches bei Novalis. Ein Beitrag zur Geschichte der Medizin der Romantik. Berlin 1934

DIEPGEN, PAUL: Novalis und die romantische Medizin. In: Mitteilungen zur Geschichte der Medizin, der Naturwissenschaft und der Technik 33 (1934), S. 349 ff – Später in: Diepgen, Medizin und Kultur. Stuttgart 1938. S. 243–250

WAGNER, LYDIA ELIZABETH: The Scientific Interest of Friedrich von Hardenberg (Novalis). Michigan 1937

FISCHER, HANS: Die Krankheitsauffassung Friedrich von Hardenbergs (Novalis) 1772–1801. Ein Beitrag zur Medizin der Romantik. Verhandlungen der Naturforschenden Gesellschaft Basel 56 (1945), S. 390–410 – Später in: Fischer, Arzt und Humanismus, Zürich–Stuttgart 1962. S. 248–271

SCHULZ, GERHARD: Novalis und der Bergbau. In: Freiberger Forschungshefte D 11. Berlin 1955. S. 242–263

DYCK, MARTIN: Novalis and Mathematics. A Study of Friedrich von Hardenberg's Fragments on Mathematics and its Relation to Magic, Music, Religion, Philosophy, Language, and Literature. Chapel Hill 1960

NEUBAUER, JOHN: Stimulation Theory of Medicine in the Fragments of Friedrich von Hardenberg. Diss. Northwestern University, Evanstone 1965

KAPITZA, PETER: Die frühromantische Theorie der Mischung. Eine Untersuchung über den Zusammenhang von chemischer Wissenschaft und romantischer Philosophie und Dichtungstheorie. München 1968 [Diss.]

j) Einflüsse und literarische Wechselbeziehungen

THIERSTEIN, JOHANN R.: Novalis und der Pietismus. Bern 1910 [Diss.]

KLEEBERG, LUDWIG: Studien zu Novalis. (Novalis und Eckartshausen). In: Euphorion 23 (1921), S. 603–639

FEILCHENFELD, WALTER: Der Einfluß Jakob Böhmes auf Novalis. Berlin 1922

UNGER, RUDOLF: Novalis' Hymnen an die Nacht, Herder und Goethe. In: Herder, Novalis, Kleist. Studien über die Entwicklung des Todesproblems in Denken und Dichten vom Sturm und Drang zur Romantik. Frankfurt a. M. 1922 – 2. Aufl. Darmstadt 1968. S. 24–61

Unger, Rudolf: Jean Paul und Novalis. In: Jean Paul-Jahrbuch 1925, S. 134–152 – Später in: Unger, Gesammelte Studien. Berlin 1929 – Darmstadt 1966. Bd. 2. S. 104–121

Kluckhohn, Paul: Schillers Wirkung auf Friedrich von Hardenberg (Novalis). In: Dichtung und Volkstum 35 (1934), S. 507–514

Flickenschildt, Ursula: Novalis' Begegnung mit Fichte und Hemsterhuis. Kiel 1947 [Diss.]

Rehder, Helmut: Novalis and Shakespeare. In: PMLA 63 (1948), S. 604–624

Jäger, Hans-Peter: Hölderlin–Novalis. Grenzen der Sprache. Zürich 1949

Schmid, Heinz Dieter: Friedrich von Hardenberg (Novalis) und Abraham Gottlob Werner. Tübingen 1951 [Diss.]

Mason, Eudo C.: Hölderlin und Novalis. Einige Überlegungen. In: Hölderlin-Jahrbuch 11 (1958–1960). Tübingen 1960. S. 72–119

Mähl, Hans-Joachim: Novalis und Plotin. Untersuchungen zu einer neuen Edition und Interpretation des «Allgemeinen Brouillon». In: Jb. des Freien Deutschen Hochstifts. Tübingen 1963. S. 139–250

Mähl, Hans-Joachim: Novalis' Wilhelm-Meister-Studien des Jahres 1797. In: Neophilologus 47 (1963), S. 286–305

Grützmacher, Curt: Novalis und Philipp Otto Runge. München 1964

Schanze, Helmut: «Dualismus unsrer Symphilosophie». Zum Verhältnis Novalis–Friedrich Schlegel. In: Jb. des Freien Deutschen Hochstifts. Tübingen 1966. S. 309–335

Paschek, Carl: Der Einfluß Jacob Böhmes auf das Werk Friedrich von Hardenbergs (Novalis). Bonn 1967 [Diss.]

k) Zur Wirkung

Bölsche, Wilhelm: Novalis und das neue Jahrhundert. In: Deutsche Rundschau 101 (1899), S. 188–192

Heuser, Frederick W.: Hauptmann and Novalis. In: The Germanic Review 1 (1926), S. 125–131

Harrold, Charles F.: Carlyle and Novalis. In: Studies in Philology, Chapel Hill (USA) 27 (1930), S. 47–63

Weihe, Amalie: Der junge Eichendorff und Novalis' Naturpantheismus. Berlin 1939

Peacock, Ronald: Novalis and Schopenhauer: a critical transition in Romanticism. In: German Studies presented to L. A. Willoughby. Oxford 1952. S. 133–143

Borst, Otto: Friedrich von Hardenbergs Wirkungen in der zweiten und dritten Phase der deutschen Romantik. Tübingen 1956 [Diss.]

Weydt, Günther: Ist der «Nachsommer» ein geheimer «Ofterdingen»?. In: GRM N. F. 8 (1958), S. 72–81

Sagara, Kenichi: Thomas Manns Novalis-Bild im Lichte seiner Romantik-Kritik. In: Doitsu Bungaku 27 (Okt. 1961), S. 92–100

Vordtriede, Werner: Novalis und die französischen Symbolisten. Zur Entstehungsgeschichte des dichterischen Symbols. Stuttgart 1963

Kuczynski, Jürgen: Diltheys Novalisbild und die Wirklichkeit. In: Weimarer Beiträge 12 (1966), S. 27–56

Albertsen, Leif Ludwig: Novalismus. In: GRM N. F. 17 (1967), S. 272–285

Mähl, Hans-Joachim: Goethes Urteil über Novalis. Ein Beitrag zur Geschichte der Kritik an der deutschen Romantik. In: Jb. des Freien Deutschen Hochstifts. Tübingen 1967. S. 130–270

ALLEMANN, BEDA: Ironie und Dichtung. Pfullingen 1956

BENJAMIN, WALTER: Der Begriff der Kunstkritik in der deutschen Romantik. In: Benjamin, Schriften. Frankfurt a. M. 1955. Bd. 2. S. 420–528

HAYM, RUDOLF: Die romantische Schule. Ein Beitrag zur Geschichte des deutschen Geistes. Berlin 1870 – 3. Aufl. besorgt von Oskar Walzel. Berlin 1914

HUCH, RICARDA: Die Blütezeit der Romantik. Leipzig 1899 – Ausbreitung und Verfall der Romantik. Leipzig 1902. Zusammen unter dem Titel: Die Romantik. 2 Bde. 1908 – Neuausgabe unter dem Titel: Die Romantik. Ausbreitung, Blütezeit und Verfall. Tübingen 1951

KLUCKHOHN, PAUL: Die Auffassung der Liebe in der Literatur des 18. Jahrhunderts und in der deutschen Romantik. Halle 1922 – 3. Aufl. Tübingen 1966

KLUCKHOHN, PAUL: Persönlichkeit und Gemeinschaft. Studien zur Staatsauffassung der deutschen Romantik. Halle 1925

KORFF, HERMANN AUGUST: Geist der Goethezeit. Versuch einer ideellen Entwicklung der klassisch-romantischen Literaturgeschichte. III. Teil: Frühromantik. Leipzig 1940 – 3. Aufl. 1956

REHM, WALTHER: Orpheus. Der Dichter und die Toten. Selbstdeutung und Totenkult bei Novalis–Hölderlin–Rilke. Düsseldorf 1950

ROSTEUTSCHER, JOACHIM: Das ästhetische Idol im Werke von Winckelmann, Novalis, Hoffmann, Goethe, George und Rilke. Bern 1956

STROHSCHNEIDER-KOHRS, INGRID: Die romantische Ironie in Theorie und Gestaltung. Tübingen 1960

THALMANN, MARIANNE: Zeichensprache der Romantik. Heidelberg 1967

UNGER, RUDOLF: Heilige Wehmut. Zum geistes- und seelengeschichtlichen Verständnis einer romantischen Begriffsprägung. In: Jb. des Freien Deutschen Hochstifts. Frankfurt a. M. 1940 – Später in: Unger, Gesammelte Studien. Berlin 1944 – Darmstadt 1966. Bd. 3. S. 181–254

VOERSTER, ERIKA: Märchen und Novellen im klassisch-romantischen Roman. Bonn 1964 [Diss.]

NAMENREGISTER

Die kursiv gesetzten Zahlen bezeichnen die Abbildungen

QUELLENNACHWEIS DER ABBILDUNGEN

Slg. Gerhard Schulz: 6, 9, 17, 18 oben und unten, 21, 27, 28, 62, 72, 74, 86, 112, 114, 118, 123, 159, 164 / Schloß Weißenfels, Museum: 11, 12, 19, 20, 23, 24, 42, 45, 49, 50, 51, 60, 61, 77, 101, 106, 116/117, 122 / Petra Baronin von Bischoffshausen, Berge: 15, 16, 47 / Freies Deutsches Hochstift, Frankfurt a. M.: 26, 38, 68, 99, 140, 145, 154, 160/161 / Schiller-Nationalmuseum, Marbach a. N.: 30, 105 / Archiv für Kunst und Geschichte, Berlin: 33, 52, 102 / Rowohlt Archiv: 34, 92, 94, 120 / Alexandra Gräfin von Hardenberg, Wolbrechtshausen: 40 / Staatsbibliothek, Bildarchiv (Handke), West-Berlin: 44, 80/81 / Brigitte Krug v. Nidda, Leipzig: 65, 108 / Bergakademie Freiberg i. Sa.: 76, 78, 84 oben, 136 / Monica Freifrau von Miltitz, Unterlengenhardt: 82, 110 / Rockmann, Freiberg i. Sa.: 84 unten / Historia-Photo, Bad Sachsa: 89 / Aus: R. Kötzschke u. H. Kretzschmar, Sächsische Geschichte (Verlag W. Weidlich, Frankfurt a. M. 1965): 91 / Ullstein-Bilderdienst, Berlin: 113 / Aus: Anne-Lore Gräfin Vitzthum, Julius Wilhelm von Oppel (Dresden, 1932): 121 / Margarethe Ritter, Heidelberg-Schlierbach: 125 / Sächsisches Landeshauptarchiv, Dresden: 150

C. H. Beck

In der Reihe
‹Beck's kommentierte Klassiker›
ist erschienen:

Novalis · Werke

Herausgegeben und kommentiert von
GERHARD SCHULZ. VIII, 875 Seiten.
In Leinen DM 28.–

Der Textteil bietet auf nahezu 600 Seiten eine reiche Auswahl aus dem Werk Hardenbergs: Er setzt ein mit den lyrischen Dichtungen, geht über zu den ‹Lehrlingen zu Sais› und zum ‹Heinrich von Ofterdingen› und schließt mit einer 300 Seiten umfassenden, chronologisch angeordneten Auswahl aus dem theoretischen Werk des Autors (in der unter anderem auch das große Fragment ‹Die Christenheit oder Europa› abgedruckt ist).

Dem Text liegen die Originalausgaben zugrunde. Die Orthographie wurde modernisiert, der Lautstand jedoch nicht angetastet, die Zeichensetzung beibehalten.

An diesen Text schließt sich ein etwa 300 Druckseiten umfassender Kommentar an. Er beginnt mit einem Essay über Novalis und führt in jede Abteilung der Ausgabe durch eine allgemeine Einleitung ein. Es folgen Bemerkungen zur Entstehungs- und zur Textgeschichte, Auszüge aus den Äußerungen des Autors über sein eigenes Werk und aus Urteilen der Zeitgenossen. Den Hauptteil des Kommentars bilden die Erläuterungen, die den Text sozusagen Zeile für Zeile begleiten. – Es gibt keine andere Novalis-Ausgabe, die dem Leser einen gleich gründlichen und ausführlichen Kommentar böte.

Bitte Sonderprospekt anfordern
Verlag C. H. Beck 8 München 40

Die historisch-kritische Ausgabe

NOVALIS

Schriften

Die Werke Friedrich von Hardenbergs

Herausgegeben von Paul Kluckhohn † und Richard Samuel

Diese Ausgabe ist ergänzt um die bisher unveröffentlichten und unzugänglichen Texte. Sie ermöglicht auf Grund der Neuordnung der vervollständigten Papiere neue Einsichten in die Zusammenhänge der einzelnen Werke und leitet damit eine neue Phase der Novalisforschung ein.

Ein Begleitband mit Sach-, Personen- und Ortsregister sowie eine vollständige Bibliographie werden folgen.

W. Kohlhammer Verlag Stuttgart

Deutsche Literatur